L'OMBRE D'ALEXANDRE

Frédéric Neuwald

L'OMBRE D'ALEXANDRE

Les Feux d'Héphaïstos : tome I

Flammarion

À Élisabeth,
Michèle
Et Cristina,
les trois femmes de ma vie.

I

Il est quelque chose que j'ai retenu des Anciens : certains signes annoncent sans doute possible une journée pénible. Quand vous vous réveillez avec la gueule de bois, seul dans votre lit, par exemple, et que vous trouvez un petit mot sur l'oreiller disant :

Je file, j'ai rendez-vous à 8 heures à l'agence. Je t'appelle ce soir.
Bises, beau blond.

Cathia
PS : j'ai éteint le réveil, tu avais l'air exténué.
— Merde !

Si le bracelet-montre indique alors 10 h 30, c'est que vous avez deux heures de retard. Si, de surcroît, il ne reste plus un seul t-shirt propre dans l'armoire et que la cafetière émet un bruit d'évier en vomissant une eau jaunâtre, mieux vaut se faire définitivement à l'idée que les dieux vous ont pris en grippe.

Je songeai un instant à rester couché mais nous étions mardi, et le mardi était le seul jour de la semaine où je pouvais être un peu tranquille au musée, puisque fermé aux visiteurs. Je me levai donc en tempêtant contre le mauvais alcool, les femmes inconscientes, l'aspirine qui prenait toujours un malin plaisir à ne jamais se trouver là où on la cherchait, et tout ce qui tombait sous ma main ou dans mon champ de vision.

Après une douche et un rasage à l'eau froide, la chaudière ayant, elle aussi, décidé d'ajouter une virgule à la liste de mes contrariétés, j'enfilai mon t-shirt de la veille, un vieux jean délavé usé jusqu'à la trame et une vieille paire de chaussures de randonnée. Je nouai bas sur ma nuque une queue de cheval approximative et jetai par habitude un regard critique au miroir de l'entrée. Les femmes me disaient souvent que je ressemblais à un acteur de péplum, avec ma carrure de gladiateur, ma tignasse blonde, mon sourire à fossettes de jeune premier et mes traits taillés à la serpe. Force était de constater que, ce matin-là, Ben Hur n'avait pas bonne mine. De sanglants vaisseaux striaient mes globes oculaires, le bleu de mes yeux bleus avait viré au gris et la longue cicatrice verticale qui me barrait le côté gauche du visage ressortait plus que jamais sur ma peau à peine hâlée malgré la canicule qui sévissait depuis deux mois.

— Qu'en dis-tu ? demandai-je à la photo posée sur la commode de l'entrée. (Les yeux safran parurent me jeter un regard réprobateur et je souris.) Pas fameux, hein, Etti ?

Je soufflai sur la fine pellicule de poussière qui s'était déposée sur le cadre et sentis un petit pincement au cœur. Quand avais-je pris cette photo, déjà ? Lors de notre dernier voyage à Delhi ? Où était-ce à Madras ? Qu'importait. Etti était souriant et gai, comme toujours. Sa chemise de lin blanc contrastait avec sa peau couleur châtaigne et ses cheveux d'un noir profond aux reflets presque bleus. Ses iris dorés illuminaient son visage aux traits délicats. Les yeux d'un roi, pour moi. Des yeux que ses concitoyens ne voyaient pas puisqu'un *dalit*, un intouchable, doit les baisser en présence d'un représentant des castes « pures ».

Je n'avais jamais compris ce qui le poussait irrésistiblement et à intervalles réguliers à vouloir retourner en Inde, où il redevenait un moins que rien, guère plus qu'un chien. Quoique les chiens soient autorisés à laper un bol d'eau de puits en cuisine ; Etti, lui, n'avait pas même le droit de poser le pied sur le perron de la maison.

« J'ai fait du mal dans une autre existence, disait-il, il est normal que je paye dans celle-ci. »

Qu'il fût ardemment croyant, bien que l'hindouisme l'ait relégué au rang de sous-homme, restait pour moi un mystère. Certaines de ses réactions me dépassaient. Quand elles ne m'amusaient pas…

« Laisse cette souris tranquille, Morgan !

— Cette souris est dans *ma* cuisine.

— C'est peut-être ta grand-mère, ou ta mère ! Lâche ce balai !

— Par Zeus, Etti ! Ce n'est qu'une souris. Ça transporte tout un tas de saletés, ces bestioles !

— Fais du mal à cette pauvre bête et c'est en cafard que tu reviendras ! »

Indrani (c'est le nom qu'il donna à la demoiselle lorsqu'il l'adopta) nous fit ainsi profiter de sa rongeuse compagnie durant presque deux ans. Et que nul ne se flatte de pouvoir apprivoiser l'une de ces petites bêtes avant d'en voir une accourir à la mention de son nom, plonger dans la poche extérieure d'un sac à dos pour réclamer une promenade dans le jardin des Tuileries, ou attaquer la télécommande de la chaîne haute-fidélité quand la musique n'est pas à son goût. J'admets volontiers qu'Indrani était une souris hors du commun, mais de là à mériter des prières et des funérailles en grande pompe (avec offrande de miettes de biscuit et crémation dans l'évier sur lit de brindilles), c'était plus que mon sérieux ne pouvait en supporter. Etti avait donc officié seul dans la cuisine pendant que je me tordais de rire sur le divan du salon. Je revoyais son expression offensée lorsqu'il était sorti jeter les vénérables restes, dévotement rassemblés dans leur urne funéraire (une boîte à vermicelle), dans la Seine.

Il était comme ça, et pour rien au monde je n'aurais voulu le changer.

—Etti…

Une sonnerie stridente retentit et je sursautai, manquant de peu renverser le cadre. Note pour plus tard : changer de téléphone.

—Allô ? fis-je, le cœur battant.

—Morg ? Je te réveille ? Tu ferais bien de te dépêcher, on a reçu un plein container de carburant à locomotives.

—Qui t'a donné mon numéro de téléphone, Hans ? demandai-je, contrarié.

—On s'en fiche, ramène-toi, je te dis !

—Qu'y a-t-il ?

Un ricanement enfantin suivi de quelques jurons.

—Tu verras !

Je raccrochai en soupirant. Qu'avait encore inventé ce gamin décérébré ?

Le sac à dos sur l'épaule, je quittai mon appartement de la rue de Richelieu — merci papa d'être un spécialiste de l'Asie réputé à qui ses livres et ses émissions de télévision avaient permis de nous offrir à Etti et à moi ce coquet studio pour nos vingt ans — et récupérai mon courrier chez madame Risoti, la gardienne de l'immeuble. Il était près de onze heures et une bonne odeur de ragoût en train de mijoter s'échappait de la loge. Depuis que je la connaissais, soit près de quinze ans, la pauvre femme passait un tiers de son temps à faire la cuisine, un autre à guetter l'arrivée d'un ouvrier du syndicat de copropriété qui, elle en était persuadée, allait installer des boîtes aux lettres pour la réduire au chômage technique, et le dernier à cancaner avec madame Fréon, la veuve du troisième.

Je dépiautai mon courrier devant elle, jetant publicité et lettres d'information des Musées de France dans la corbeille de la loge.

—Attendez, monsieur Lafet, piailla-t-elle de sa voix de canari, vous avez aussi un paquet.

Elle s'en retourna lentement – pour faire durer le suspense ? – et revint avec un petit colis timbré à Berlin.

— C'est monsieur Lafet père, je suppose, dit-elle en frottant ses petites mains roses.

Elle adorait appeler papa ainsi, moi-même ayant été promu au titre de « Monsieur Lafet fils » le jour où elle avait vu « Monsieur Lafet père » passer au journal de vingt heures, à l'occasion de la sortie de l'un de ses pavés sur l'Inde. Ce jour-là, nous étions devenus des gens importants pour madame Risoti, des personnalités dignes de poser dans ses revues people, aux côtés des acteurs célèbres et des têtes couronnées. Deux semaines plus tard, j'avais même poussé le vice jusqu'à lui faire croire que nous avions dû changer de nom à la Révolution française, passant de « de La Fet » à « Lafet », pour échapper aux persécutions. Je lui brossai un pathétique tableau de mes ancêtres, marchant nu-pieds dans la neige, serrant nos armoiries familiales dans leurs doigts gelés, et « Vous savez, madame Risoti, il faisait fichtrement froid, à cette époque, au mois de juillet ». Etti m'avait reproché durant plus d'un mois d'avoir mené cette commère en bateau, et pourtant Zeus savait à quel point la chère Risoti le détestait.

« Il faudra dire à monsieur Etti de ne plus ouvrir les fenêtres, quand il fait sa cuisine pakistanaise. Les voisins se sont plaints de l'odeur ! Il n'est plus au pays.

— Je ne trouve pas l'odeur du curry désagréable, madame Risoti, et, pour la énième fois : Etti n'est pas pakistanais.

— Ces gens-là, vous savez, ils se ressemblent tous.

— C'est aussi ce qu'il pense des Européens... »

— Monsieur Lafet père va bien ? demanda-t-elle en suivant les mouvements de mes doigts de ses yeux curieux. (Je ne répondis pas et jetai papier d'emballage et ruban dans sa corbeille.) C'est bien de voyager comme ça. Mon fils, l'année dernière, il est parti à New York pour son travail. Il a eu une promotion, je vous l'ai dit ?

—À neuf ou dix reprises, cette semaine. (Le contenu du paquet, une espèce d'imbroglio de longs poils roux et de ficelle, dégageait une odeur de moisi.) C'est bien une idée de papa, ça...

—Qu'est-ce que c'est ? Un petit masque ? C'est africain, non ?

Je le lui tendis avec un sourire séducteur.

—En quelque sorte. Il vous plaît ? Je vous l'offre.

—Oh ! Monsieur Lafet, non. C'est un cadeau de monsieur Lafet père. Je ne...

—Allons, insistai-je, charmeur. Vous me vexeriez en refusant. Cette pièce est une antiquité, vous savez. Je peux vous assurer que personne dans le quartier n'en possède une semblable. Chacune de ces œuvres est une pièce unique et elles portent chance. Tenez, nous allons l'accrocher par les poils au-dessus des casiers. Enfin, par les cheveux.

Ravie, elle brandit une punaise et j'épinglai le cadeau de papa dans le vestibule de la loge, bien en évidence.

—Monsieur Lafet, minauda-t-elle, je ne sais vraiment pas quoi dire. Je suis très touchée, vraiment. C'est fait en quoi ? On dirait de la terre cuite, non ?

—Fabrication artisanale. Recette secrète, ajoutai-je avec un clin d'œil.

—Oh...

Je filai au Louvre avec deux bonnes heures de retard, laissant madame Risoti s'extasier devant son « antiquité ». M'offrir une tête réduite en souvenir de ses voyages... De l'Antoine Lafet tout craché.

*

Nous étions à la fin du mois de juin, le soleil tapait sec et ce fut avec un plaisir non dissimulé que je pénétrai dans l'atmosphère climatisée du Louvre. Les grandes allées dégagées me donnaient toujours une curieuse impression de gâchis. Tant de murs nus, de couloirs trop larges, de place inexploitée alors que des collections entières dormaient dans les caves… Mes semelles crissaient sur le dallage et mon souffle paraissait rauque, amplifié par les longs corridors désespérément vides. Le mardi, le musée prenait des allures de tombeau, il sentait la pierre moussue, la peinture rance et le vieux parquet. On pouvait rapidement se surprendre à déprimer, si la promenade dans les salles dépeuplées se prolongeait.

Je me faufilai donc rapidement dans les sous-sols, où se trouvait mon bureau. La vie et l'agitation qui y régnaient faisaient rapidement oublier le silence sépulcral des étages supérieurs. Dans les galeries souterraines, des manutentionnaires en bleu de travail se démenaient comme des termites, déplaçant caisses ou palettes.

Un curieux relent de naphtaline me saisit soudain à la gorge et une poussière jaunâtre se déposa sur mon t-shirt noir.

— Salut, Morg ! lança Hans.

Il portait un petit plateau en plastique débordant de gobelets de café, dont le parfum masqua un instant celui de l'antimite. Ce jeune hurluberlu m'était tombé dessus comme la foudre au cours du mois de juin. Hans était le petit-fils de Ludwig Peter, l'un des meilleurs amis de mon père et un helléniste réputé qui avait parrainé ma thèse sur les sociétés militaires en Grèce durant la période classique. Le brave homme s'était mis en tête de faire de ce fils à papa virevoltant un historien studieux. Il m'avait donc prié de lui trouver une place de stagiaire au Louvre, ce que, à mon grand dam, je n'avais pu refuser. Je n'entrevoyais pas l'ombre d'une solution pour intéresser à l'Antiquité cet éphèbe efflanqué de vingt ans, plus exalté qu'un chihuahua cocaïnomane. Il ne pensait que «glisse», «techno», «gonzesses» et «style» (qu'il prononçait «staaaïïïle»), le «staïle» regroupant selon toute vraisemblance le «look» et les occupations en opposition totale avec ceux des «has been», dont, d'après ses critères, je faisais probablement partie.

Sa maigre carcasse zigzagua adroitement entre les ouvriers et je pris un gobelet sur le plateau.

— J'ose espérer que tu n'y as rien versé? lui demandai-je en grimaçant.

— On ne donne pas des pépites aux cochons.

— Des perles, le repris-je. Qu'est-ce qui empeste à ce point?

Il fit un petit pas de danse et chassa une mèche décolorée de son front.

— Va voir dans ton bureau!

Je haussai le sourcil.

— Dans mon bureau?

Hans sautilla sur place et fit une moue qui creusa ses fossettes.

Dans quelques années, il serait sans conteste un homme séduisant mais, pour l'heure, il exhibait des allures gauches d'adolescent qui n'en finissait pas de se développer. Ses jambes et ses bras, couverts d'un duvet brun, étaient encore trop longs par rapport à son buste qui commençait à s'élargir et ses joues poupines, piquées d'une barbe clairsemée, le faisaient paraître plus jeune encore qu'il ne l'était réellement.

Il abandonna son plateau sur une caisse et je le suivis au «B.A.S.», comme il disait. Le «Bureau de l'allumé de service». Moi. En fait, j'étais le responsable – et le seul membre – d'un service créé tout spécialement pour moi avec l'aimable contribution, et un soupçon de chantage, de notre vénéré directeur, Jean de Villeneuve. Un tire-au-flanc qui dissimulait plus de squelettes dans ses placards qu'un ayatollah, une manne pour un archéologue peu scrupuleux à la recherche d'une «planque» loin des chantiers de fouilles. Comme les scrupules ne m'ont jamais étouffé, j'avais donné à ce quinquagénaire le choix entre une dénonciation en bonne et due forme pour «recel de matériel archéologique» – plus prosaïquement une superbe collection de vases grecs exposés dans sa maison de campagne de Trouville et vendue par un trafiquant d'antiques de ma connaissance – ou la création d'un département de «Dossiers archéologiques sans suite», dirigé par votre serviteur. Son amour de la science et son respect pour la recherche le firent immédiatement pencher pour la seconde solution. Noble âme...

Depuis presque un an et demi, je passais donc le plus clair de mon temps à compiler et à étudier ce que l'on appelait les «énigmes de l'archéologie», décortiquant les rapports de découvertes les plus insolites, de la machine d'Anticythère[I] à des piles électriques vieilles de plus de deux mille ans, trouvées sur le site parthe de Khujut Rabu[II], près de Bagdad. Et ce ne sont là que des exemples parmi

---

I. Dont des éléments, datant de 80 av. J.-C., ont été trouvés en 1900 au nord de l'île du même nom. Les experts sont d'accord sur le fait qu'il s'agissait d'un mécanisme très complexe, semblable à une horloge, capable de décrire avec une précision incroyable les mouvements des astres. En d'autres mots, un ordinateur vieux de plus de deux mille ans !
II. Étudiées par le Dr Wilhelm en 1938 et actuellement (si les pilleurs ne les ont pas détruites ou volées) dans les caves du musée de Bagdad, ces «piles» portent une patine bleue caractéristique de la galvanoplastie à l'argent. D'après Marc Angée («les découvertes impossibles»), «différents spécialistes ont reproduit la pile en utilisant du jus de raisin comme électrolyte et ont effectivement obtenu un courant électrique entre 0,5 et 1,5 volt». D'après les vestiges trouvés sur le site, ces piles servaient donc probablement à fabriquer du cuivre plaqué argent vendu comme de l'argent. Une belle filouterie !

d'autres. Je mettais régulièrement le fruit de mes analyses à disposition des internautes et des chercheurs sur un site web. Par des moyens plus que discutables, j'avais obtenu de Villeneuve un ordinateur dernier modèle ainsi qu'une place sur le serveur du Louvre pour pouvoir y accumuler mes données.

Lorsque je poussai la porte de mon bureau, le relent de naphtaline mêlé de myrrhe qui flottait dans les sous-sols m'irrita le gosier, et je n'eus aucun mal à en deviner la provenance.

— Surprise ! railla Hans.

Claquant la porte, je courus plus que je ne marchai vers l'escalier qui menait aux bureaux de la direction, dans les derniers étages. Là aussi, l'agitation était à son comble, mais je fis irruption dans le bureau de Villeneuve ou, devrais-je dire, dans l'annexe officieuse du musée. En effet, notre cher directeur ratissait régulièrement les sous-sols à la recherche des tableaux de maîtres et des statues antiques non exposées pour s'en entourer.

— Auriez-vous confondu mon lieu de travail avec une morgue ? demandai-je d'une voix glaciale, pétrifiant Villeneuve et deux des conservateurs, qui lui présentaient une série de plans et de tableaux statistiques.

Le maître les lieux fronça ses épais sourcils.

— Je vous demande pardon, Lafet ?

Je refermai la porte et pris une profonde inspiration.

— À l'heure où je vous parle, cinq momies moisissent dans mon bureau. Suis-je supposé travailler en leur joviale compagnie ?

Il s'affala dans son fauteuil et me jeta un regard venimeux par-dessus le bout de ses doigts joints, se mordant la langue pour ne pas me remettre sèchement à ma place – ce qui lui aurait valu de sérieux ennuis, il en était pleinement conscient. Même de là où j'étais, je pouvais sentir la

18

délicate fragrance que son corps gras dégageait, nonobstant la climatisation. Une savante composition de sueur, d'eau de toilette à la bergamote et d'effluves amers qui devaient être la matérialisation olfactive de son esprit corrompu.

L'un des conservateurs, un petit homme étriqué dans un pantalon de lin vert bouteille et engoncé dans une chemise à carreaux bleus et blancs, lui évita une réponse bredouillante. Il laissa échapper un timide filet de voix en réajustant ses lunettes.

—Nous avons eu à déplorer de petites difficultés avec l'exposition sur les momies gréco-romaines de Bahariya, professeur Lafet. Quarante-cinq sarcophages ont été livrés, alors que nous n'en attendions que trente-quatre. Votre service étant l'une des trois pièces climatisées des sous-sols, j'ai estimé que…

—Vous estimez mal. Il est hors de question que je partage mon bureau avec ces cinq malheureux durant un mois parce qu'un imbécile, perdu dans son oasis à quatre cents kilomètres au sud-ouest du Caire, ne sait plus compter !

—Rassurez-vous, professeur Lafet, bredouilla le petit homme en se tordant les mains. Nous allons les renvoyer dès que possible. Au plus tard en début de semaine prochaine.

Villeneuve se redressa, dans les limites permises par sa masse adipeuse, et posa lourdement les mains à plat sur son bureau pour me fusiller du regard.

—Vous n'aurez pas besoin de votre bureau dans les jours à venir, Lafet. (Il sortit un dossier bleu d'un tiroir de son bureau et le fit glisser vers moi sur le plateau de chêne du secrétaire.) Vous partez faire un inventaire à Fontainebleau. À Barbizon, plus exactement.

Je ne sais quelle tête je fis en cet instant, mais je me rappelle parfaitement celle de mon supérieur. Il blêmit en un clin d'œil et son cou épais s'enfonça de quelques centimètres dans le col de sa chemise. À sa décharge, il faut reconnaître qu'il existe peu d'hommes capables de soutenir un regard meurtrier lorsqu'il est jeté par une sorte de Viking herculéen balafré de un mètre quatre-vingt-quinze.

— Un... *inventaire*? murmurai-je, menaçant. Moi?

Voyant que je restais à distance respectable, ou plutôt que lui demeurait «hors de portée», Villeneuve se racla bruyamment la gorge, tâchant de recouvrer un semblant de dignité.

— Vous vous doutez bien que je ne vous aurais pas proposé ce travail sans raison, Lafet.

— Je l'espère, fis-je avec un sourire de requin.

— Vous connaissiez bien le professeur Lechausseur, je crois?

Je tiquai et luttai contre la vague de souvenirs qui menaçait de déferler.

— Bertrand Lechausseur? Le latiniste? Je le connais très bien, en effet.

Mon cœur se mit à battre la chamade. Corinthe... Les fouilles dirigées par Bertrand. Mon dernier chantier. Nous avions repêché une partie de la cargaison d'une galère romaine, datant de l'époque de Néron, qui avait coulé corps et biens à l'époque où l'empereur citharède avait entrepris de percer le canal[III]. Etti... Un an et demi, déjà...

Une main ferme se posa sur mon épaule et je tressaillis.

— Bertrand est mort la semaine dernière, Morgan, intervint le second conservateur de sa voix de baryton. (J'eus l'impression de recevoir un coup en pleine poitrine.) Il a fait une chute de son balcon.

Je me tournai vers lui, désorienté. François-Xavier était le conservateur des collections égyptiennes, un homme discret

---

III. Jules César, Caligula puis Néron avaient caressé ce projet, qui ne se concrétisa que bien des siècles plus tard.

et efficace, l'un des rares qui semblait prendre son travail au sérieux, et avec qui je m'entendais fort bien. Son élégance et son flegme tout britannique trahissaient immédiatement son ascendance anglaise, contrairement à son nom.

—Un malaise ? parvins-je à articuler.

Villeneuve fit claquer sa langue contre son palais.

—Ou une agression, murmura-t-il.

Je sursautai.

—Chez lui ?

—C'est ce qu'affirme le rapport de police. Et, pour couronner le tout, Lechausseur, dépourvu d'héritiers, fait don de sa collection au musée du Louvre. Je me demande bien ce que nous allons en faire ; les caves débordent.

Je sentis la main de François se contracter sur mon épaule, aussi choqué que moi par le ton désabusé.

—Refaire la décoration de votre bureau ? persiflai-je. (Les joues de Villeneuve, cramoisies, tremblotèrent comme de la gelée.) Ou celle de votre maison de campagne, peut-être ? (Il serra son gros poing, comme s'il brisait quelque chose entre ses doigts – moi, probablement.) Il ne faut pas s'offrir des fantasmes au-dessus de ses moyens, monsieur de Villeneuve.

Je saisis le dossier et sortis en claquant la porte, dévalant l'escalier jusqu'aux sous-sols pour m'enfermer dans mon bureau en compagnie des momies, qui m'étaient totalement sorties de l'esprit.

Je m'affalai sur ma chaise et remplis à demi ma tasse à café avec le fond de la bouteille de scotch oubliée par mon précédent stagiaire dans le tiroir de mon secrétaire. Je la vidai d'un trait. L'alcool me brûla la gorge et me tomba sur l'estomac comme de la roche en fusion, mais ne me soulagea en rien. Une sueur froide me coulait le long du dos et dans les yeux. Je la chassai d'une main tremblante et mes doigts, comme par inadvertance, caressèrent la longue cicatrice verticale qui me barrait le visage. Bertrand Lechausseur… J'entendais encore ses cris résonner à mes oreilles sur le bord du canal de Corinthe.

*

« Attention ! Professeur Lechausseur, la paroi va s'effondrer !

— Ramenez les plongeurs ! Par tous les dieux, faites-les remonter !

— Mais professeur…

— Morgan, que faites-vous ? Êtes-vous fou ? Vous risquez d'être enseveli ! Morgan ! Je vous interdis de plonger, vous m'entendez ? Je l'interd… »

L'eau glacée, le sel dans la bouche et la sensation de nager dans de la poix, comme dans ces rêves où l'on se démène pour courir mais où l'on n'avance pas. Le soulagement, à la vue de cinq hommes en tenue de plongée remontant vers la surface, me faisant signe que tout allait bien… Puis, soudain, le brouillard. Une tempête de sable sous-marine silencieuse, des courants anarchiques provoqués par la chute de dizaines de tonnes de marbre et de béton dans le fond du canal… L'affolement… La peur… Où est le haut ? Où est le bas ? Le masque de plongée arraché et la douleur… Les bras et le visage déchirés… Le sang qui se mêle au sable et à l'eau de mer… Une main qui vous tire par les cheveux et l'air, la surface, enfin. Le bruit, à nouveau, les cris…

« Il est blessé ! Vite ! Appelez une ambulance !

— Il manque un plongeur ! Il manque un plongeur !

— Morgan ! Morgan, vous m'entendez ? Mais que fait cette ambulance ?

— Etti…

— Il est conscient, professeur.

«—Monsieur Lechausseur, il manque un plongeur ! Il n'est pas remonté ! Il est resté sous les blocs !

—Oh ! Mon Dieu ! Il faut aller le chercher !

—C'est trop tard, professeur ! Il faut nous occuper de celui-ci. »

D'un geste rageur, je balayai tout ce qui se trouvait sur mon bureau et la tasse se brisa sur le carrelage. J'avais du mal à respirer, comme si chaque muscle de ma cage thoracique se contractait sur mes poumons.

—Pardon, Etti… Pardon…

Je pressai mes mains sur mon visage mais savais que mes yeux resteraient secs. Je ne savais pas pleurer. Je n'avais jamais su.

*

—Cela devrait suffire, fis-je en tapotant le couvercle du sarcophage que Hans m'avait aidé à déplacer, à grand-peine, contre l'un des murs de mon bureau. Tu devrais te remplumer un peu, mon grand.

Mon stagiaire soufflait comme une locomotive et transpirait à grosses gouttes.

—Moi, je ne me shoote pas aux anabos ! rétorqua-t-il en se dressant sur la pointe des pieds dans le vain espoir de me torpiller du regard.

Je lui répondis par un sourire goguenard et fis gonfler mon biceps, aussi gros que sa cuisse.

—Navré de te décevoir mais c'est 100 % bio.

Il se renfrogna et se laissa tomber dans mon fauteuil en maugréant je ne sais quelles douceurs dont il avait le secret. Je passai délicatement le doigt sur la peinture récemment écaillée du sarcophage et grimaçai. Les manuten-tionnaires avaient occasionné plus de dégâts en le faisant passer par la porte que le temps en quelques centaines d'années. Pourquoi diable avait-on sorti ces momies de leurs caisses ? Et si un conduit d'eau se mettait à fuir ? Je levai le nez vers les vieilles tuyauteries et, après un instant d'hésitation, recouvris les sarcophages d'une bâche en plastique, que j'allai chercher dans la réserve. Mieux valait ne pas tenter la malchance, surtout après une matinée pareille.

— Bon, on y va quand, à ton patelin de gribouilleurs ? s'impatienta Hans. Ça craint à fond, ici.

Je pris sur moi pour ne pas répliquer vertement.

— Pourquoi ton grand-père ne t'a-t-il pas plutôt envoyé faire un stage de randonnée ou d'escalade ?

— T'es vraiment à l'ouest, toi ! s'esclaffa-t-il. (Je levai un sourcil.) Eh ! ouais, papy, on a inventé le trekking depuis les pattes d'eph. (Il jura.) Si tu crois que j'aurais pas préféré me tailler aux championnats de rampe de Sydney plutôt que de m'emmerder ici…

« Et moi donc », pensai-je.

— Quatorze heures, fis-je en regardant sa montre.

Il fallait partir, en effet. Les policiers devaient déjà être sur place et l'inspecteur que j'avais eu au téléphone ne paraissait pas homme à lésiner sur la ponctualité. Il m'avait aimablement assuré que je pouvais me rendre chez Lechausseur « quand je le désirais mais, bon, si cela pouvait être aujourd'hui avant dix-sept heures, n'est-ce pas… ».

Je pris mon sac à dos et Hans bondit sur ses pieds.

— Les flics seront là ? (J'acquiesçai, lugubre.) Il y aura un périmètre de sécurité, alors ? Avec les trucs en cire sur les portes, les bandes jaunes, le dessin blanc par terre et tout le tremblement ? La classe !

Je préférai ne pas épiloguer et lui désignai la porte, qu'il franchit avec un cri de singe hurleur. Comment allais-je supporter cet énergumène jusqu'en septembre ?

Nous passâmes prendre une douche – froide – chez moi, Hans habitant le petit huit pièces de papa à Neuilly-sur-

Seine, et j'eus la chance de retrouver au fin fond de mon armoire un t-shirt propre estampillé du panda de l'association WWF, un cadeau de mon père.

Nous récupérâmes ma vieille 104 au parking et je sentis mon stagiaire sur le point de se rendre à Barbizon à pied.

— Ça existe, comme bagnole, ça ? éructa-t-il. C'est un truc que t'as bricolé toi-même ou quoi ?

— Ce « truc », c'est ma voiture et c'est elle qui va gentiment nous conduire à bon port malgré ses 233 000 km au compteur. Allez, grimpe, elle ne mord pas.

Je m'installai derrière le volant et balayai de la main les paquets de gâteaux éventrés, prospectus, revues et bouteilles d'eau minérale vides pour que Hans puisse s'asseoir, ce qu'il fit avec une réticence pour le moins blessante. Il tira sur le fermoir de sa ceinture de sécurité et ce dernier lui resta dans la main.

— Le siège passager ne sert pas souvent. Accroche-toi au siège, Robin.

— Euh… Il ne lui manquerait pas quelques options, à ton mixer ? Genre levier de vitesses.

Il pointa du doigt la tige métallique qui saillait du plancher, entre nos deux sièges. Je mis le contact et manipulai le levier sans aucune difficulté.

— Le pommeau s'est fait la belle il y a deux ans.

Il ferma les yeux en soupirant et j'allumai une cigarette avant de sortir du parking.

*

La maison de Lechausseur était un coquet petit pavillon agrémenté d'un jardin à la lisière de Barbizon, en orée de la forêt de Fontainebleau. Lorsque nous arrivâmes sur les lieux, Hans sortit de la voiture en inspirant avec soulagement l'air parfumé des sous-bois.

—T'as jamais entendu parler des petits sapins qu'on accroche au rétro, pour éviter les odeurs de clope et de vieille ferraille ? Ça se marierait pile poil avec ta ruine. (Il renifla ses vêtements de sport avec une moue.) La vache…

Je refermai ma portière et écrasai ma cigarette.

Sur le perron, deux policiers en uniforme faisaient le pied de grue et je réprimai un frisson en voyant les scellés sur la porte. Je m'approchai en tendant aimablement la main.

—Bonjour. Je pense que c'est nous que vous attendez. (Les deux hommes échangèrent un regard perplexe et me détaillèrent de haut en bas, les yeux écarquillés.) Nous sommes envoyés par le Louvre, précisai-je. J'ai appelé, tout à l'heure. L'inspecteur Dalesme m'a assuré que…

—C'est vous, l'historien ?

—Morgan Lafet, oui. Merci d'avoir permis que nous commencions aussi rapidement.

—Morgan Lafet ? osa demander le plus jeune en levant un sourcil roux.

Hans pouffa et je pinçai les lèvres. Combien de fois n'avais-je pas maudit papa pour ce grotesque jeu de mots.

—C'est encore plus drôle à l'envers, essayai-je de plaisanter. (Les policiers eurent le bon goût de sourire et serrèrent enfin ma main tendue.) Et voici Hans, mon… assistant.

—Je suis le lieutenant Rugelio Salgado.

—Agent Lionel Lecari, se présenta son confrère.

—Si vous êtes prêts, nous pouvons y aller.

Je pris une profonde inspiration, hochai la tête, et Hans sautilla sur place, impatient. J'aurais aimé pouvoir en faire autant.

II

Harry Potter. Etti m'avait traîné au cinéma voir ce film adapté d'un roman pour enfants et j'avoue que je ne décollai pas les yeux de l'écran durant près de deux heures. L'ambiance teintée de désuétude, les décors baroques, l'atmosphère surannée et chaude, le mobilier emprunté à toutes les époques croulant sous les toiles d'araignées, les vieux grimoires et les statues antiques avaient eu raison de mes réticences. On pouvait presque sentir à travers l'écran les effluves de thé et de vieilles roses fanées, un cocon moelleux fait de magie et de poussière de mythes. Lorsque je pénétrai dans la maison de Bertrand Lechausseur, je ressentis exactement la même chose.

Le parfum du bois trois ou quatre fois centenaire des meubles massifs flottait dans l'air et une chaude fragrance de cire d'abeille montait du parquet grinçant, recouvert de dizaines de tapis de tout âge et provenance. Des épées de lumière filtrée par les vitraux irisés des fenêtres du vestibule transformaient les volutes de poussière en un improbable arc-en-ciel qui mouchetait notre peau et nos vêtements, nous transformant en Picasso vivants.

Hans, bouche bée, s'avança précautionneusement et une tache d'or irisée d'émeraude glissa le long de son dos. Il tendit un doigt prudent vers l'une des nombreuses boiseries sculptées qui ornaient l'entrée et le retira, n'osant effleurer l'épaule d'acajou de la nymphe qui brandissait une lampe ronde à bout de bras.

—Le vieux n'a pas lu *Peter Pan*, chuchota-t-il en faisant mine de porter une cigarette à ses lèvres, il se l'est roulé.

Il considéra le plafond peint à fresque où je reconnus une version très libre du sommeil de Narcisse.

—La bibliothèque est au premier étage, murmura l'un des deux policiers en désignant la porte face à nous.

Lui non plus n'osait pas élever la voix.

Hans fit jouer la poignée de bronze, ouvrit les deux battants et ne put retenir une exclamation. Et dire que, de l'extérieur, la maison nous avait semblé petite…

Le hall était pavé en échiquier de dalles blanches et noires, du marbre à première vue. Les volets étaient fermés et, hormis le chemin lumineux multicolore en provenance du vestibule sur lequel s'allongeaient nos ombres, tout était obscur. Les murs disparaissaient dans un épais manteau de ténèbres qui pouvait receler aussi bien des portes, des escaliers, des couloirs, des meubles qu'un animal fabuleux prêt à bondir.

Deux globes s'illuminèrent soudain, nimbant d'un voile doré le deux statues d'éphèbes grecs qui les soutenaient. Rugelio avait actionné un interrupteur. Les deux sculptures grandeur nature montaient la garde au pied d'un escalier en colimaçon. La lumière des lampes n'était pas suffisante pour illuminer le hall mais éclairait cependant l'escalier.

—C'est en haut, fit l'un des policiers. À gauche.

Nous montâmes lentement les marches et j'en comptai treize. Bertrand Lechausseur n'était pas homme à s'encombrer de superstitions.

Si le rez-de-chaussée était sombre, une profusion de couleurs et de lumière nous éblouit au premier étage. Toutes les fenêtres étaient ornées de vitraux sans signification particulière, motifs géométriques ou élégantes arabesques. L'air ouaté de poussière sentait les fleurs séchées, les vieux livres, la fourrure et la cire. Ce n'était en rien désagréable. Comme dans le vestibule, les murs disparaissaient sous les tableaux. On ne comptait plus les commodes ou colonnes sur lesquelles étaient disposés bibelots, statuettes et coffrets.

Dans le couloir de gauche, deux portes. Tout bien réfléchi, la maison n'était pas si grande. Lechausseur avait un don pour la mise en scène.

—Combien de pièces y a-t-il ? demandai-je.

Rugelio fronça les sourcils et déplia ses doigts les uns après les autres.

—Sur l'aile gauche, où nous sommes, deux. La bibliothèque et le bureau, au fond du couloir. De l'autre côté de l'escalier, deux chambres et une salle de bains. En bas, en plus du hall et de l'entrée, la cuisine, le parking et un petit salon. Avec la télé, ajouta-t-il en souriant.

Son ton laissait clairement entendre que lui et ses collègues avaient dû faire du « salon avec la télé » leur Q.G. pendant les investigations.

—Et la terrasse ? s'enquit Hans.

—La bibliothèque ouvre dessus. Mais ne vous en faites pas, se hâta-t-il de préciser, il n'y a aucune trace apparente. (Hans leva le sourcil.) Pas de trace, répéta-t-il, comme si c'était une évidence. Pas de sang. Juste un morceau de la rambarde qui manque. Elle a cédé quand la victime est tombée.

« La victime »... C'était bien un langage de policier. Comme si elle n'avait pas de nom, « la victime ». Mais déshumaniser un corps n'était peut-être qu'un moyen de dédramatiser la mort. Nous-mêmes, comme les médecins légistes, étions les premiers à identifier les « patients » que nous étudions par des numéros qu'il nous arrivait de noter au stylo-feutre directement sur leur crâne ou leurs fémurs. Si le corps d'Etti avait été repêché, sans doute aurait-on accroché une étiquette à son gros orteil avant de le couvrir d'un drap… Je secouai brusquement la tête pour chasser cette image.

—À toi l'honneur, fis-je à Hans en lui désignant la porte de chêne ouvragé.

Il se positionna devant le battant, impatient. Rugelio rompit les scellés et nous invita à pénétrer dans le saint des saints du vieux latiniste : sa précieuse bibliothèque.

La décoration de la maison m'avait paru surchargée, mais ce n'était rien en comparaison de ce qui se trouvait devant nous. Rugelio ouvrit les grands volets de la porte-fenêtre et la lumière crue nous meurtrit les yeux. Pas de vitraux dans la bibliothèque, Bertrand voulait y voir clair. Moi, en revanche, je regrettai soudain la lumière tamisée du reste de la demeure, qui aurait pu m'épargner le spectacle chaotique.

—J'espère que tu as pensé à prendre ta pelle et tes truelles… soupira Hans, dont les épaules tombèrent de dix bons centimètres.

Ces outils n'auraient pas été de trop pour déblayer ces quelque quarante mètres carrés de surface, où l'on ne pouvait poser un pied sans risquer de briser ce qui s'y trouvait entassé. Je ne suis pas particulièrement soigneux, mais mon studio, même à ses pires moments, n'a jamais atteint de telles extrémités. Les étagères qui recouvraient les murs du sol au plafond croulaient sous les livres, les antiquités et ce qui semblait être des débris de fouilles amoncelés dans des sacs en plastique, boîtes ou cartons. Sur l'immense bureau massif, il ne restait même pas l'espace nécessaire pour poser une tasse à café. Et les commodes disparaissaient sous les morceaux d'amphores, les statuettes, les fragments de sculptures, de vases, les icônes et autres objets qui, à première vue, auraient fait saliver le plus blasé des conservateurs d'art antique. Comme ce qu'était en train d'observer Hans.

—De la mosaïque… pouffa-t-il. Il faisait ça à ses heures perdues, le cher homme ? (Il désigna une sorte d'immense tableau au fond de la pièce. Je m'approchai en enjambant une série de caisses et sifflai.) Je faisais mieux en maternelle.

—Alors c'est que tu l'as fréquentée en compagnie des premiers Césars, mon cher Hans. Je voudrais bien voir leur tête, à Naples, quand ils vont apprendre qu'on a retrouvé la partie qui leur manque.

Je me penchai pour examiner la trouvaille. Sur un grand panneau de bois de trois mètres sur cinq, appuyé contre la bibliothèque, avait été reproduite à la ligne claire la mosaïque de la bataille d'Alexandre contre le roi perse Darius. Cette mosaïque romaine datant du Ier siècle après Jésus-Christ était la copie d'une peinture de Philoxenos faite au IIIe siècle avant notre ère. À l'extrême gauche, elle met en scène Alexandre le Grand, chevauchant Bucéphale.

—C'est du vieux ? demanda mon stagiaire.

—Cette mosaïque est connue dans le monde entier, sauf par toi, visiblement. Elle est exposée au musée archéologique de Naples.

Je m'étais attelé à son étude durant plusieurs jours lorsque j'avais l'âge de Hans et, comme beaucoup, avais déploré la perte du morceau qui reproduisait le bas de Bucéphale et du corps de son maître. Morceau qui se trouvait sous nos yeux, soigneusement replacé à l'endroit où il aurait dû se trouver sur la mosaïque originale.

—C'est du vrai, alors ?

Je jetai un œil à ce qui m'entourait et acquiesçai. Bertrand Lechausseur avait toujours détesté les copies.

Hans se laissa tomber sur une chaise, qui grinça méchamment sous son poids, pourtant modeste.

—Quand je vais raconter ça à pépé…

Je m'autorisai un sourire satisfait. Si la vue d'une

mosaïque perdue pouvait l'émouvoir, c'est qu'il n'était peut-être pas aussi irrécupérable que je le craignais.

—Remets-toi, mon grand. Si tu savais ce qui dort parfois dans les collections privées… C'est autre chose que ce morceau de mosaïque.

Je caressai avec précaution les fragiles abacules. Le travail avait été aussi soigneux que minutieux. Chaque élément tenait fermement au bois recouvert de papier épais sur lequel avait été tracée la maquette de la fresque, mais on pouvait, en cas de nécessité, les déloger sans grand risque de dommage.

Je me tournai vers les policiers, qui nous observaient de loin sans comprendre la raison de notre étonnement.

—Du matériel volé ? risqua le plus jeune d'entre eux.

—Si c'est le cas, vous trouverez la plainte pour vol, rédigée en latin, à quelque vingt mètres sous terre, au bas mot.

Rugelio fronça ses gros sourcils.

—Vous pouvez être plus précis ?

—Pardon, c'était de l'humour de rat de musée. Non, ceci n'a pas été volé. En fait, on croyait ce morceau de mosaïque détruit depuis des siècles.

Les policiers échangèrent un regard entendu et opinèrent du chef, comme s'ils avaient parfaitement saisi les tenants et les aboutissants de l'affaire.

—Nous allons commencer à cataloguer, photographier et emballer ce qui se trouve ici pour le faire expédier au musée, soupirai-je. Si vous voulez rester pour nous aider à faire nos paquets-cadeaux…

Rugelio tordit le nez en parcourant du coin de l'œil les étagères poussiéreuses. Il lissa l'impeccable pli de son pantalon, comme s'il l'imaginait déjà souillé de toiles d'araignées.

—Nous allons plutôt vous laisser faire sans vous déranger. Si vous avez besoin de nous, nous sommes dans le salon, au rez-de-chaussée.

Les deux policiers disparurent dans le couloir et Hans, excité comme une puce, me tira par la manche de mon t-shirt en sortant son mobile de sa poche.

— Je connais un type qui travaille dans une revue d'histoire. Le père d'un étudiant de la fac. C'est un raté mais il sait comment faire un scoop. On va devenir célèbres, Morg ! On va passer à la télé !

L'étincelle d'espoir qui s'était allumée en moi à la vue de son émoi s'éteignit.

— On se calme, le coupai-je en lui ôtant son téléphone des mains. Range-moi ce cellulaire, ça ne marche pas comme ça. Tu es en stage, Hans, pas en vacances. Primo, nous allons descendre récupérer l'appareil photo et le matériel qui sont dans le coffre de ma voiture. Secundo, on répertorie le tout, j'ai bien dit « tout ». Cela fait, nous préviendrons qui de droit, à savoir le Louvre, qui se mettra en contact avec le musée archéologique de Naples, ou d'autres, si nous trouvons encore une pièce de quelque importance.

— « Une pièce de quelque importance », singea-t-il. Morg, il a deux mille ans, ce puzzle ! C'est la découverte du siècle ! La célébrité !

Je lui adressai un regard en biais. La seule raison qui contraignait ce gosse de riche à me supporter était que son grand-père avait menacé de lui couper les vivres s'il continuait à sécher ses cours et n'obtenait pas ses diplômes. Comment mon ancien mentor avait-il pu penser un instant que je serais en mesure d'éveiller un quelconque intérêt pour l'histoire chez ce garçon ? Tout était prétexte à sortir du lot, gagner de l'argent et voir son nom à la une des magazines.

— Hans… les livres perdus de Tacite, la tête du colosse de Rhodes, ou même la culotte de Dagobert seraient des « découvertes du siècle ». Ça, c'est juste un morceau de mosaïque comme il doit y en avoir des centaines, voire des milliers, dans les galeries de collectionneurs privés. Important, certes ; exceptionnel, sûrement pas.

— Mais…

— Hans ! Les sites archéologiques sont pillés depuis des siècles. Les marbres du Parthénon d'Athènes sont au British Museum. Au Louvre même, nous avons un morceau de l'Ara Pacis de Rome qui n'a rien à faire là, et les mains de la vénus de Milo servent peut-être de presse-papiers chez un magnat de la drogue d'un cartel colombien. Durant l'Antiquité, déjà, les collectionneurs romains dépouillaient les temples grecs de leur statuaire. C'est banal, c'est courant, il n'y a pas de quoi provoquer des insomnies.

Je lui assénai une tape ironique sur l'épaule avant de refermer la porte de la bibliothèque derrière moi, le laissant grogner tout son soûl.

*

Je sortis de mon coffre un sac de sport élimé qui contenait le parfait attirail du fouille-débris : un Polaroïd, un cahier de croquis, une lampe torche, des règles, des équerres, de la corde, deux rouleaux de ficelle… Bref, tout ce qui pouvait m'être nécessaire sur un chantier de fouilles ou lors d'un inventaire. Lorsque Etti et moi avions commencé à travailler sur les sites archéologiques, mon père nous faisait vider nos sacs et pointer notre équipement tous les matins. Un rouleau de ficelle ou un pinceau manquant nous valait un substantiel prélèvement sur l'argent qu'il versait sur notre compte en fin de mois. Si la valeur du matériel était un point plus que négligeable, il n'en était pas de même de la conscience professionnelle, même réduite à une truelle ou à un compas.

Lorsqu'il vivait encore en Inde, Etti croyait que l'archétype de l'archéologue était un homme moustachu à la peau claire, en costume colonial immaculé, tasse de thé dans la main droite et cigare dans la gauche, posant fièrement devant une pyramide égyptienne. L'un de ceux qu'il avait vus dans les *massala movies*, ces comédies musicales colorées dont les Indiens raffolent.

Papa avait vite gommé cette image d'Épinal, lui qui n'était pas né avec une cuiller en argent dans la bouche et des historiens célèbres pour parrains. Lorsque, après avoir obtenu ses diplômes universitaires, mon père avait participé à ses premières fouilles au Pakistan, il ne possédait aucun contact dans le milieu. Il se fit la main sur le terrain et, de chantier en chantier, de bibliothèque en bouquiniste, il apprit son métier. À l'occasion de l'une de ces fouilles, il rencontra ma mère, une Islandaise éprise de l'Asie, qui lui communiqua son amour de l'Inde et son envie d'une famille nombreuse. Jusqu'aux dernières semaines de sa grossesse, elle pataugea dans les flaques des moussons, truelle et pinceau à la main. Destiné à être le premier d'une ribambelle de marmots, je fus l'unique exemplaire. Ma mère mourut d'une hémorragie dans l'ambulance qui la transportait à l'hôpital où elle aurait dû me mettre au monde. Je suis pour ainsi dire un enfant posthume, extirpé de justesse d'un corps qui avait cessé de vivre plusieurs minutes auparavant. Mon père ne s'est jamais pardonné d'avoir laissé ma mère travailler jusqu'aux limites de ses forces, mais il aurait difficilement pu l'en empêcher. Pas plus qu'aujourd'hui, un archéologue ne gagnait alors correctement sa vie et, petit garçon, je vis souvent papa compter et rationner les billets qui devaient nous permettre de vivre du premier au trente du mois. Il m'avait appris à être dur, ambitieux, et à ne jamais faire passer les intérêts des autres avant les miens.

« Nous n'avons plus de famille, Morgan. Pas de toit sous lequel nous abriter les jours d'orage. Aucune main secourable pour nous tirer de l'eau en cas de noyade. On ne peut s'offrir des scrupules que lorsque l'estomac est bien rempli et que les poches sont pleines. La philanthropie est affaire de gens riches et influents. »

Il était devenu l'un et l'autre, non sans mal.

— Bonjour !

Je pivotai pour me retrouver nez à nez avec une femme d'une cinquantaine d'années, vêtue d'un jean à pinces et d'un chemisier de coton. Minuscule, à peine un mètre cinquante, les cheveux courts et la bouille joufflue, elle se tenait droite comme la justice.

— Je vous ai surpris, pardonnez-moi, fit-elle avec bonhomie en tendant sa petite main rougeaude. Je suis Madeleine, la gouvernante de Bertrand. Du moins, je l'étais, se reprit-elle avec un soupir déchirant. Pauvre homme… Et vous devez être l'un des messieurs du musée ?

Interdit, je serrai la menotte tendue et fus surpris par sa fermeté.

— Permettez-moi de vous présenter mes condoléances, dis-je en posant ma main gauche sur la sienne, qui ne m'avait toujours pas lâché. J'ai bien connu le professeur Lechausseur. Je suis Morgan Lafet.

Elle tiqua.

— Lafet ? Seriez-vous le fils de ce monsieur qui venait parfois, celui qui fait des émissions à la télévision ? (J'opinai du chef et elle consentit enfin à me rendre ma main pour joindre les siennes en un geste de pure adoration.) J'ai beaucoup aimé l'émission de votre père sur la mythologie hindoue. Vous savez, il devrait y avoir plus de choses comme ça. On ne propose pas assez d'émissions culturelles, de nos jours. Même sur le câble, précisa-t-elle. (Elle fronça les sourcils.) Vous ne semblez pas d'accord.

—Si, pourquoi ?

—Vous faites la moue.

Je pointai le doigt vers le ciel, où le soleil semblait prendre un malin plaisir à me voir cuire sur place. La gouvernante poussa un petit cri de souris et me poussa vers la maison.

—Venez, allons à la cuisine, ce serait bien le diable s'il ne s'y trouvait pas encore de quoi faire une bonne limonade. Je n'ai pas vu repartir les policiers. Sont-ils toujours là ? Eux aussi doivent souffrir de la chaleur, les pauvres garçons ! Un uniforme sombre avec un soleil pareil, on n'a pas idée. Je me demande comment l'administration n'a pas pensé à leur fournir une tenue plus adaptée en été. Remarquez que…

Et cætera. Ce fut à demi étourdi par ce moulin à paroles miniature que je me laissai tomber sur le banc de la cuisine. En la voyant couper ses citrons sans marquer la moindre pause dans son monologue, la vision du professeur Lechausseur se jetant à bas de son balcon en hurlant « Assez ! » me parut une possibilité dont il faudrait peut-être tenir compte…

*

Seul dans la bibliothèque, je terminai le croquis du fragment de mosaïque, non sans laisser glisser mon regard en direction de la porte-fenêtre, par où pénétrait une douce brise alourdie de la fragrance des lilas et des roses. La balustrade de la terrasse s'interrompait brutalement sur la partie droite pour laisser place au vide et je luttai contre l'envie d'aller gratter le calcaire pour juger de son état. Pour ce que j'en voyais de là où je me trouvais, il ne semblait pas corrodé. La maison était parfaitement entretenue. Cela dit, j'étais bien placé pour savoir que la pierre pouvait offrir une apparence on ne peut plus saine et s'effriter comme du sable humide lorsque l'on posait la main dessus.

Je m'agenouillai dans la poussière pour extirper Polaroïd et Dictaphone du fatras de mon sac. Ce fut le moment que choisit Hans pour daigner me rejoindre.

— Ne me dis pas que tu bois la limonade de Madeleine depuis presque deux heures !

— Non, je parlais avec les flics.

— Oh. Une idée de carrière ?

Il tordit le nez.

— Tu sais combien ça touche, un flic ? (Je préférai ne pas répondre. Il me désigna la terrasse.) Il a carrément viré une partie du balcon en plongeant, le vieux.

— Il s'appelait Bertrand Lechausseur, pas « le vieux », et, pour ton information, il n'était pas particulièrement svelte. Une rambarde en bois ou en métal lui aurait peut-être sauvé la vie.

— Tu parles ! On l'aurait fait passer par-dessus et basta.

— Tu vas trop au cinéma, Hans. Madeleine m'a confié qu'il était dépressif, depuis quelque temps.

— Ouais, bien sûr... Il déprime depuis des semaines, pense au suicide mais achète quand même un aller-retour pour Alexandrie la veille de sa mort. Un type sain d'esprit prépare toujours ses vacances en Égypte avant de jouer les détecteurs de vase, c'est bien connu !

Je me raidis, choqué par son insolence autant que par ce qu'il sous-entendait.

— Je te fais grâce de la gifle que tu mérites si tu me dis comment tu as appris cela, grondai-je. Les policiers ? Madeleine ?

Assurance et arrogance envolées, Hans battit en retraite en agitant les mains.

— On se calme, Spartacus, bredouilla-t-il. Je plaisantais, c'est tout. Je m'excuse. Ça va ? Tu es content ?

Je fis un geste écœuré dans sa direction et me détournai.

—Tu ne respectes donc rien ? On te donne la possibilité de…

—De que dalle ! Je n'ai rien demandé, moi ! On m'oblige à passer mes vacances dans un musée en compagnie de Conan le Barbare pour écouter des leçons de morale à deux balles et quand je mets le nez dehors, c'est pour aller faire le ménage dans le merdier d'un vieux débris qui ne…

—La ferme ! hurlai-je en pivotant brutalement pour brandir un doigt menaçant sous son nez. (Il se figea et blêmit en une fraction de seconde, mais, cette fois, j'étais vraiment à bout.) Je ne veux plus entendre un mot sortir du trou d'égout qui te sert de cavité buccale ! Je te ramène chez toi. Arrange-toi pour que je ne te revoie pas demain matin. À ta charge d'expliquer à ton grand-père pourquoi ! (Je fis un pas et il recula en rentrant la tête dans les épaules sans quitter mes mains des yeux, sûr que l'une d'elles allait s'abattre sur son visage.) Si tu étais mon fils, je te laisserais croupir dans une chambre aveugle jusqu'à ce que tu sois capable de me réciter le dictionnaire étymologique dans les deux sens ! (Il jeta un regard affolé vers la porte, priant sans doute pour que les policiers m'entendent crier et montent voir ce qui se passait, mais je baissai le ton.) Tu es un petit coq arrogant, sifflai-je entre mes dents, un tire-au-flanc, une punaise accrochée à la carte de crédit que ton père remue devant ton museau comme une carotte devant un âne. Tu ne t'intéresses à rien, tu ne comprends rien, tu ne respectes rien, tu es de ces morveux qui ne rêvent que de beugler dans un micro des rimes faciles et de se pavaner sous les flashes des journalistes avec trois kilos de quincaillerie autour du cou. Tu te prends pour un dur ? Regarde-toi, Hans, tremblant, figé, serrant les fesses. (Il fit mine de lever le poing et je le poussai en ricanant, le déséquilibrant.) Oh ! Tu veux me faire tâter de tes petits poings ? (Je me frappai le poitrail du plat de la main.) Tape là. Nous pourrons jouer aux osselets, après.

Ses bras retombèrent soudain le long de son corps, sa respiration se fit courte et son expression menaçante. Il se passa la langue sur les lèvres, comme s'il se délectait par avance de la saleté qu'il allait vomir.

— Ce n'est pas parce qu'il t'a largué que tu dois passer tes nerfs sur moi ! (Je haussai le sourcil.) Le basané dont tu as placardé la photo à chaque coin de ton studio, vieille tante !

Ma main vola vers son visage en une fraction de seconde, puis le temps parut se suspendre. Étendu sur le parquet, abattu comme une quille, Hans n'osait esquisser un geste ou émettre une plainte.

Devant ce corps recroquevillé, face à ces yeux bleus qui me torpillaient, voilés de larmes involontaires, je réalisai que c'était sans doute la première fois que quelqu'un levait la main sur lui.

J'aurais voulu qu'il m'insulte, qu'il me rende ma gifle, mais il ne fit pas un geste, ne dit pas un mot et je m'assis dans le fauteuil de Bertrand, lui tournant le dos. Je n'arrivais pas à le regarder en face. Moi, une brute de quatre-vingt-dix-huit kilos, je venais de frapper un enfant. J'avais battu un gosse parce que, comme tous les gosses qui n'ont pas les ressources physiques pour faire face à la violence, il avait tenté de faire vibrer le nerf qui selon lui ferait le plus mal.

J'aurais dû m'excuser, essayer de m'expliquer, mais la seule chose que je pus dire fut :

— Va m'attendre dans la voiture.

Il obéit sans même une protestation ou un soupir de mécontentement. Je lui faisais peur et c'était terriblement déstabilisant pour lui. Les hommes et les femmes qu'il avait côtoyés jusque-là devaient lui passer tous les caprices, avides de complaire à un grand-père universitaire réputé ou un père richissime.

J'appellerais Ludwig le lendemain et, connaissant son petit-fils, sans doute comprendrait-il mon geste, inexcusable quoique explicable. J'avais accepté de former un stagiaire, non d'éduquer un adolescent révolté.

Cette résolution prise, je remballai mes affaires, sanglai mon sac à dos et buttai douloureusement sur une irrégularité du plancher. Je laissai tomber ce que je portais en jurant comme un charretier et m'accroupis. Le gamin avait brisé une latte en tombant. La chute avait dû être encore plus rude que je ne le pensais et je me fis la réflexion que, s'il portait plainte pour coups et blessures, j'allais passer un sale quart d'heure, mais je chassai cette possibilité de mon esprit. Le professeur Peter ne le permettrait pas, je le connaissais assez bien pour en être presque certain et mon père et lui étaient des amis intimes.

J'essayai de replacer la latte de chêne et m'aperçus qu'elle n'était pas cassée. Juste soulevée. Ou plutôt… ouverte, réalisai-je en remarquant que deux gonds d'acier la retenaient à sa voisine sur toute sa longueur. Qu'est-ce que c'était ? Cela ressemblait à l'ouverture d'un compartiment aménagé dans le plancher.

Je faillis y glisser la main mais me ravisai et fouillai dans mon sac pour en sortir une lampe de poche et explorer le fond de la cache. Je distinguais parfaitement le système de fermeture. Une forte pression à l'endroit précis de la serrure ouvrait la trappe. Sacré professeur…

Le compartiment n'était pas très profond, une vingtaine de centimètres pour dix de large et une soixantaine de long. L'idéal pour y glisser l'objet oblong, enroulé dans du papier de soie, et le vieux carnet de cuir, fermé par des élastiques défraîchis, que je sortis de leur cachette. J'écartai doucement les couches de papier. Sur le lit de feuilles froissées reposaient deux rouleaux de carton rigide.

Une sorte d'intuition provoqua des picotements derrière ma nuque et me hérissa le poil. Un sentiment inexplicable que j'ai connu plusieurs fois depuis lors mais que je ne savais pas encore identifier. Une alarme instinctive. Le signe que j'avais mis le doigt sur quelque chose qui allait tout bouleverser. La carte au trésor dans la bouteille. Le levier secret du temple inca. Le miracle qui n'arrive que dans les films.

Je soulevai le premier rouleau, singulièrement lourd, puis retirai la pastille de plastique qui le fermait. Un objet froid glissa dans ma main. Il était lui aussi enveloppé de papier de soie. Un glaive fondu dans un métal gris opaque de la pointe à la garde renforcée par une poignée d'os. Dépourvu de décorations hormis un sceau gravé sur la lame, il était d'une simplicité fascinante, presque trop parfaite.

Je fis sauter la pastille de plastique du second tube, beaucoup plus léger que le premier. Je l'inclinai, mais rien n'en tomba. Intrigué, je jetai un œil à l'intérieur. Un document. J'introduisis deux doigts dans le tube pour en sortir délicatement ce qui semblait être une lettre jaunie. Elle craquait comme du vieux parchemin mais ne paraissait pas particulièrement fragile. Deux rubans alourdis d'un sceau, fermement collés au document par une seconde empreinte de cire, glissèrent. Je déroulai la page avec mille précautions en caressant doucement le grain grossier de droite à gauche. Je reconnus cette texture pour l'avoir touchée il y avait peu, lorsque j'avais aidé le professeur Verbeck à reclasser les bibles anciennes, au Louvre. Des livres vieux de plusieurs siècles.

Le texte était écrit en latin. Je m'assis en tailleur et décryptai les lettres gothiques. C'était un document du Vatican datant du XVIIIe siècle. Un rapport de fouilles qui auraient eu lieu en Italie en 1709, près de Naples, dans une ville romaine non précisée, probablement Herculanum car la date correspondait. Il mentionnait un glaive découvert dans la villa d'un patricien, un collectionneur, d'après les œuvres d'art retrouvées sur le même site. Je sentis mon cœur s'emballer. Je soulevai l'arme qui reposait à mon côté et l'examinai. Il ne pouvait en aucun cas s'agir de la même car celle que je tenais était une copie moderne. La lame ne présentait aucun défaut, aucune rayure, aucun impact, rien. L'os de la garde, en revanche, paraissait beaucoup plus ancien. Je caressai le sceau gravé sur la lame : une main tenant un marteau. J'avais déjà vu ce sceau récemment, je l'aurais juré.

Je reposai l'arme en travers de mes genoux et repris ma lecture ; mais je n'y trouvai nulle précision intéressante en dehors du fait que l'épée découverte dans la maison patricienne avait appartenu à…

—Nom de Zeus !

Mon regard glissa jusqu'à la mosaïque et je laissai échapper un hoquet. La cnémide[IV] droite d'Alexandre le Grand était ornée de la main au marteau, le même sceau que sur la lame du glaive.

Je me saisis du carnet de cuir pour le feuilleter et jurai. Il était couvert de schémas, de dessins, de plans et écrit en une sorte de galimatias qui avait l'air d'un code. Ce charabia représentait selon toute vraisemblance des années de travail.

Sans réfléchir davantage, je remis le document et l'épée dans leurs rouleaux, refermai le carnet et entassai le tout dans mon sac de sport, bien décidé à examiner tranquillement ces objets chez moi. Après tout, ce dont tout le monde ignorait l'existence ne pouvait manquer à personne, et

---

IV. L'armure grecque antique se composait d'un bouclier (*aspis*), d'un casque (*corys* ou *cranos*), d'un plastron (*thorax*) et de cnémides, jambières de métal couvrant les jambes de la cheville au genou.

c'était suffisamment important pour que Bertrand ait pris la peine de le dissimuler aussi soigneusement.

Mon regard fut alors attiré par le balcon et la rambarde brisée. Certains connaissaient peut-être l'existence de ces objets, en fin de compte. Et si ces derniers avaient été la Némésis du professeur Lechausseur ? Si c'était ce que cherchaient celui ou ceux qui l'avaient agressé ? Une sueur glacée me coula dans le dos. Une copie de glaive antique et un vieux rapport de fouilles du Vatican, comme il en existait des centaines, pouvaient-ils être convoités au point d'attaquer un homme dans sa propre maison, de le jeter du haut de son balcon au risque d'être remarqué par la moitié du voisinage ? Cela n'avait pas de sens. À moins que, comme je le soupçonnai, l'os de la poignée du glaive ne soit authentique…

Je dévalai l'escalier et me dirigeai d'un pas résolu vers la cuisine, d'où s'échappaient une bonne odeur de cannelle, des réflexions enjouées et le volume entêtant de la télévision. Pas étonnant que les policiers n'aient pas entendu notre dispute.

— J'ai fini pour aujourd'hui, annonçai-je.

— Déjà ? s'étonna la brave femme.

— Oui, je dois repasser au musée.

— Ah ? fit Rugelio. Un problème ?

— Non, du tout. Le rituel journalier.

Le policier agita la main.

— Ah ! La paperasse ? On connaît.

— À quelle heure puis-je revenir demain ?

— 9 heures ?

— Parfait pour moi.

— Je vous préparerai un copieux petit déjeuner, intervint Madeleine. Ne voulez-vous pas emporter quelques biscuits pour ce soir ?

Je secouai la tête.

—C'est gentil à vous, Madeleine, mais j'ai un rendez-vous, mentis-je. Pour le travail, précisai-je en voyant ses yeux pétiller. À demain, passez une bonne soirée.

Ils me saluèrent aimablement et je sortis en tapotant le glaive à travers la toile de mon sac puis m'engouffrai dans ma voiture.

Hans, tassé sur le siège du passager, ouvrit la bouche, mais je lui lançai un regard glacial et il la referma aussitôt. Nous n'échangeâmes pas une parole jusqu'à la porte d'Orléans, où je m'arrêtai en double file devant la première bouche de métro que je trouvai. Je croisai les bras sur le volant, attendant qu'il descende.

—Morg, bredouilla-t-il, je... j'ai dit n'importe quoi, ce qui me passait par la tête. (Je ne répondis pas.) C'est vrai, quoi, je ne le connais même pas, ce mec.

—Ce « mec », c'était mon frère. (Il hoqueta. Une voiture klaxonna derrière moi.) Descends.

Sa réponse se perdit dans le vacarme lorsque la voiture klaxonna de nouveau et il s'extirpa de l'habitacle à regret en refermant doucement la portière. Avant de démarrer, je remarquai qu'il ne portait aucune trace de coup sur le visage. C'était déjà ça.

Je regardai ma montre. 18 heures. Manuela devait être chez elle. Avec un peu de chance, elle pourrait emporter rapidement le glaive au labo de l'université de Jussieu et dater l'os.

Je pris la direction de l'Odéon en espérant que ma consœur serait en « phase d'aura positive », comme elle disait, ou je ne donnais pas cher de mon karma.

III

—Hors de question, Morgan ! Je suis débordée.

—Manuela, suppliai-je en bondissant du fauteuil bariolé pour la suivre à travers la petite pièce. Je te jure que c'est la dernière fois.

—C'est aussi ce que tu m'as dit il y a deux mois.

—Aide-moi, tu ne le regretteras pas. Je te revaudrai ça, je te le promets.

Elle s'appuya à une étagère croulant sous les comics et pinça ses lèvres boudeuses.

—Comme les deux dîners que tu as dû annuler en raison d'une grippe aussi tenace qu'inexistante ?

Bien que dotée d'un corps splendide, invisible sous son pull déformé en coton indien, sa tignasse teinte au henné et une bonne dizaine de colliers en perles de verre, Manuela n'était pas une femme séduisante. Elle avait un visage ingrat, des yeux globuleux, un menton fuyant, des joues semblables à des fesses de bébé obèse et un filet de voix que n'aurait pas renié une vendeuse à la criée.

—La seconde fois, ce n'était pas la grippe, c'était une fouille de sauvetage.

—Lis sur mes lèvres, Morgan : trouve un autre pigeon.

—Manuela… Il me faut absolument quelqu'un de qualifié pour dater ce glaive, ma carrière en dépend peut-être.

—Parce que c'est une arme, qui plus est ? On ne date pas le métal, Morgan. Ciao !

—Je veux dater sa poignée en os.

—Charmant…

En désespoir de cause, je la pris par les épaules pour la serrer contre moi sans avoir l'air d'y toucher. Elle semblait s'être baignée dans l'un de ses satanés parfums aux essences de plantes improbables dont elle avait le secret.

—Manuela… murmurai-je en adoptant le ton le plus sensuel de mon répertoire. Je ne plaisante pas. Si tu effectues cette datation pour moi, je ne pourrai plus rien te refuser.

—Vraiment rien ?

—Rien. (Elle se pressa contre moi avec un sourire de requin et je la repoussai.) Jamais !

Elle s'assit sur le bord de son bureau et regarda ses ongles.

—Alors tant pis. Au revoir, Morgan.

—Manuela… Demande-moi tout ce que tu voudras mais pas ça !

—C'est « ça » ou rien. Tu as cinq secondes. Un… deux…

—D'accord ! (Son visage se fendit d'un large sourire.) Mais je veux les résultats demain.

—Quoi ?

—Demain ! répétai-je. Tu as cinq secondes.

—Très bien ! éructa-t-elle. Je t'attends au Mysti à 15 heures.

—Merci, Manuela ! À charge de revanche.

—À d'autres. Où est-il, ton bout de ferraille ?

Je sortis le glaive soigneusement enveloppé de mon sac et le posai sur le bureau.

—Prends-en soin.

—Ne t'en fais pas pour lui.

Je me dirigeai vers la porte, ravi d'échapper aux effluves de marijuana que les pots-pourris, disséminés dans les trente mètres carrés de déco New Age, ne parvenaient pas à masquer.

« Cette femme est folle ! », répétait invariablement Etti lorsqu'il était question de ma consœur. Et il n'avait pas tort. La pauvre idolâtrait mon frère (au même titre que les restaurants indiens, les saris indiens, les dieux indiens ou tout ce à quoi elle pouvait accoler le mot « indien », l'été y compris) et lui la fuyait comme la peste. Mais une chose était certaine : Manuela était une professionnelle hors pair et c'était tout ce qui m'importait pour l'instant.

*

Après une demi-heure d'embouteillages, je rejoignis mes pénates avec l'impression de n'avoir pas dormi depuis des lustres.

— Attention, monsieur Lafet, cria la gardienne depuis sa loge. Je viens de cirer l'escalier !

— Merci, madame Risoti.

Je grimpai les marches comme si mon sac à dos pesait quinze kilos et extirpai mes clés de la poche extérieure. À peine eus-je le temps de refermer la porte que la sonnerie du téléphone me vrilla les tympans.

— Allô ? Cathia ? Non, juste un peu fatigué. Ce soir ? Je préfère pas, j'ai pas mal de travail. On s'appelle quand ça se décante un peu ? Moi aussi. Passe une bonne soirée.

Je raccrochai et poussai un profond soupir en me laissant tomber sur le divan. La dernière chose dont j'avais envie était la compagnie d'une incurable romantique comme Cathia. Elle était de ces femmes persuadées que « non » veut dire « oui » et « aventure sans lendemain » « je t'aimerai toujours ». Je l'avais accostée un samedi après-midi au Louvre en pensant m'en débarrasser après une nuit, mais cela faisait deux mois que nous nous voyions deux fois par semaine. Chaque fois que je tentais de lui faire comprendre que je n'éprouvais rien pour elle, Cathia fondait en larmes et nous finissions enlacés sur le canapé.

— Sale journée, dis-je à Etti, qui me souriait dans son cadre, sur la table basse.

Je retirai mon t-shirt, le jetai sur la moquette et frottai mes tempes douloureuses. Mon frère aurait protesté parce que je semais mon linge sale dans l'appartement, m'aurait poussé sans ménagement vers la douche et se serait attelé aux fourneaux pour cuisiner l'un de ses merveilleux currys. Mais il n'était plus là, alors ma sueur et moi nous attardâmes sur le divan, le t-shirt resta sur la moquette et je dus me résoudre à commander une pizza parce que j'avais encore oublié de faire les courses.

Je fumai une cigarette, puis deux et en allumai une troisième avec le mégot de la deuxième avant de me traîner vers la salle de bains. Je me glissai sous la douche et poussai un juron en tournant le robinet. La chaudière… Je me lavai donc à l'eau froide, enroulai une serviette autour de mes reins et pris le bloc-notes sur la commode de l'entrée pour noter un « appeler le plombier » qui alla rejoindre les « faire les courses », « faire la lessive », « coiffeur », « passer à la Sécu », « payer les charges » et autres tâches urgentes qui s'accumulaient sur la porte du réfrigérateur. Je pris la seule pomme qui restait dans le panier et la croquai sans grande conviction avant de m'apercevoir que j'étais affamé. Je n'avais rien avalé de la journée.

Le téléphone sonna à nouveau.

— Allô ?

— Bien le bonsoir. Puis-je parler à l'Héraclès que les dieux m'ont concédé un soir de débauche ?

J'éclatai de rire.

— Papa…

— As-tu reçu mon petit cadeau ? demanda-t-il de sa voix enjouée.

— Oui, et je l'ai donné à la gardienne. (Je l'entendis s'esclaffer.) Avec un peu de bonne volonté, je suis sûr que tu aurais pu trouver encore plus dégoûtant.

— Allez, avoue que ça t'a fait rire. Non ?

— Tu rentres bientôt ?

— Quand tu me poses cette question, c'est que tu n'es pas dans ton assiette. Qu'y a-t-il ?

— Je vais très bien, papa. (Une pause.) T'a-t-on informé du décès du professeur Lechausseur ?

— Je l'ai appris hier, murmura-t-il, soudain lugubre. J'ai cru comprendre qu'il avait fait don de ses collections au Louvre, tu es au courant ?

— Oui. C'est moi qui ai écopé de l'inventaire.

Il ravala un juron de justesse.

— Mais qu'ont-ils dans la tête, ces gens-là ? (Il prit une profonde inspiration.) Tu tiens le coup ?

Je me laissai glisser le long du mur pour m'asseoir sur le sol. Mes cheveux mouillés plaqués contre mon dos me parurent soudain glacés.

— Cette affaire m'a fait penser à Corinthe… Papa, j'ai parfois l'impression qu'Etti peut passer la porte à tout moment ou que je vais le croiser dans la cuisine.

Un silence pesant à l'autre bout de la ligne.

— As-tu vidé les placards ? demanda une voix si étranglée que j'eus du mal à la reconnaître.

— Je ne peux pas ! Et je n'en vois pas l'utilité. Ses affaires ne me dérangent pas.

— Nom de Dieu, Morgan ! Sa brosse à dents est encore dans la salle de bains ! Toute cette… cette mise en scène, ses vêtements dans les tiroirs, ses photos encadrées partout… C'est malsain.

— Cette « mise en scène », comme tu dis, est tout ce qu'il nous reste ! (Il voulut protester, mais je lui coupai la parole.) Nous n'avons pas même une tombe sur laquelle poser un bouquet !

— Morgan… Etti se trouve à des dizaines de mètres par le fond sous plusieurs tonnes de marbre et de béton… Je suis à Montréal pour trois jours encore, mais, si tu as besoin de moi, je prends le premier vol de…

— Non, c'est inutile. As-tu accès à ta boîte e-mail ?

— Bien sûr… Enfin, Morgan, que se passe-t-il ?

— Je préfère ne pas en parler au téléphone. Je crois que je suis tombé sur quelque chose d'intéressant. Je t'envoie un mail ce soir ou demain pour te raconter.

— Intéressant à quel point ?

— Tu verras. (J'entendis des applaudissements derrière lui.) Où es-tu ?

— Je t'appelle des salons de réception de l'ambassade indienne. Les langues de bois viennent de terminer leur laïus. Tu as trouvé quelque chose lors de l'inv…

— Je t'envoie un mail, le coupai-je. File, ne te fais pas attendre.

Je raccrochai et allai récupérer l'épais carnet de Bertrand dans mon sac de sport. Je m'installai sur le divan pour le feuilleter et choisir les pages à scanner et à envoyer à mon père. Peut-être y verrait-il plus clair que moi dans ce jargon. Une feuille pliée en deux de mauvais papier mal quadrillée arrachée à un carnet tomba sur mes genoux. Je reconnus, pour y avoir souvent fait baver mes stylos, la texture des blocs bon marché que l'on pouvait acheter dans certains bouis-bouis grecs et orientaux, perdus entre les pots de colle qui ne collaient rien et les crayons à la mine si dure qu'ils gravaient plus qu'ils n'écrivaient. Le plan d'un tronçon de ville, dessiné à la hâte et sans noms de rues, avait été griffonné sur la feuille ainsi qu'un nom, Amina, et un numéro de téléphone sans indicatif. Cette personne aurait pu se trouver n'importe où mais… Hans n'avait-il pas parlé d'une réservation de vol pour Alexandrie ? Et Amina était sans conteste un prénom à consonance orientale.

La sonnerie de la porte d'entrée retentit. Ma pizza. J'allai ouvrir, récupérant ma serviette au passage, et payai le livreur avec le chéquier rangé dans le tiroir de la commode. Je m'apprêtais à retourner dans le salon avec ma pitance en mâchonnant un champignon quand le téléphone sonna une fois de plus. Tout le monde s'était donné le mot, visiblement. Je décrochai de la main gauche, la pizza dans la droite, et ma serviette tomba.

—Mmh ?

—Puis-je parler à Morgan, s'il vous plaît ? demanda une voix timide.

J'avalai mon champignon et m'éclaircis la gorge.

—Qui le demande ?

—Je ne t'avais pas reconnu. C'est Hans. Je ne te dérange pas ?

Diable ! Soit on me l'avait changé, soit ma gifle lui avait retourné le cerveau dans le bon sens. Ou alors, ce qui était plus probable, il essayait de se racheter une conduite, craignant de voir les sous de papa et grand-papa lui échapper.

—Désolé, Hans. Je n'ai pas changé d'avis. Je ne veux plus de toi pour assistant, si tant est que tu l'aies jamais été.

—Non, c'est pas ça. (Je plissai le front.) Enfin, je n'appelle pas pour ça. C'est juste que… c'est-à-dire que je suis dans le coin, dans ton quartier, je veux dire, alors je me disais que, si tu n'avais pas bouff… mangé, je pourrais t'inviter au restaurant. Je connais un super italien, tenta-t-il. (Je me mordis la langue pour ne pas rire.) Ça te dit ? (Je ne répondis pas.) Morgan ? T'es là ?

Mais c'est qu'il se donnait du mal !

—Que me vaut tant de prévenance ? demandai-je avec une sécheresse feinte, amusé par ses efforts désespérés.

—Je n'ai pas été très sympa… Je voulais m'excuser, voilà, finit-il par admettre. (Je laissai peser le silence, mais un sourire me barrait le visage.) Je… je comprends que tu aies réagi comme tu l'as fait, ajouta-t-il d'une voix presque inaudible. Je ne t'appelle pas pour rebosser avec toi, c'est juste que je ne voudrais pas qu'on se tire le museau à vie, enfin, tu vois ?

C'était sans doute la plus maladroite tentative de réconciliation que j'eusse jamais entendue mais à n'en pas douter l'une des plus touchantes.

—Italien, tu dis ? fis-je en faisant tourner sur elle-même la boîte à pizza que je tenais dans la main. Je viens justement de me faire livrer une énorme « jambon-champignons ». Ça te dit ?

Son soupir de soulagement déclencha en moi une hilarité irrépressible.

—Une pizza ? Ça me va. Je suis chez toi dans dix minutes.

—Fais attention en traversant, raillai-je avant de raccrocher le combiné et de rire tout mon soûl.

Je posai la pizza sur la table de la cuisine et sortis des couverts. Après un instant d'hésitation, je me plantai devant le panier de linge sale comme si je me préparais à un combat à mort et, avant de changer d'avis, remplis la machine à laver.

*

Debout sur le paillasson, Hans brandit un carton à pâtisserie et deux bouteilles de soda. Il portait les mêmes vêtements de sport que lorsque je l'avais raccompagné et ses cheveux décolorés étaient en bataille. Il n'était pas rentré chez lui.

—J'ai le dessert et de quoi le faire descendre.

Je m'effaçai pour le laisser passer et il posa sodas et gâteaux sur la table basse du salon, où attendait la pizza.

Hans s'installa, ou plutôt se recroquevilla, à l'une des extrémités du canapé et coinça ses mains jointes entre ses genoux. Son regard parcourait fébrilement ce qui l'entourait, cherchant désespérément un sujet de conversation. J'interrompis son supplice avant qu'il ne fût obligé de se rabattre sur la lampe vénitienne ou la couleur du papier peint.

—Sers-toi, je t'en prie.

Soulagé de pouvoir enfin occuper ses mains, il tira sur une part de pizza, qui, comme pour ajouter un degré à son malaise, résista farouchement. Mon regard alla du morceau de croûte qui lui était resté dans la main à la sauce tomate tombée sur la table et il rougit.

—Désolé... (Je lui tendis une serviette en papier et il épongea fébrilement les dégâts.) Pourquoi faut-il que ces pizzas soient toujours découpées à moitié avant d'être glissées dans les cartons, c'est dingue, ça !

—Hans...

—C'est comme les « ouvertures faciles » des packs de lait que l'on doit finir aux ciseaux, poursuivit-il en s'acharnant sur la table. Ou les sachets « refermables » qui ne ferment jamais.

—Hans... (Il releva la tête et osa enfin me regarder dans les yeux.) Je crois que la tomate s'est rendue.

Il fixa la serviette à peine tachée, la table immaculée et se saisit d'un couteau de cuisine pour découper des portions de pizza en massacrant la garniture.

Je m'assis par terre sur un grand coussin, pris l'assiette que Hans me tendit et essayai de détendre un peu l'atmosphère en lui parlant de Bertrand, de mon père et de l'amitié qui les liait à son grand-père. Je pensais que cela l'encouragerait à se dévoiler, mais il n'en fut rien.

—Ton frère est mort ? demanda-t-il après avoir englouti la moitié de la pizza. (J'acquiesçai.) Ça fait longtemps ?

Je grignotai un morceau de jambon avant de répondre.

—Etti nous a quittés il y a plus d'un an, maintenant.

—Vous ne vous ressemblez pas vraiment, remarqua-t-il en désignant la photo encadrée, sur la table.

Je posai mon assiette encore pleine et allumai une cigarette.

—Etti a été adopté par mon père. Il était indien.

—Je l'avais deviné.

Il est vrai que sur la photo en question Etti portait un *lungi*[v] et que je n'avais pas touché au petit autel votif qui se trouvait dans le coin du salon, près de la fenêtre.

—Vous avez grandi ensemble, alors?

—Non. J'avais quinze ans lorsque mon frère a rallié la famille. À la sortie du pensionnat, j'ai rejoint mon père en Inde et, là, j'ai découvert qu'Etti vivait avec lui, qu'il l'avait adopté sans même m'en parler. (Hans, qui avait porté son verre à ses lèvres, suspendit son geste, interdit.) Papa était persuadé que j'allais bénir les dieux pour ce frère tombé du ciel. Je l'ai insulté pour la première fois ce jour-là et, lorsqu'il est parti pour le chantier de fouilles, j'ai poussé Etti dans l'escalier.

—Poussé… poussé?

—Oui. Je l'ai gravement blessé au genou puis je l'ai menacé. Je lui ai dit que, s'il ouvrait la bouche pour se plaindre, je le tuerais.

—Tu ne le pensais pas vraiment?

—En cet instant, si. (Hans frissonna, conscient de la violence dont je pouvais faire preuve pour y avoir goûté.) Etti était terrifié et, lorsque mon père rentra, en début d'après-midi, il s'était enfui.

—Vous l'avez retrouvé tout de suite?

—Non. Mon père et ses amis le cherchèrent durant des jours et moi je priais pour qu'ils ne le retrouvent jamais. Ton grand-père travaillait avec mon père, à cette époque, et il fit un jour irruption à la maison en assurant que l'on avait vu Etti dans un village, au sud de Delhi. Il était

---

v. Sorte de «pagne-jupe» porté par les Indiens de condition modeste.

retourné parmi les siens. Papa me jeta dans sa voiture ; il voulait que je visite ce village.

—Pourquoi ?

Hans avait posé son verre sur la table et se tenait sur le bord du canapé, penché en avant, attentif et curieux. Je n'aurais jamais cru le voir aussi intéressé par ce que quelqu'un pouvait lui dire ni qu'il afficherait un jour cette expression : un curieux mélange de commisération, de réprobation et de bienveillance. C'était l'une des mimiques caractéristiques de son grand-père et la voir sur le visage de ce gamin me dérouta.

—Pourquoi ? C'est aussi ce que j'ai demandé à plusieurs reprises sans obtenir de réponse. Quand nous arrivâmes sur place, j'appris que le village était divisé en deux parties, l'une pour les gens de caste et la seconde pour les *dalits*, les intouchables. C'est dans cette dernière que mon père s'engagea et je n'oublierai jamais ce que je vis alors… (Je vidai mon verre d'un trait avant de poursuivre.) Le chemin sur lequel mon père roulait dégageait une odeur pestilentielle ; il aboutissait à une sorte de décharge. Là, des enfants et des adolescents fouillaient des paniers entiers d'excréments et d'ordures, qu'ils transportaient sur les épaules ou sur la tête, en quête de matériaux recyclables. Leurs mains et leurs pieds en étaient couverts et il y avait plus de mouches que tu ne pouvais en compter. Parmi eux se trouvait Etti.

Hans avala sa salive avec une moue et articula difficilement :

—Il fouillait dans… les poubelles ?

—Il cherchait des morceaux de verre qu'il jetait dans un panier. Vider les excréments des autres, enlever les ordures ou les cadavres, rassembler des matériaux à recycler pour quelques roupies ou une galette de pain sont les seules activités permises aux intouchables. C'est de cet enfer que mon père avait sorti Etti. Et c'est là que je l'avais renvoyé en le chassant de la maison.

J'allumai une seconde cigarette et Hans hocha lentement la tête, le regard vague, essayant d'imaginer la scène. C'est une chose que de visionner des reportages sur le tiers-monde le dimanche après-midi pour tromper son ennui, c'en est une autre de toucher du doigt la misère par le truchement de quelqu'un qui l'a vue d'aussi près que moi.

— Vous l'avez récupéré tout de suite, j'imagine ? finit-il par demander d'une voix blanche.

— Oui. Mon père l'a littéralement enlevé. Il l'a poussé de force dans la voiture tel qu'il était, couvert de… saleté, et démarra en trombe. Mais, sorti du village, il s'aperçut qu'Etti portait un tissu crasseux autour du genou et qu'il avait de la fièvre, sans doute s'était-il coupé avec un bout de verre, et sa blessure s'était-elle infectée. Je n'avais pas parlé à papa de la chute dans l'escalier. Nous prîmes le chemin de la clinique de la fondation – les *dalits* ne sont généralement pas admis dans les bons hôpitaux – et, quand j'ai vu de près la profonde entaille purulente, j'ai hurlé.

— La vue du sang t'effraie ? s'étonna Hans.

— Son genou grouillait d'asticots. (Sa bouche s'arrondit en une exclamation qu'il ne parvint pas à concrétiser, le dégoût lui ayant serré la gorge.) Je n'avouai à mon père ce que j'avais fait que des années plus tard. Etti, quant à lui, n'en parla jamais, bien qu'il ait failli perdre sa jambe. Nous sommes rentrés en France deux ans après et j'appris à connaître mon frère, à m'habituer à lui puis à l'aimer. Nous avons tout partagé durant près de vingt ans.

Je me tus, assailli par une foule de souvenirs, et écrasai ma cigarette. Hans s'était saisi de la photo d'Etti et la détaillait, un sourire mélancolique à peine esquissé sur les lèvres.

— Quand tu le regardes, tu as du mal à imaginer qu'il

en a autant bavé. Pourquoi pépé ne m'a-t-il jamais parlé de ce monde-là ? demanda-t-il, une pointe de rancœur dans la voix. (Je haussai les épaules et me resservis du soda.) Qu'est-ce qu'il croit ? Que j'ai encore dix ans, que je ne vois pas que ce monde est pourri ?

Il reposa doucement le cadre sur la table et se leva pour faire quelques pas dans la pièce, visiblement secoué.

—Peut-être n'en a-t-il jamais eu l'occasion ou voulait-il t'épargner ces sordides détails.

—J'opte pour le second verdict, monsieur le procureur. J'avais dix-sept ans quand il m'a avoué que ma mère était morte d'une cirrhose et pas d'une tumeur au cerveau. Et encore, parce que j'étais tombé sur ses examens médicaux, sinon, il aurait emporté son petit secret dans l'urne.

Il croisa les bras, boudeur.

—Et si nous attaquions le gâteau ? demandai-je pour désamorcer son irritation en soulevant le couvercle du carton à pâtisseries.

Je lui tendis un éclair au chocolat et une serviette en papier avec un franc sourire.

—Je t'ai attendu un moment dans la voiture, à Barbizon, fit-il de but en blanc. Tu as vu quelque chose d'intéressant ?

Je m'apprêtais à mordre dans une tartelette aux fraises mais suspendis mon geste. Ce soir, il m'avait agréablement surpris par son attitude ouverte et conciliante, mais était-ce une raison suffisante pour le reprendre comme assistant ? Si je m'y résignais, je ne pourrais lui cacher ce que j'avais découvert et était-ce bien prudent ?

Hans attendait ma réponse, intrigué par mon silence. Que risquais-je, après tout ?

—En effet, j'ai vu quelque chose d'assez curieux...

Je lui montrai les objets que j'avais trouvés et lui relatai la façon dont je les avais découverts. Il m'écouta en écarquillant les yeux.

—Une trappe secrète ? Il y avait… quoi, une chance sur cinq cents que je tombe sur cette latte ?

Affalé sur le divan, Hans feuilleta le carnet sibyllin de Bertrand.

—Que t'ont dit exactement les policiers ? m'enquis-je.

—Chances pour que ce soit bien un homicide : 200 %. Le prof devait partir à Alexandrie le lendemain, il avait préparé ses bagages. Ils ont relevé des traces de lutte sur le balcon, des pots de fleurs cassés et des chaises de jardin renversées. D'après eux, la bibliothèque a été fouillée, mais Madeleine assure qu'il ne manque même pas un capuchon de stylo dans ce fatras. Tu crois que c'est ce calepin et le glaive qu'ils cherchaient ? Tu en as touché deux mots aux flics ? (Je secouai la tête, réalisant que j'avais peut-être entravé l'enquête sans le vouloir.) « Dissimulation et vol de preuves », ça te dit quelque chose ?

Je me levai pour faire nerveusement les cent pas. Dire que je n'étais pas inquiet serait mentir, mais la curiosité et l'excitation l'emportaient sur tout le reste. Si des gens étaient prêts à tuer pour récupérer ce que j'avais trouvé dans le compartiment du plancher, c'est qu'il s'agissait de pièces inestimables et suffisamment importantes pour que Bertrand préfère risquer sa vie plutôt que d'avouer où il les avait dissimulées. Pas question, donc, de les remettre aux autorités.

—Il faut décrypter ce carnet, fis-je à haute voix sans m'en rendre compte. Savoir de quoi il en retourne. (J'agitai mon index en direction de mon invité.) Je compte sur ta discrétion.

—J'ai l'air d'une balance ? rétorqua-t-il, contrarié. Sérieusement… tu comptes mener l'enquête dans le dos des flics ?

—Non, je veux décoder ce carnet et savoir sur quoi travaillait le professeur Lechausseur. Je vais envoyer quelques scans à mon père et contacterai Ernesto Mendez demain. C'est un spécialiste du décryptage. S'il s'agit ici d'un code alphabétique complexe, il pourrait sans doute me... Puis-je savoir ce que tu fais ?

Hans pliait et dépliait ses doigts, un œil sur le carnet, l'autre sur sa main.

— Moi ? Rien. Tu as du papier et un crayon ?

Je lui désignai le guéridon, un sourire moqueur sur les lèvres.

— Je peux aussi te proposer un dictionnaire. (Il ne releva pas et continua à gribouiller.) Inutile de te torturer les méninges. Il est toujours possible de décrypter quelques mots, dans un document codé, que ce soit par déduction logique ou en identifiant les mots répétés, mais, si tu ignores la technique de codage, ton texte restera incompréhensible. Ce n'est pas pour rien que des spécialistes passent le plus clair de leur temps...

— « La cendre volcanique ayant conservé l'empreinte du socle sur la mosaïque de l'atrium », me coupa-t-il, triomphant, en brandissant son bloc-notes. Je continue ? (Je faillis en lâcher ma cigarette.) C'est du « ROT 13 ». Plus basique que ça, il n'y a que le *verlan*. (Je lui arrachai le carnet de Lechausseur des mains.) C'est un truc d'informaticiens, inutile de t'y user les hublots. On utilise le « ROT 13 » pour le codage. Tu remplaces juste chaque lettre par...

— La treizième qui la suit dans l'alphabet, terminai-je à sa place. Un encodage Jules César... Mais bien sûr, quel idiot ! Comment n'y ai-je pas pensé. Lechausseur était latiniste.

— De l'encodage quoi ?

Je lui rendis le carnet.

— Le « ROT 13 » est le nom moderne de l'« encodage Jules César », défini comme tel parce que celui-ci l'avait mis au point pour échanger des courriers secrets durant ses campagnes.

Sa bouche s'arrondit de surprise.

— Tu veux dire qu'on utilise pour l'informatique un codage que Jules César a inventé il y a plus de vingt siècles ? (J'acquiesçai.) C'est la meilleure de l'année, celle-là… (Il s'essaya au décryptage d'une autre page et je le regardai faire, agréablement surpris par son éclair de génie.) Problème, soupira-t-il en reposant son crayon. Je crois que ce n'est pas le même code partout. (Il me tendit son bloc.) Ce charabia ne veut rien dire.

« *Tam similes… alter alteri sunt ut… uix discerni possint.* »

Je lus l'extrait et m'esclaffai.

— « Ils sont tellement semblables l'un à l'autre qu'ils peuvent à peine être distingués », traduisis-je. C'est du latin, Hans. Probablement l'extrait d'un texte.

— Euh… ça va te prendre un bout de temps, pour décrypter tout le carnet, Morg. Y a au moins cinq cents bonnes pages. (Je retins un sourire, voyant où il voulait en venir.) Au moins un mois. Et en t'acharnant dessus tous les soirs…

— Et tu serais ravi de le faire à ma place, je suppose ?

— À la main ? s'écria-t-il. Non, je ne m'appelle pas Taylor, c'est pas moi. Je me disais juste que si tu avais un petit programme informatique où il suffirait de rentrer le texte codé pour qu'il te le traduise automatiquement… ça prendrait une semaine. Surtout si c'est fait par quelqu'un qui tape avec tous ses doigts, ajouta-t-il en remuant les siens devant mon visage.

J'étais bien plus intéressé que je ne voulais le laisser paraître. Si les gens qui couraient après ce carnet et ce glaive étaient sur la piste des travaux de Bertrand, la vitesse était un paramètre nécessaire pour les devancer.

—Tu saurais faire ça, toi ?

—Les doigts dans le nez… Écoute, je te programme le soft, je décrypte ce baragouin et toi, tu oublies de cafter à pépé ce qui s'est passé aujourd'hui. Je ne te pourrirai l'existence que jusqu'en septembre, plaida-t-il, comme prévu, pas un jour de plus. C'est jouable, non ?

—À la première incartade, ton grand-père aura besoin de tes empreintes dentaires pour t'identifier, dis-je en serrant sa main tendue.

—Je la ressortirai, celle-là.

Je regardai ma montre. Il était presque 2 heures du matin.

—Dois-je t'appeler un taxi ? (Il me jeta un regard de zombie.) Je vois. Déplie le divan.

Il s'exécuta en bâillant et j'allai déposer les assiettes sales dans l'évier.

—Eh ! « Beau blond » ! railla Hans depuis la pièce attenante. C'est qui, Cathia ?

Je pris le bloc-notes et aimantai un « faire le ménage » sur la porte du réfrigérateur.

IV

Comme c'était souvent le cas en période d'examens, le Mysti regorgeait d'étudiants, l'œil droit dans leurs notes et le gauche dans une tasse de café. La petite brasserie enfumée parut plaire à mon « assistant », dont le regard plongea aussitôt dans le décolleté de la jeune fille assise à notre gauche. Son cendrier débordait de mégots et sa table disparaissait sous les feuilles griffonnées.

Je commandai un thé pour moi et un soda pour Hans dont les yeux n'allaient pas tarder à rouler hors de leurs orbites.

—Hans, un peu de tenue, fis-je en le poussant discrètement du coude.

—95 C, je dirais, murmura-t-il avec un sourire gourmand. Au moins.

La chaleur nous avait assommés à Barbizon, où nous avions passé la bibliothèque de Bertrand au peigne fin jusqu'en début d'après-midi – sans rien trouver. Hans ne cessait de tirer sur le col du t-shirt « top moumoute » d'Etti, que je lui avais prêté, le sien étant raide de sueur. C'était l'un de ces souvenirs on ne peut plus kitsch que mon frère ramenait toujours de Bolliwood. M'en séparer me pinça le cœur, mais, après tout, Etti en avait des dizaines.

Le serveur nous apporta nos consommations et je pressai la rondelle de citron dans mon thé.

—Qu'est-ce que tu regardais, ce matin ? demandai-je.

Lorsque le réveil avait sonné, j'avais aperçu Hans, en caleçon, assis devant la télévision avec le casque sur les oreilles, pour ne pas me réveiller.

—Le *Mahâbhârata*.

J'écarquillai les yeux. Le *Mahâbhârata* était une version cinématographique du texte sacré du même nom. Un somnifère sur pellicule.

—Et tu as réussi à le visionner jusqu'au bout sans t'endormir ?

— Certains trucs sont un peu longuets, mais c'est sympa, les dieux sont les mêmes que dans le *Rig Veda*[VI].

—Parce que tu connais le *Rig Veda*, toi ?

—On avait commencé à le lire quand je m'étais inscrit à une initiation au sanscrit.

—Tu as étudié le sanscrit ?

—Trois mois, seulement. J'ai juste appris l'alphabet. Pépé m'a fait arrêter parce que ça me faisait sécher mes cours d'histoire moderne. Tu connais les Veda, toi ?

Je haussai les épaules.

—Entre autres. J'imagine que ton père devait te raconter *Le Petit Poucet* ou te lire *Le Petit Chaperon rouge*. Le mien, c'était les Veda.

Il s'assombrit.

—Mon père ne sait lire que les cours de la Bourse.

—Hans… est-ce que la culture indienne t'intéresserait, par hasard ?

—J'aime la mythologie hindoue.

«Dommage qu'elle ait donné naissance à une telle religion… », ne pus-je m'empêcher de penser.

Notre voisine laissa tomber son stylo et Hans ne se fit pas prier pour le ramasser.

—Je t'offre un autre café ? lui demanda-t-il en lui rendant son bien. (La jeune fille lui coula un regard en biais et sourit après m'avoir détaillé sans avoir l'air d'y toucher.) Noir ou décaféiné ? poursuivit-il, charmeur.

VI. Texte sacré hindou.

— Pardon ? minauda-t-elle.

— Ton café.

Elle se trémoussa sur sa chaise en repoussant une mèche de ses cheveux colorés derrière son oreille où cliquetaient une bonne dizaine d'anneaux.

— Non, merci, c'est gentil, gloussa-t-elle en croisant les jambes sous sa minijupe.

— Hans, se présenta celui-ci.

L'étudiante me fit les yeux doux.

— Tessa. Et vous ? s'enquit-elle en se penchant pour m'offrir une vue plongeante sur son décolleté. C'est quoi, votre nom ?

Cette gamine n'avait décidément pas froid aux yeux.

— « Monsieur » suffira.

La petite se redressa, piquée au vif.

— Alors je vous souhaite une bonne fin de journée... « monsieur ».

Elle avait craché le dernier mot. Je la vis enfourner rageusement ses affaires dans un sac piqué d'épinglettes et quitter le café d'un pas rageur.

— Bien joué, ronchonna Hans.

J'allais répliquer quand un nuage multicolore de patchouli et d'encens fit irruption dans le café. Manuela tira une chaise et s'assit en face de nous.

— Bien le bonjour. Alors, Morgan ? C'est tout ce que tu as trouvé pour que l'on t'accorde enfin une subvention de fouilles ? susurra-t-elle en me soufflant son haleine mentholée à la figure.

Elle sortit le glaive soigneusement enveloppé de son sac en coton bariolé et le posa sans douceur sur la table.

— Dois-je en déduire que cette arme est une copie moderne ? m'enquis-je, plus déçu que je ne l'aurais dû. Même la garde en os ?

Mon amie leva un sourcil circonspect.

— Elle, elle a trois mille ans au bas mot. Trois mille cinq cents, je dirais.

Je fis un rapide calcul. Alexandre avait vécu au quatrième siècle avant Jésus-Christ.

— Trois mille ans ou plus… Ça ne colle pas.

— Et pour ce qui est de la lame, elle est en titane. Le premier imbécile venu pourrait voir qu'elle n'est pas d'époque.

— La lame a donc dû être refaite à l'authentique en incluant la poignée… C'est bien ce que je pensais.

— Comment ça « a dû » ? C'est bien toi qui l'as fait fabriquer ?

— Bien sûr que non ! Sinon, pourquoi t'aurais-je demandé de la dater ?

Elle émit un petit son désagréable qui devait être un rire caustique.

— Une garde antique, persifla-t-elle avec un sourire narquois, un métal inconnu dans l'Antiquité fondu de telle façon qu'il est impossible de prouver qu'il est récent, et tu le tiens ton « grand mystère archéologique »…

J'allais protester avec indignation, mais Hans me coupa la parole.

— Impossible de prouver qu'il est récent ? C'est du titane !

— Morgan… insista Manuela sans faire attention à mon assistant. Si je signe cette datation, je vais être la risée de mes confrères. Si je m'en tiens uniquement aux analyses, cette lame en titane a… (Elle s'interrompit, n'osant poursuivre.) La lame est aussi ancienne que la garde, chuchota-t-elle comme si elle avait peur qu'on l'entende affirmer une telle absurdité.

J'éclatai de rire.

— Manuela ! C'est du titane !

— Une bonne couche de titane enveloppant une plaque

de cuivre, sans doute pour l'alourdir. Le titane est très léger mais quasi indestructible. Ce glaive est inusable.

—Et récent, insistai-je.

—Morgan... ouvre grand tes oreilles, fit-elle en posant la main sur l'arme enveloppée. Ce... cette *chose* est une impossibilité, antique ou non. La partie métallique de cette arme, pommeau compris, a été fondue d'un bloc. Il n'y a pas une seule trace de soudure ou de collage, ni sur le titane, ni sur l'os, qui aurait dû être fendu en deux dans le sens de la longueur. Elle est d'une régularité parfaite.

—On a pu faire glisser l'os le long de la poignée et l'assujettir en rajoutant le pommeau.

—Pommeau, garde et lame ne sont qu'un même bloc de titane.

—Cela signifierait que l'on a coulé le titane directement dans l'os ?

Elle tapota la lame par-dessus le tissu.

—C'est du titane d'aluminium. Un alliage d'acier et d'aluminium, plus exactement, qui fond à six cent cinquante-huit degrés. Ton os aurait été réduit en cendres en moins de temps qu'il n'en faut pour le dire.

—Alors comment a-t-on fabriqué ce glaive ?

—J'espérais que tu pourrais me le dire. J'ai passé une partie de la soirée et de la nuit à le soumettre à tous les tests imaginables. Pas la moindre petite fissure, le moindre signe de soudure, rien. Comment prouver que, si l'os est antique, le titane ne l'est pas ? C'est logiquement et scientifiquement impossible.

—La gravure, fis-je. La main enserrant le marteau. On a sûrement utilisé une fraise à base de poussière de diamant ou un laser. À moins que le dessin n'ait tout simplement été ciselé dans le moule.

—Non, mon cher. Le dessin est postérieur à la fonte. À le voir de près, tu as presque l'impression que le fondeur l'a apposé avec la même facilité qu'un sceau sur de la cire molle. C'est une arme d'extraterrestre que tu as là. (J'en restai bouche bée. Hans suivait l'échange avec intérêt.) C'est pas tout ça, dit Manuela en se frottant les mains, mais j'ai respecté ma part du marché. À ton tour, Morgan.

— Maintenant ? Ici ?

— Tout de suite !

Je glissai à regret la main dans mon sac à dos pour en extirper l'un de mes plus chers trésors : le *Fantask* numéro 1 de 1969 acheté par mon père. La première parution des éditions Marvel en français. Le surfer d'argent… Le superhéros qui avait bercé toute mon adolescence.

— J'en prendrai soin ! lança Manuela en m'arrachant le *comic* des mains.

Je lui adressai une moue pitoyable qui ne l'attendrit pas le moins du monde et la bande dessinée disparut dans son immonde sac en coton indien.

— Il faut que j'y aille ! (Elle sortit une liasse de feuillets de la poche de son jean et les posa sur la table.) Les résultats du labo. (Elle fila comme un courant d'air en direction de la porte.) Oh ! Au fait, je ne sais pas qui… joli t-shirt.

— J'ai cru que tu allais lui donner une barrette de shit, remarqua Hans.

Je le torpillai du regard et repliai les feuillets d'analyses pour les ranger dans mon portefeuille.

*

Installé devant mon ordinateur, Hans travaillait à son petit programme miracle tandis que je décryptais les premières pages du carnet de Bertrand un crayon et un bloc à la main.

Le journal de mon vieil ami était en fait un rapport quasi quotidien de recherches commencées trois ans plus tôt. Un riche mécène, d'après ce qu'il en disait laconiquement, l'avait contacté pour retrouver le mythique tombeau d'Alexandre le Grand. C'était ce même collectionneur féru d'antiquités qui lui avait confié ce que le vieil homme considérait comme les deux éléments clés de cette recherche : le glaive et l'expertise du Vatican.

— Bon sang, j'ai trouvé plus extravagant que mon père, soupirai-je après avoir lu un extrait à Hans. Pourtant Bertrand ne m'a jamais fait l'impression d'un homme excentrique.

Je m'enfonçai dans les coussins du canapé. Le tombeau d'Alexandre le Grand... Et pourquoi pas le Saint-Graal ? Ma raison me conseillait de reprendre mes esprits et d'oublier cette histoire, mais mon instinct, lui, trépignait comme un enfant à qui l'on a promis des bonbons.

— Morgan... Tu ne vas pas laisser tomber, n'est-ce pas ?

— Je n'en ai nulle envie, mais pour reprendre ce projet il faudrait obtenir un budget du Louvre. Monter un dossier à présenter à ce cher Villeneuve ne va pas être facile.

— Pourquoi ?

— Crois-tu que Bertrand s'attendait à trouver le tombeau sous la tour Eiffel ? S'il a pris un billet pour Alexandrie, ce n'était sans doute pas pour admirer les pyramides.

— Une chasse au trésor en Égypte ? s'emballa-t-il. Où dois-je signer ?

— Je ne parle pas de farniente ni de promenade de santé, Hans. Bertrand est mort en cherchant ce tombeau. (Il s'assombrit et m'écouta avec gravité.) Et, ajoutai-je en brandissant le carnet, il y a fort à parier que, si ses assassins nous tombaient dessus, nous irions le rejoindre avant d'avoir le temps de dire « aïe ». Voilà qui peut donner à réfléchir, n'est-ce pas ?

— Tu plaisantes ! s'écria-t-il. Pour une fois qu'on rigole ! (Il se saisit de la souris de l'ordinateur.) Il y a un traitement de texte, sur ton ordinosaure ?

—Dans l'ordinateur portable d'Etti, sous le bureau.

Il se pencha pour soulever la mallette et grimaça lorsqu'il l'ouvrit.

—Oh, la vache… Ils le vendent, ça ?

Je haussai les épaules et allumai une cigarette.

*

Je quittai le bureau de Villeneuve en claquant la porte et Hans, qui m'attendait dans le couloir, fit la moue.

—À voir ta tête, il a dit « non ».

Je descendis l'escalier en grommelant, talonné par mon stagiaire.

—Il ne peut plus signer de budget. Cet imbécile est en instance de démission.

—Hein ? Il se carapate ailleurs ?

—À son niveau, on ne se « carapate » pas, Hans. On vous invite à démissionner avant de vous mettre à la porte avec déballage de linge sale. (Je fis une pause sur un palier.) La Cour des comptes est venue mettre le nez dans ceux du musée, soupirai-je.

—Ouh là… Tu lui as fourni des précisions sur la façon et l'endroit où tu avais découvert le glaive et le carnet ?

—Pour que la police les conserve comme pièces à conviction jusqu'à la fin de l'enquête ? Tu me prends pour un imbécile ?

—Mais, maintenant que Villeneuve est au courant, tu dois tout faire figurer dans l'inventaire, non ? (J'acquiesçai, sachant où il voulait en venir.) Remarque, si tu ne mentionnes pas les circonstances de leur découverte, tes joujoux passeront peut-être inaperçus au milieu du reste…

Je secouai la tête.

—Tu penses bien que la première chose que vont faire les gens qui ont agressé Bertrand lorsqu'ils sauront qui a

72

hérité de ses biens sera de passer à la loupe ce que le Louvre a trouvé à Barbizon.

—Alors il ne va pas traîner longtemps dans les caves du musée, ton cure-dents en titane.

—C'est pour cette raison qu'il ne figurera pas dans l'inventaire, murmurai-je. Villeneuve va être viré et je ne lui ai pas laissé de copie du dossier de demande de financement. Il n'a aucune preuve de l'existence de ces objets.

—Tu ne…

—Chut ! Pas ici, fis-je en désignant le couloir sur lequel s'ouvraient les bureaux administratifs.

Nous allâmes déjeuner au café du Carrousel, ma cantine depuis plusieurs mois, et nous installâmes à une petite table à l'abri des oreilles indiscrètes, dans le fond de l'établissement. Les lieux seraient sous peu envahis par les touristes et les promeneurs. Je ne sais ce qui, de la climatisation ou de l'ambiance rococo, les attirait le plus dans cet endroit.

—Il ne nous resre plus qu'à espérer trouver un mécène, pensai-je tout haut. Cela peut prendre des mois, même avec les contacts de mon père.

Le garçon nous apporta deux sandwichs au thon et mon compagnon attendit qu'il se fût éloigné avant de me confier :

—La société de mon paternel a une branche mécénat. L'année dernière, ils ont filé plusieurs millions au cancer, à des chorales et je ne sais combien d'autres machins associatifs. Ça leur permet d'alléger leurs impôts.

Je repoussai ma bière et me penchai vers lui.

—Quelle est la société de ton père ?

—Peter & Henkel Courtage. Une boîte de placements boursiers.

—Ton père est ce « Peter »-là ?

—Pourquoi, tu le connais ?

— Je l'ai vu à la télévision et dans les journaux, comme tout le monde. Lors de l'affaire des multinationales.

Ces malversations avaient fait un beau scandale. Détournement de fonds publics, faux et usage de faux, sociétés miroirs... Beau curriculum à présenter à la répression des fraudes.

— Mon père a été acquitté. Il n'avait rien à voir dans ces salades.

« Cela va de soi... », pensai-je avec ironie.

Je ne m'étonnais plus que Graam Peter ait abandonné l'éducation de son fils à son vieux père, qui n'en demandait pas tant. Escroquer la moitié de la planète doit prendre un temps considérable. Mais fraude à un tel niveau signifiait beaucoup d'argent et, surtout, besoin de blanchir sa réputation par des dons divers et variés. Le mécène idéal car, une fois recollés les morceaux de sa fragile vertu, il ne s'inquiéterait pas de savoir comment avançait le projet et ne viendrait pas mettre le nez dans mes affaires.

— Crois-tu que tu pourrais lui faire passer discrètement le dossier ?

— Bien sûr. Surtout si pépé me donne un coup de pouce. Et il le fera, tu penses : son petit têtard partant sur les traces d'Alexandre !

*

Nous nous attelâmes donc à la rédaction du dossier de demande de subvention. Cela nous prit deux jours entiers et n'eut rien de facile. Je ne voulais pas trop en dire. Je craignais d'éveiller la convoitise d'un homme dont je ne connaissais que la réputation, nullement rassurante. Pourtant, il me fallait titiller sa curiosité et justifier l'investissement considérable que nécessitait une telle entreprise. Le grand-père de Hans remit en personne le dossier à son fils et m'assura, outre la promesse d'obtenir une réponse dans les deux mois, la plus grande discrétion.

*

Le téléphone sonna une semaine plus tard. Nous venions de rentrer de Barbizon et Hans était chez moi, ce qui devenait une habitude depuis qu'il programmait son « décrypteur » miracle.

—Allô ?

—Monsieur Lafet ?

—Lui-même.

—Nous ne nous connaissons pas, mais je suis un ami de Graam Peter. Vous lui avez transmis un dossier très intéressant.

Mes mains se contractèrent sur le combiné. Peter avait assuré que cela resterait confidentiel. Si l'existence de ce dossier parvenait jusqu'à ceux qui avaient assassiné Bertrand, je ne donnais pas cher de ma peau.

—Monsieur Peter vous a donc entretenu de ce projet ?

Hans passa la tête par la porte du salon et je lui fis signe de garder le silence.

—Oui, il m'a fait parvenir votre dossier ce matin. (Je retins un juron.) Nous nous connaissons depuis longtemps, ajouta-t-il comme s'il sentait ma méfiance.

—Qui êtes-vous ? demandai-je sans détour. Que voulez-vous ?

Il eut un petit rire.

—Pardonnez-moi, il est vrai que je ne me suis pas présenté. Je suis John Jurgen. (Mon cœur fit un bond.) J'avais tellement hâte de vous annoncer que j'étais d'accord pour vous financer que j'en ai oublié la plus élémentaire des politesses. Je suis désolé.

John Jurgen était bien connu dans le milieu archéologique pour ses dons de collections aux musées et ses financements de fouilles. Il avait une réputation de collectionneur fou. Un riche industriel féru d'antiquités.

Je levai le pouce en direction de Hans, qui poussa un cri de victoire silencieux.

— Voilà une excellente nouvelle, monsieur Jurgen. J'ai souvent entendu parler de vous.

Il rit de nouveau.

— Cela ne m'étonne guère, mais que voulez-vous ! je ne vais pas emporter mon argent dans la tombe, ni mes collections. Pouvons-nous nous voir demain, chez moi ? Vers 11 heures ?

— Parfait pour moi.

Je notai son adresse d'une main mal assurée tandis que Hans sautait comme un singe dans le couloir.

*

Je mis longtemps à m'endormir, cette nuit-là, tant je réfléchissais à la meilleure façon de répondre aux interrogations de Jurgen. J'avais souvent participé à des recherches financées en partie par des fonds privés et même parfois pris la direction de certaines opérations, mais jamais encore je ne m'étais imaginé en position de responsable de projet.

Je ne sais si ce fut le bruit mat dans le couloir qui me réveilla ou le fait que mes draps étaient trempés tant j'avais transpiré, mais je me redressai comme un ressort trop longtemps bandé. Je me levai et me servis un verre d'eau minérale tiède dont je recrachai aussitôt la première gorgée. Je renversai le reste du liquide sur mon visage et ma poitrine, mais cela me rafraîchit à peine. J'avais vaguement la nausée et mes mains tremblaient. Les réminiscences d'un mauvais rêve ?

Dans l'espoir d'un peu de fraîcheur, je pressai mon dos contre le carrelage de la cuisine en soupirant. La faïence était froide et lisse comme une peau après un bain glacé. Je fermai les yeux. Mes tremblements se calmèrent un peu et ma respiration se fit plus régulière.

Je soulevai à demi les paupières. Le bruit… l'avais-je rêvé ? J'étais sûr que non.

Je sortis de la cuisine et pressai l'interrupteur de l'entrée. Mon regard fut immédiatement attiré par la commode. La photo d'Etti était renversée sur le plateau de marbre et la vitre du cadre était cassée.

—Merde…

Je ramassai consciencieusement les morceaux de verre et les jetai dans la poubelle de la cuisine avant de remettre la photo en place. Quelqu'un avait dû claquer brutalement une porte ou peut-être les vibrations du métro, voire d'un camion passant dans rue, avaient-elles déséquilibré le cadre. Je refusai de voir là un présage ou un avertissement. Je n'avais jamais été superstitieux et n'allais certes pas le devenir pour si peu. Je retournai donc me coucher et sombrai immédiatement dans un sommeil sans rêves.

Je m'éveillai en sursaut, persuadé que j'avais dormi comme une masse et raté mon rendez-vous, mais ma montre indiquait 8 h 15. J'appelai Barbizon pour prévenir les policiers que nous ne nous rendrions pas chez le professeur Lechausseur avant le lendemain et filai sous la douche. Hans se présenta chez moi à 10 heures, comme convenu, et, après le cinquième café de la matinée, nous descendîmes dans le garage.

—Souris un peu, Morgan, tu as l'air plus cadavérique qu'une nature morte. La nuit n'a pas été bonne ?

Je préférai ne pas répondre et tournai la clé de contact.

Je garai mon « mixer » à deux pas de la rue Napoléon, dans le sixième arrondissement de Paris, où nous avions rendez-vous et renouai ma queue de cheval en me regardant dans le rétroviseur. Il s'agissait de faire bonne impression.

—Le poil soyeux, l'incisive éclatante et la prunelle enjouée, comme dirait mon père, fis-je. De quoi ai-je l'air ?

—D'un Viking qui s'est trompé d'époque.

—Merci pour tes encouragements, Hans, grommelai-je en descendant du véhicule.

Je pris une copie du dossier de demande de financement, au cas où, ainsi que les résultats du labo de datation, et m'engageai en direction de la rue Napoléon, Hans sur mes talons.

John Jurgen habitait un des quartiers les plus chics de Paris, fourmillant de monde à cette heure de la journée. Un groupe de Japonaises, croulant sous leurs achats, nous dépassa en piaillant et mon compagnon ne put s'empêcher de jouer le joli cœur.

—On se réveille, cher assistant. Nous sommes arrivés.

J'appuyai sur le bouton de l'interphone. Une voix féminine m'invita à prendre l'ascenseur jusqu'au loft-terrasse du dernier étage. Après deux portes protégées par des codes, nous longeâmes un couloir orné de fresques médiévales, au bout duquel nous trouvâmes un ascenseur spacieux, tapissé de moquette ocre. Les haut-parleurs de la cabine égrenaient du Chopin et l'œilleton d'une caméra de surveillance guettait nos moindres gestes.

J'appuyai sur le bouton 7 et une voix langoureuse m'informa que, pour me rendre à cet étage, je devais taper le code d'autorisation. Je m'exécutai et Hans siffla.

—Ils ne vont pas nous faire passer au détecteur, non plus ?

—Hans, fis-je en agitant le doigt devant son nez. Tu me laisses parler. Je ne veux t'entendre dire que « bonjour », « merci » et « au revoir ». C'est bien compris ?

—Oh là là… *Keep cool.*

L'ascenseur donnait directement sur le vestibule climatisé d'un appartement luxueux, où Jurgen lui-même nous attendait. C'était un homme que sa cinquantaine d'années avait merveilleusement épargné. Grand, les cheveux argentés éclatants coupés court et des yeux vifs d'un bleu électrique, il dégageait un charme auquel peu de femmes avaient dû résister. Un physique athlétique se devinait sous son costume de lin beige et la main qui serra la mienne, bien que manucurée et soignée à l'excès, était ferme et assurée.

—Soyez le bienvenu, Morgan. Vous permettez que je vous appelle Morgan ? Et ?

—Hans, fis-je. Le fils de Graam Peter. Il est en stage avec moi durant quelque temps.

—Bonjour !

—Enchanté, Hans.

Était-ce mon imagination ou Jurgen semblait désappointé par la présence du fils de son « ami » ?

Nous le suivîmes dans le loft, orné d'antiquités des cinq continents.

—Par ici, je vous prie. Melina va nous apporter du café.

Il nous préceda jusqu'à la véranda au dernier étage de l'immeuble transformée en serre tropicale. Entre les arbres et les orchidées se dressaient plusieurs statues grecques verdies par l'humidité. Un mélange curieux…

Nous prîmes place sur de confortables fauteuils de teck et une jeune femme aux jambes de gazelle et au profil de médaille vint poser un plateau fumant sur la table basse. Elle m'adressa un sourire aimable, un rien appuyé, auquel je répondis avec un plaisir non dissimulé, et disparut.

—Dites-moi tout, Morgan, fit Jurgen, souriant, en me tendant une tasse de café.

Je jetai un coup d'œil à Hans, qui pinçait les lèvres en bec de canard, comme si on lui avait cousu la bouche.

Je me jurai de l'aplatir comme une crêpe lorsque nous serions sortis.

—Par où commencer? (Je me frottai les yeux.) J'ai été amené à effectuer l'inventaire des collections que le professeur Bertrand Lechausseur a léguées au Louvre et ce dernier...

—Je suis au courant des recherches du professeur Lechausseur, me coupa notre hôte avec un sourire éclatant. Ne soyez pas surpris, ce genre d'information circule vite, dans le milieu. J'aurais aimé les financer moi-même, mais j'ai été devancé, à l'époque. C'est l'occasion de reprendre le train en marche.

Je jouai avec ma tasse, indécis.

—Et... puis-je savoir par qui elles ont été financées?

«Un type qui jette les historiens par-dessus des rambardes, peut-être?», pensai-je.

—Je n'en ai pas la moindre idée. M'est avis que celui qui l'a subventionné ne souhaitait pas faire don du fruit de ces recherches à un musée, sinon, il se serait fait connaître. Pauvre Bertrand... Un accident, je crois?

—C'est ce que j'ai cru comprendre, oui, mentis-je. La rambarde de son balcon a cédé.

Hans me fit les gros yeux, mais je le défiai du regard de faire le moindre commentaire.

—Quelle tragédie. Un homme irremplaçable. J'avais eu le plaisir de financer en partie sa campagne de fouilles à Corinthe, il y a un peu plus d'un an.

Je blêmis et posai ma tasse sur la table car ma main s'était mise à trembler.

—Je l'ignorais.

—Oui, vous y participiez, je crois.

—Ainsi que mon frère, murmurai-je. Je l'avais prié de m'accompagner.

—Ah oui? Il est vrai que nous avions réuni une équipe

conséquente. Personne n'avait lésiné sur les moyens et ces recherches furent une belle réussite. J'en garde un très bon souvenir, bien que nous ayons eu à déplorer des vols et quelques accidents.

Je vis Hans s'enfoncer dans son fauteuil, s'attendant au pire. Depuis deux jours, il n'avait cessé de me poser des questions sur Etti ou sur l'Inde et savait très bien comment mon frère était mort.

Je croisai les bras pour que Jurgen ne me voie pas serrer les poings. La colère qui montait en moi était si forte que j'aurais pu lui sauter à la gorge s'il avait fait la moindre allusion supplémentaire à ce qu'il osait qualifier de simple « accident ». Mais je me contins. J'étais plus décidé que jamais à tirer profit de cet historien de pacotille et avec d'autant moins de scrupules que je commençais à entrevoir dans quelle poche avaient disparu les objets « volés » à Corinthe.

— Il est bien ennuyeux de ne pas connaître le nom du mécène du professeur Lechausseur, fis-je perfidement.

Jurgen tiqua.

— Pourquoi ?

— L'épée et les documents lui appartiennent, si l'on en croit ce qui est écrit dans le carnet de Bertrand.

Jurgen poussa un profond soupir.

— Je doute qu'il les réclame. La façon dont on obtient certaines pièces n'est pas toujours très avouable. Comme je vous l'ai dit, tous les collectionneurs ou amateurs d'histoire ancienne ne sont pas des « fournisseurs de musée », si vous voyez ce que je veux dire. Ce qui n'est nullement mon cas, se hâta-t-il de préciser. Comme vous pouvez le voir, il n'y a ici que des copies ou des objets de moindre importance.

« Et ailleurs ? », pensai-je.

Je connaissais trop bien ce genre de personnages pour ignorer qu'ils gardaient toujours une « petite chose », en

« souvenir des fouilles ». Tout le monde le savait mais fermait les yeux. Sans mécènes privés, bien des grands projets archéologiques n'auraient jamais abouti. Mieux valait sacrifier un objet ou deux si cela permettait d'en sauver et d'en exposer des centaines. Mais c'était Etti qui avait été sacrifié à Corinthe pour remonter des bijoux romains mystérieusement envolés.

— Vous allez me trouver un peu tatillon, monsieur Jurgen, mais je reste persuadé que l'homme à qui appartiennent ces pièces de collection serait ravi de les retrouver.

Les lèvres fines de Jurgen s'étirèrent en un imperceptible sourire. Il avait enfin saisi où je voulais en venir.

— Nous pourrions peut-être oublier ce passage du journal ? Après tout, nous n'allons pas mettre en péril des travaux aussi importants pour un détail. Surtout connaissant l'investissement financier *non négligeable* que cela nécessiterait pour être mené dans les règles de l'art, n'est-ce pas ?

Il avait compris le message.

— Vous avez sans doute raison.

— Vous pensez donc pouvoir reprendre les recherches du professeur Lechausseur là où il les a laissées ?

— Je peux essayer. Mais avant, comme vous le dites très justement, il faudrait être certains que les preuves dont nous disposons sont authentiques. Cela est déjà confirmé pour le pommeau du glaive, mais j'aimerais pouvoir en dire autant des documents du Vatican. Je pense que nous devrions donc commencer par là. Qui plus est, peut-être obtiendrions-nous sur place des informations complémentaires.

— Cela me paraît être un bon début, en effet. (Il regarda sa montre.) Croyez-vous que nous pourrions tomber d'accord sur les grandes lignes et un semblant de budget avant… mettons 13 h 30 ? J'ai un rendez-vous très important et je…

—Il ne nous faudra pas plus d'une demi-heure, le coupai-je.

Il m'adressa un sourire éclatant.

—Vous me plaisez, Morgan.

—Je vous retourne le compliment... John. Vous permettez que je vous appelle John ?

*

Pendant que Hans vidait de leur contenu les barquettes de plastique achetées chez le traiteur chinois, je feuilletai les papiers dûment visés par le Louvre m'autorisant, en tant que représentant du musée, à transporter des antiquités. Le tout était on ne peut plus vague et pouvait convenir à n'importe quoi. François-Xavier avait fait de l'excellent travail et je lui devais une fière chandelle. Il aurait été inconscient de ma part de prendre l'avion avec une arme sans justificatifs. En cas de problèmes avec les services des douanes, ces autorisations suffiraient largement, je le savais d'expérience ; il m'était déjà arrivé de prendre l'avion avec le même type de papiers officiels et une bonne vingtaine de vases grecs, autrement plus ostentatoires qu'un glaive.

—J'espère que tu sais ce que tu fais, Morgan, m'avait sermonné François lorsqu'il était venu m'apporter en catimini les documents dans mon bureau. Si ce que tu soupçonnes est exact, c'est ta peau que tu risques.

—Tu as eu du mal à les obtenir ?

—Non, c'est la panique, là-haut, avec le contrôle de la Cour des comptes, et l'exposition de Bahariya tourne au désastre. Ils nous ont envoyé du matériel archéologique en surnombre et certains objets ont déjà fait trois fois l'aller-retour entre là-bas et ici. Une autorisation supplémentaire pour un transport d'antiques n'a choqué personne.

—À charge de revanche.

—Oublie ça, je suis loin d'avoir effacé mon ardoise.

Je lui serrai amicalement l'épaule. J'avais obtenu plusieurs fois des fonds de recherche pour François en serrant la vis à Villeneuve.

—Je compte sur ta discrétion.

—Pas un mot à quiconque, tu as ma parole.

Je n'eus aucun mal à obtenir du Louvre un congé sans solde de trois mois, ce qui sembla soulager Villeneuve à un point presque vexant pour moi, même s'il vivait dans la crainte que je ne révèle aux inspecteurs quelques petits détails peu reluisants le concernant. Cette perte de revenus ne représentait pas grand-chose dans mon budget. Notre mécène au cœur tendre nous avait accordé des moyens financiers et logistiques à faire pâlir de jalousie mon père lui-même. Mais il y avait une ombre au tableau. Deux, plutôt. La première était l'« assistante » dont il avait exigé la présence permanente à nos côtés durant tout le temps des recherches, et que nous attendions dans moins d'une heure ; la seconde, l'importance qu'il accordait à ce projet.

—Tu crois qu'elle est canon ? demanda Hans avec un sourire grivois.

Je posai les documents et hochai la tête.

—C'est plus que probable. Malheureusement, ajoutai-je en le voyant lisser ses vêtements et replacer une mèche de cheveux sur son front.

—Tu préférerais qu'elle soit moche ?

Je pris mon téléphone portable et réappuyai sur « bis ». J'essayais de joindre le père de Hans depuis la veille.

—Bonsoir, c'est encore Morgan Lafet à l'appareil. Monsieur Peter est-il sorti de sa réunion ? Je vous en prie, mademoiselle, dites-lui que c'est très important. Merci, oui, j'attends.

—Mais enfin, qu'est-ce que tu lui veux, à mon paternel ?

Je lui fis signe de se taire et une voix masculine résonna à mon oreille.

—Oui ?

—Monsieur Peter ? J'essaie de vous joindre depuis hier, je…

—Excusez-moi, mais je n'ai pas beaucoup de temps à vous accorder. Mon père m'a dit que John Jurgen allait financer votre projet, je vous félicite. Il paraît aussi que vous emmenez Hans avec vous ? Vous ne manquez pas de courage.

—Hans est très intéressé par cette recherche. (Il ricana.) Monsieur Peter, je voudrais savoir pourquoi vous avez choisi d'envoyer mon dossier de financement à monsieur Jurgen ?

Il y eut un court silence.

—C'est lui qui m'a prié de le lui faire porter. J'ai supposé que c'était parce que vous lui en aviez parlé. (Je laissai échapper un juron.) Ce n'est pas le cas ?

—Non, fis-je, la gorge soudain sèche.

—Je ne me le serais pas permis, mon père m'avait dit que vous ne vouliez pas ébruiter cette affaire. J'ai directement transmis le dossier au mécénat.

—Si ce n'est pas vous qui lui en avez parlé, qui l'a fait ?

—Mon père, sans doute, ou le vôtre. Quelle importance ? Vous avez votre budget.

—Ce n'est pas eux, monsieur Peter, je le leur ai demandé.

Il ricana et je commençai à comprendre pourquoi Hans détestait son paternel.

—Inutile de tomber dans la paranoïa, personne ne va vous la voler, votre idée. Vous savez, John a des oreilles et des yeux partout, ici. C'est l'un de nos plus gros investisseurs. Sans doute en a-t-il discuté avec Jeannine.

—Qui ?

—Jeannine Gauthier. Notre responsable du département mécénat. Il nous est souvent arrivé de financer conjointement un projet avec John. Comme la construction du nouveau laboratoire de recherche du musée d'Histoire navale, ajouta-t-il avec une fierté déplacée. Ce sera tout ?

— Je vous remercie pour ces précisions, monsieur Peter, dis-je en faisant un effort considérable pour rester poli. Hans est avec moi, si vous voulez que je vous le passe pour lui dire bonj…

— Non. Comme je vous l'ai dit, je suis très occupé et je prends l'avion ce soir pour Hambourg.

— Monsieur Peter, fis-je, estomaqué, nous partons prochainement pour l'Italie et vous n'aurez peut-être pas l'occasion de…

— Excusez-moi, mais il faut vraiment que je vous laisse. Je vous souhaite un bon voyage.

Il raccrocha avant même que je puisse le remercier et Hans haussa les épaules.

— Je t'avais dit que c'était un con.

J'allumai une cigarette, de plus en plus inquiet. Ces recherches intéressaient trop John Jurgen… Qu'est-ce que cela cachait ? Il savait visiblement quelque chose que j'ignorais. On n'investissait pas des sommes aussi colossales, réductions d'impôts ou non, sans avoir une idée précise derrière la tête.

La sonnette de la porte retentit. 20 heures tapantes. Ma nouvelle assistante avait au moins le mérite d'être ponctuelle.

À la grande joie de Hans, elle s'avéra être une jeune femme délicieuse. Un mètre soixante-quinze, mince et déliée, une poitrine ravissante et un joli minois encadré de beaux cheveux auburn tombant sur ses épaules. Bref, l'œil de Moscou idéal à mettre dans les pattes d'un homme célibataire et d'un adolescent torturé par ses hormones. Soupçons confirmés après une petite demi-heure de conversation. Mon « assistante » avait des lacunes si étendues en histoire antique que l'on aurait pu y planter des baobabs. Mais elle faisait preuve d'une telle adresse pour éluder les questions gênantes et tirer les vers du nez à Hans qu'en aucun cas je n'aurais pu la qualifier de séductrice à la tête creuse. Mae était une femme aussi dangereusement intelligente qu'attirante.

— Sérieux ? s'étonna Hans. Tu as déjà fait de la rampe ?

Elle acquiesça, tout sourire.

— Oui, bien entendu. Et j'en garde quelques souvenirs, ajouta-t-elle en dénudant sa cuisse pour exposer une petite cicatrice ronde. Regarde. (Hans écarquilla les yeux.) Ça s'appelle une double vrille ratée ! Les deux latérales sont parties. Je suis tombée à plat dos et le skate m'est tombé dessus de huit mètres de haut.

— Tu as dû danser sur les rotules !

— C'est peu de le dire. Et toi, Morgan ? s'enquit-elle en me détaillant du haut en bas. Y a-t-il un sport assorti à tes pectoraux ?

— La pelle et la truelle.

Elle fit tinter son rire musical et suçota un petit carré de nougat chinois sans me quitter des yeux.

Lorsqu'elle s'adressait à un homme, Mae cambrait les reins, de manière à mettre en avant ce qu'elle considérait probablement comme son meilleur atout. Ses tentatives de séduction étaient si manifestes que j'en aurais presque souri bien qu'elle ne semblât nullement s'en rendre compte. Sauf si elle me prenait pour un imbécile, ce qui était plus que probable.

— Je devrais traîner plus souvent sur les chantiers archéologiques, dans ce cas.

— Vous y apprendriez sans doute beaucoup.

Je refusais de la tutoyer en dépit de ses demandes réitérées, pour bien lui faire sentir que je n'avais pas l'intention de faire ami-ami.

Hans se tortillait à côté d'elle, sur le divan. Je m'attendais à le voir d'un instant à l'autre haleter comme un chien quémandant une caresse. Je décidai de mettre fin à cette sordide comédie.

—Melina a réservé des billets d'avion pour demain, fis-je en commençant à ranger les bols, et j'ai encore quelques détails à régler ce soir. Alors, ce n'est pas que je veuille vous mettre à la porte, mais je…

—Puis-je t'être utile à quelque chose ? tenta Mae avec un sourire désarmant.

—Vous devez avoir des choses à faire vous aussi, répondis-je, accompagnant d'un regard glacial un sourire aussi large que le sien.

Elle maintint son expression enjouée et seul un imperceptible tremblement des lèvres trahit sa contrariété.

—Je passerai donc vous chercher demain à 17 heures. Je vous attendrai en bas de l'immeuble, dans le taxi.

Je lui serrai aimablement la main.

—Excellente idée.

—Je te ramène ? demanda-t-elle gaiement à Hans en faisant sauter les clés de sa voiture dans sa paume.

Celui-ci allait accepter quand je lui posai une main de fer sur l'épaule.

—C'est gentil à vous, mais j'ai encore besoin de lui pour une heure ou deux. (Il faillit protester, mais je ne relâchai pas la pression.) N'est-ce pas, Hans ?

—Ouais, fit-il avec un sourire douloureux. Du travail à terminer. Morgan est un esclavagiste.

Mae me jeta un regard moqueur.

—Dans ce cas… Je vous dis à demain. Ne travaillez pas trop tard.

Je refermai la porte derrière elle et Hans égrena un chapelet de jurons à faire rougir un corps de garde en se frottant l'épaule.

—Si tu veux te faire moine, c'est ton problème, mais n'empêche pas les autres de s'éclater !

Je le transperçai du regard.

—Petit imbécile ! Tu ne vois donc rien ?

—Si ! J'ai vu une paire de seins comme ça…

Il fit une mimique grossière.

—Hans… pourquoi crois-tu que nous avons cette femme sur le dos ?

—Cette fille a passé la soirée à m'allumer.

Je hochai la tête en souriant puis l'agrippai par le devant de son t-shirt.

—Petit crétin !

—Morg, lâche-moi ! (Je le soulevai de quelques centimètres, de sorte que seule la pointe de ses pieds touchât le sol.) Arrête ! Arrête, merde !

—Ce n'est pas une fille, sifflai-je à quelques centimètres de son visage défait. C'est une femme, Hans. Une femme qui pourrait presque être ta mère, d'ailleurs. Et quand une femme de sa trempe fait du plat à un têtard comme toi, c'est qu'elle veut le dresser pour qu'il lui obéisse au doigt et à l'œil. Cette vipère que Jurgen nous a imposée est là pour nous espionner, pauvre clown ! conclus-je en le lâchant. Et toi, tu cours te jeter dans la gueule du loup.

Il réajusta ses vêtements et se tapota la tempe du doigt.

—Tu es encore plus atteint que pépé ! Tu vois des gens louches partout. Elle est réglo, Morg, tu peux me croire, j'en ai testé un paquet.

J'éclatai de rire.

—Sa Majesté le tombeur ! L'expérience personnifiée !

—Tu crois savoir tout mieux que tout le monde sous prétexte que tu affiches quinze ans de plus que moi ?

—J'en sais assez pour reconnaître une cicatrice laissée par une balle.

Il blêmit et sa pomme d'Adam fit un aller-retour dans sa gorge avec un bruit glaireux.

— Tu dis ça juste pour me faire peur ? geignit-il pitoyablement. (Je me détournai en soupirant et il me suivit en gesticulant dans le salon.) Morg ! Morg, tu plaisantais, là, non ? Morg !

*

Hans et moi profitâmes de la dernière matinée avant le départ pour clôturer l'inventaire et faire nos adieux aux policiers et à Madeleine, qui insista pour nous inviter à déjeuner chez elle.

— Ces quelques jours ont passé trop vite, dit-elle en me mettant de force un saladier de biscuits dans les mains. Vous et le petit allez me manquer.

— Allons, essayai-je de la réconforter, je suis sûr qu'il existe des dizaines de gens prêts à se damner pour vos biscuits à la noix de coco.

Elle m'adressa un sourire mélancolique.

— C'étaient les préférés de Bertrand. Je lui en faisais tous les jeudis. En quantité raisonnable, se hâta-t-elle d'ajouter, à cause de son cholestérol. Mon mari en raffolait aussi, soupira-t-elle. Puisse-t-il reposer en paix.

— Il est mort de quoi ? demanda Hans en engloutissant deux biscuits d'un coup.

Je lui donnai un coup de pied sous la table et il grimaça.

— Dégénérescence du système nerveux central, soupira Madeleine.

— Hein ?

— Alzheimer, Hans.

— Ça s'attrape comment ?

Il esquiva mon second coup de pied avec un sourire moqueur. Madeleine, elle, lui répondit aimablement sans paraître s'apercevoir de rien.

—Ça ne s'attrape pas, mon garçon. C'est une maladie dégénérative qui se manifeste par un syndrome démentiel. (Hans ouvrit de grands yeux.) Le triste résultat de changements neuro-structuraux et neurochimiques. Atrophie corticale, atrophies lobaires, aussi, parfois. C'est une maladie terrible, Hans, j'en ai souvent fait la triste expérience.

Elle marqua une pause.

—Je constate que, pour ma part, je n'ai pas encore oublié le jargon, c'est plutôt bon signe.

—Vous êtes médecin ? m'étonnai-je.

—Oh ! non, pensez-vous. J'étais infirmière en psychiatrie. J'ai dû abandonner mes patients pour m'occuper de mon mari, et de Bertrand par la même occasion. Quand mon cher Lionel est mort, ma foi, je ne me sentais pas le courage de reprendre mon travail. Je le regrette aujourd'hui, mais il est trop tard. À cinquante-cinq ans, plus personne ne voudrait de moi.

—Je suis persuadé du contraire.

—Comme Bertrand, dit-elle coquettement. Il m'avait même convaincue de reprendre du service. Un garçon de sa connaissance qui avait besoin d'une aide psychiatrique après un grave accident. Finalement, Bertrand nous a quittés et cela n'a pas pu se faire. (Elle s'ébroua et sourit.) Mais assez de tristesse ! Vous êtes jeunes et il faut croquer la vie à belles dents, ne pas penser à tout cela. Quels beaux voyages en perspective vous préparez. Oh ! Morgan, s'il vous plaît, promettez-moi de me donner de vos nouvelles et de m'envoyer une photo des pyramides. J'ai toujours rêvé de les voir. Comme la statue de la Liberté et les temples incas. Mon Dieu, si j'en avais le courage et les moyens…

Nous reprîmes une tasse de thé et je notai ses coordonnées dans mon agenda en lui promettant de lui donner des nouvelles. La pauvre femme était bien plus touchée par la mort de Bertrand qu'elle ne voulait l'admettre et je me demandai si elle pouvait porter sa nouvelle solitude sur ses épaules étroites.

Nous quittâmes Barbizon lestés de deux boîtes de biscuits maison et Hans ne décrocha pas un mot jusqu'à ce que nous soyons arrivés dans le parking.

— Tu en fais une tête.

— Elle va s'ennuyer, Madeleine. Elle qui n'arrêtait pas de blaguer avec les flics et de faire des trucs à manger… (Je lui jetai un regard circonspect.) Quoi ? Elle est cool, non ? (Il fit vibrer ses lèvres et se détourna.) Forcément, tu passais ton temps à taper dans les murs pour trouver un compartiment secret, tu as à peine parlé avec elle.

Je fronçai les sourcils, interloqué. Alors comme ça, notre Hans national avait un petit cœur qui battait dans sa poitrine de caïd… La brave Madeleine, avec son âme de grand-mère gâteau, avait réussi à l'amadouer. Sacrée performance.

— Je te l'accorde, Madeleine est une femme très sympathique, mais rien ne t'empêche de lui rendre visite à notre retour. Elle en sera ravie, crois-moi.

Il haussa les épaules, comme si cela n'avait soudain plus d'importance.

— Ouais, on verra. Je n'ai pas que ça à faire, non plus. En tout cas, ajouta-t-il en sortant de la voiture, tu ferais bien de me donner son adresse pour lui envoyer ses pyramides parce que je te connais, tu vas la paumer.

*

— Tu te rappelles si j'ai pris ma trousse de toilette chez moi, hier ? me demanda Hans, tandis que je fouillais dans mon sac pour en sortir les clés.

— Je n'ai pas espionné chacun de tes gestes. Regarde dans ta valise, tu es encore à temps pour acheter une brosse à dents.

—Morgan… murmura-t-il. Je crois que tu n'auras pas besoin de tes clés. T'as reçu de la visite.

Il poussa du doigt la porte de mon studio, qui s'ouvrit avec un petit grincement. La serrure avait été forcée.

—Nom de Zeus… (Je le poussai derrière moi et posai mon sac sur le sol.) Tu restes là.

—T'es dingue, chuchota-t-il. Ils sont peut-être encore à l'intérieur.

J'ouvris la porte en grand d'un coup de pied, au cas où quelqu'un se serait dissimulé derrière et fis irruption dans l'appartement, prêt à abattre mon poing sur la première tête qui se présenterait. Rien dans le couloir, la cuisine ou la salle de bains. Personne dans les placards ni dans le salon. Plus étrange encore : rien ne semblait avoir été dérangé ou volé. Quoi que à bien y réfléchir, les livres et objets paraissaient avoir été déplacés puis remis en place.

—Entre, Hans !

Il fit irruption dans le salon et regarda autour de lui.

—Ils ont dû être surpris. Mon ordinateur portable est toujours là.

—Ou ils ne cherchaient pas d'ordinateur portable, réalisai-je.

Je me jetai sur nos bagages et, après avoir répandu la moitié du contenu de mon sac sur le sol, je sortis les deux rouleaux de carton, les papiers de douane et le carnet de Lechausseur avec un soulagement indescriptible. Tout était intact. Hans avait raison, il devait juste s'agir de voleurs qui avaient été surpris avant de pouvoir vider le studio de ses objets de valeur.

—C'est ce qui s'appelle l'avoir échappé belle, soupirai-je en me laissant tomber sur le divan, essayant de calmer les battements de mon cœur.

—Ouais…

Il auscultait le carnet de Bertrand sous toutes ses coutures.

—Tout est là, Hans. Dieux tout-puissants, merci, ajoutai-je en levant les yeux au ciel.

—Là, oui. Mais en bon état, c'est à voir. (Il brandit le carnet.) La tranche est cassée. Elle ne l'était pas hier soir. (Il le feuilleta.) Pas de pages arrachées. (Je haussai les sourcils.) Je te parie ma main droite qu'il a été photographié ou scanné, Morg.

—Tu as peut-être cassé la tranche hier, sans t'en rendre compte.

—Je peux te jurer que non.

Je le rejoignis et, à genoux sur la moquette, observai le journal. Hans avait raison, il n'était pas dans ce triste état lorsque je l'avais rangé dans mon sac. À présent, je me souvenais même de l'avoir soigneusement glissé entre les plis d'un t-shirt pour le protéger des chocs inhérents aux manipulations des employés des aéroports, qui jetaient souvent les bagages de la soute au véhicule de transport, plusieurs mètres plus bas.

—La danse a débuté, on dirait, soupirai-je.

Mon compagnon se redressa, décomposé.

—Morg, cette histoire commence à sentir salement le sapin.

—Je me demande si notre petite amie au skate-board à barillet n'y est pas pour quelque chose.

Je me levai en me torturant les méninges et allai vérifier si la porte pouvait être réparée. Je m'aperçus que la serrure avait été simplement crochetée. La porte ne possédant pas de poignée à l'extérieur, notre visiteur l'avait mal refermée. Sans doute n'avait-il pas voulu la claquer et risquer de se faire remarquer.

Je poussai le battant, fis tourner le verrou, ce que je ne faisais jamais d'habitude, et appuyai mon front contre le bois vernis.

—Hans, prends tes bagages, fis-je d'une voix blanche. Je te ramène chez toi. Appelle tes amis, va voir un film ou ce que tu voudras et oublie toute cette affaire. (Je regardai ma montre.) Dépêche-toi, j'aurai juste le temps de revenir.

Il secoua la tête.

—Ne me dis pas que tu continues ? Tu veux risquer de te faire trouer la peau pour dénicher un tas d'os ? Tu as complètement perdu la boule !

Je plongeai mon regard dans le sien.

—Le tombeau d'Alexandre n'est pas seulement un tas d'os.

—Je ne te laisserai pas y aller seul.

Je me raidis.

—Je refuse. C'est trop dangereux.

—Je suis majeur et, si je veux risquer ma peau, ça me regarde. Et puis tu sembles oublier un microscopique détail : tu as besoin de moi pour décrypter ce carnet à vitesse supersonique parce que je ne pense pas que des types qui peuvent payer un tueur pour jeter un vieux par la fenêtre vont se tordre les synapses à traduire du « ROT 13 » à la main ! Pendant que tu me soûles avec tes relents de vertu, des pros de la décode sont peut-être déjà au travail. Alors, si tu ne veux pas qu'ils arrivent avant toi chez l'Alex, tu as intérêt à m'emmener dans tes valises !

Je le considérai avec un mélange d'étonnement et, je l'avoue, d'admiration.

—Pourquoi veux-tu m'accompagner, Hans ? Tu te moques de l'archéologie comme de ta première chemise et l'histoire antique te donne des boutons.

—Je ne suis pas un lâcheur, c'est tout.

Sur ces mots, il retourna dans le salon pour replacer soigneusement dans mon sac tout ce que j'avais éparpillé et je le regardai faire en fumant une cigarette, un discret sourire sur les lèvres.

V

Le steward passa près de nous et nous tendit une corbeille de bonbons. Hans se servit, je fis de même, mais Mae le fusilla du regard avec un « non, merci ! » acide. Elle était d'une humeur massacrante. Je me penchai prudemment vers elle.

—Puis-je savoir ce qui vous contrarie à ce point ?

—Je ne suis pas contrariée !

Elle écarta une longue mèche de cheveux auburn de son visage et se composa un sourire laborieux.

—Tu as raison, je suis un peu agacée, aujourd'hui. Mais vous n'y êtes pour rien, rassure-toi, ajouta-t-elle. Tu sais ce que c'est, les tracasseries de dernière minute, le travail que l'on laisse à demi fini, enfin ce genre de choses.

« Comme un carnet écrit en langage extraterrestre… », pensai-je.

—Oui, je connais cela. Et sur quoi travailliez-vous avant de vous joindre à nous ? Enfin, si ce n'est pas indiscret…

—Ça l'est, répondit-elle taquine.

—Oh…

—Monsieur Jurgen tient à ce que ses assistants restent discrets quant à ses affaires en cours. Tu ne le prends pas mal, j'espère ?

—Je comprends parfaitement. On n'arrive pas là où il est arrivé sans un minimum de précautions.

—À savoir ? tiqua-t-elle.

Je haussai les épaules.

—J'imagine qu'il doit courir après les OPA, hanter les salles de marché, fréquenter les huiles, flairer les bons coups, enfin le genre de choses que font tous les hommes d'affaires.

Elle émit un petit rire aigu.

—C'est bien plus ennuyeux que ce que tu as l'air de supposer, mais en gros, oui, c'est cela.

Hans, le nez dans le carnet de Lechausseur, prenait des notes sur son ordinateur portable, posé sur la tablette.

—Alors ? Tu avances ? fis-je en me penchant vers lui.

Il hocha la tête sans lever les yeux de ses gribouillis. L'avion fit une embardée et j'entendis une femme pousser un petit cri.

—Lechausseur raconte l'histoire de l'armure d'Alexandre. (Il se moucha et ferma sa veste de survêtement.) Ça caille, non ?

—La climatisation. (Je regardai ma montre.) Courage, plus qu'une heure et quart.

—L'histoire de l'armure ? intervint Mae en se penchant sur mes genoux pour jeter un œil à l'écran de Hans.

—Oui. La dernière fois que quelqu'un l'a vue, c'était sur la baie de Naples, au début du premier siècle après Jésus-Christ.

—Je croyais qu'elle avait été enterrée avec Alexandre, fis-je en plissant le nez.

—Nan. Pas d'après un type appelé Svétonvis.

—Qui ? (Il me désigna le texte.) Suetonius, Hans. Suétone est un auteur latin. Mais que vient-il faire là-dedans ?

—Le prof a écrit : « Vie de Caligula, chapitre LII », puis un charabia en latin. « Trioumpalème kouidème ornatoume étiame anté expédissionème assidoué guestaouite, interdoume ête Magueni Alexandri thorassème répétitoume et conditorio éious[VII]. »

[VII]. « *Triumphalem quidem ornatum etiam ante expeditionem assidue gestauit, interdum et Magni Alexandri thoracem repetitum e conditorio eius.* »

—Traduction de ce massacre ? grimaça Mae en me jetant un regard implorant.

—En résumé, des considérations peu aimables sur les ornements triomphaux portés par Caligula, dont faisait partie, d'après Suétone, l'armure de notre Alexandre. Il l'aurait fait récupérer dans son tombeau. Suétone est la commère attitrée des auteurs latins, précisai-je.

—Il y a encore quelques mots sur la baie de Naples à propos d'un pont de bateaux.

—Je l'ai lu dans un roman, fit Mae. Ou vu dans un péplum ? Peu importe. Caligula, se prenant pour un dieu, voulut faire de l'ombre à Neptune en marchant sur l'eau. (Je lui jetai un regard atterré.) Ou un truc comme ça, alors.

—Caligula, expliquai-je, n'était pas aussi fou que certains aimeraient le faire croire. Et ce pont de bateaux n'avait rien d'innocent ou d'excentrique. Il était en fait un étalage de génie militaire. Une forme d'intimidation. Caligula préparait une expédition en ce que nous appelons aujourd'hui la Grande-Bretagne et il comptait bien que cela arrive aux oreilles des futurs Anglais. Si Caligula réussissait une telle manœuvre sur la baie de Naples, ils ne pouvaient que craindre une offensive similaire sur la Manche, toutes proportions gardées, bien entendu, en raison des courants et des marées. Les anciens disent qu'une double rangée de bateaux de transport fut ancrée, fixée et recouverte de terre sur une longueur de plus de trois mille six cents pas, précisai-je. Enfin, si je me souviens bien.

—Et ça fait combien, ça ?

—Dix-huit mille pieds, taquinai-je mon assistant.

Notre compagne grimaça.

—Mais encore ?

—À peu près cinq kilomètres. (Hans siffla, admiratif.) La distance qui séparait Baïes du môle de Pouzzoles. Il paraît que l'on y donna des banquets et des fêtes durant plusieurs jours. Caligula y parada sur un char, en tenue militaire, à plusieurs reprises. Et s'il est exact qu'il portait l'armure d'Alexandre, cela a dû impressionner pas mal. La superstition n'était pas la moindre des caractéristiques des gens de l'époque. Mais quelque chose ne colle pas, fis-je en me grattant le menton, je n'ai pas souvenir d'un auteur disant qu'il portait cette armure à ce moment-là.

—Si, répliqua Hans. Le prof en parle. La sœur de Caligula... Attends. (Il fit défiler le texte.) Agrippine, dans *Les Mémoires d'Agrippine*. Elle n'a pas été le chercher loin, son titre.

Je faillis en avaler le bonbon que je suçotais.

—*Les Mémoires d'Agrippine* ? m'écriai-je. Mais elles sont perdues depuis des siècles ! Où a-t-il pu les consulter ? Le précise-t-il ?

—Oui, au début de chaque citation. (Il fit défiler le curseur.) Agrippine... Voilà : comme la plupart des extraits qu'il a recopiés, à la Bibliothèque vaticane.

Je sursautai.

—Les archives secrètes... balbutia Mae.

Mon stagiaire tiqua.

—Hein ?

—Lis ! lui ordonnai-je.

—On se calme, il n'y a pas le feu. « ... Caius Julius Caesar l'avait f... » Jules César ? Qu'est-ce qu'il vient faire là ?

—Caligula, Hans. Caius Julius Caesar est son vrai nom.

—Ce n'était pas celui de Jules César ?

—Aussi.

—Ah. « ... l'avait fait tirer du tombeau du Grand Alexandre, en Égypte. Il la fit réparer, l'agrémenta de l'un des poignards qui, selon lui, avaient transpercé le cœur du meurtrier de sa mère, et la porta à plusieurs reprises mais, la dernière fois qu'on la vit fut le jour où, à l'instar du roi des Mèdes, il... » Le roi des quoi ?

—Le roi des Mèdes, répondis-je avec impatience. Le Perse Xerxès. Tu as dû en entendre parler… (Il écarquilla les yeux en faisant la moue.) Je te raconterai. Poursuis.

—«… où, à l'instar du roi des Mèdes, il ordonna la construction d'un pont de bateaux. »

—Qu'a-t-il fait de l'armure ensuite ?

—Je n'en suis qu'au début ! Par contre, le prof a crayonné un croquis. Enfin, une croûte qui ressemble à un croquis.

Mae et moi nous penchâmes sur le carnet.

—Une statue, murmura-t-elle. Alexandre ?

—Non, intervins-je. Il a les cheveux trop courts. Probablement le croquis d'une statue de l'époque impériale. Certainement Caligula divinisé puisqu'il est en tenue militaire et nu-pieds. Mais je ne connais pas cette statue. Et l'armure… regardez le plastron.

Je posai le doigt sur le dessin.

—La main au marteau. Le même sceau que sur le glaive, remarqua Mae. N'est-ce pas d'ailleurs lui qu'il tient à la main ?

Je m'approchai pour mieux voir.

*

Un scooter se gara sur le parking à vélos de la petite piazza della Rotonda et une jeune fille en robe fleurie se précipita vers le conducteur, qui la serra contre lui. Le Panthéon illuminé et les réverbères jetaient une lumière mordorée sur la place.

Installés à la terrasse du Di Rienzo, le plus luxueux des trois restaurants face au Panthéon, nous dégustions l'apéritif – le chocolat glacé pour Hans – en attendant notre dîner.

—J'adore cet endroit, soupira Mae en sirotant son Martini. J'ai l'impression d'être hors du temps, pas toi ? La vieille ville est magique.

De nombreux jeunes gens, assis sur les marches, riaient, mangeaient des glaces ou jouaient de la guitare. Les voitures étaient interdites dans la vieille ville et l'on se serait cru revenu des siècles en arrière, malgré les vêtements et la musique qui s'échappait des restaurants.

La nuit était fraîche et mille odeurs se mêlaient dans le joyeux brouhaha de la cité antique. Ici, les gens vivaient la nuit, comme dans tous les pays où la douceur du climat le permettait. En face de nous, les fenêtres de l'hôtel où nous étions descendus étaient grandes ouvertes. C'était un établissement sans prétention mais avec une vue imprenable sur le splendide monument érigé par Marcus Agrippa il y avait près de deux mille ans. Un endroit magnifique.

—Bientôt l'heure du crime, fit Hans en regardant sa montre.

Le garçon nous apporta nos plats, des gnocchis pour Mae et moi, des spaghettis pour Hans, qu'il entreprit de dévorer en les faisant descendre à grandes rasades de cola.

—Parfois, lorsque je pose la main sur ces ruines plusieurs fois centenaires, poursuivit Mae, rêveuse, j'ai l'impression que la pierre a une mémoire. Qu'elle me raconte une histoire. (Je laissai retomber ma fourchette, surpris par son envolée poétique, et elle éclata de rire.) Tu dois me trouver ridicule ! (Elle sirota sa coupe de vin, caressant le rebord de cristal du bout des doigts.) Mais je suis certaine que ces ruines ont une âme.

Je lui retournai son sourire.

—J'en suis persuadé.

Je levai ma coupe dans sa direction avant d'y plonger mon nez. Le numéro de séduction classique n'ayant rien donné, notre Messaline abattait la carte de la passion des ruines et de l'amour de l'histoire. Mais elle n'osa tout de même pas aller jusqu'à pousser le couplet sur l'excitation de la découverte archéologique et les joies de la truelle et du pinceau.

—Tu dois ressentir quelque chose d'incroyable lorsque, après avoir creusé la terre durant des jours, apparaît enfin l'angle d'un monument ou l'anse d'une poterie grecque. Ce doit être… merveilleux.

« Ah, si. Elle l'a fait », pensai-je.

—C'est une sorte d'orgasme, soupirai-je, comme emporté par son enthousiasme. Une apothéose.

J'allais rajouter « Une explosion cosmique ! », mais craignis qu'elle ne s'aperçoive que je me moquais d'elle.

—Tu as de la chance, Morgan. J'adorerais vivre cette expérience. Raconte-moi… Parle-moi de ta plus grande trouvaille.

Je pris une profonde inspiration en fermant les yeux, comme si le simple fait d'y repenser me mettait en transe, et inventai la première sottise qui me passait par la tête.

—C'était sur une plage de Crète, murmurai-je. (Elle s'appuya sur ses coudes et me fixa en soupirant.) Nous creusions depuis des jours dans le sable malgré le soleil qui nous brûlait la peau. (Hans leva enfin la tête de son plat de spaghettis, se demandant probablement s'il n'y avait que du vin dans mon verre.) Et alors, il apparut…

—Quoi donc ?

—L'os de seiche, conclus-je avec emphase.

Son sourire séducteur flancha, mais elle sut garder son masque avec une habileté consommée.

—Un… os de seiche ?

—Mais pas n'importe lequel, non. Le plus grand que l'on n'ait jamais vu de mémoire d'homme. Il était dur comme de la résine et brillant comme de la laque.

—Un os de seiche géante ? En Crète ?

—Oui… poursuivis-je, rêveur. Le reste d'un monstre d'un autre temps. D'une créature à jamais oubliée.

—Un os de dinosaure ? s'écria Mae, hypocritement fascinée. C'est fantastique.

—Un monstre… J'en avais les mains qui tremblaient et j'étais là, devant cette… (Je me repris et touillai le contenu de mon assiette.) Bref, c'était une jubilation tout simplement indescriptible.

—Et qu'est-il devenu ? S'est-il retrouvé dans un musée ?

J'avalai une pleine fourchette de gnocchis dégoulinants de sauce tomate et répondis la bouche pleine :

—Non. Après examen du labo, nous avons réalisé qu'il s'agissait d'une planche à voile.

Hans partit d'un rire tonitruant et Mae fit rageusement claquer sa serviette d'épais tissu pourpre sur la table.

—Très drôle ! cracha-t-elle en se levant. Tu m'excuseras, mais j'ai mieux à faire que d'écouter tes blagues.

Elle quitta la terrasse du restaurant pour traverser la place en direction de l'hôtel.

—Bon débarras, fis-je en finissant mon plat.

—Là, tu l'as sérieusement mise en pétard, maestro ! s'étrangla Hans.

—Grand bien lui fa… (La sonnerie de mon téléphone portable m'interrompit.) Oui ?

—Morgan ? Je ne te réveille pas, au moins ?

Je reposai ma fourchette et allumai une cigarette.

—Bonsoir, papa. Nous sommes au restaurant.

—Vous êtes bien arrivés ?

—Oui, sans encombre.

—J'ai reçu ton mail. Tu es dans un sacré pétrin, mon garçon. Je ne suis nullement rassuré par la tournure que prennent les choses. Le contact que je peux te donner est un prêtre du nom de *padre* Ilario. Voici son numéro de téléphone, tu as de quoi noter ? (Je sortis mon calepin de mon sac à dos.) Bertrand a eu affaire à lui lorsqu'il travaillait sur les fouilles de la Maison dorée. Il paraît que c'est un homme très sympathique, qui pourra sans doute t'aiguiller... Morgan, j'ai Ludwig à côté de moi.

— Je passe le téléphone à Hans. Ton grand-père, fis-je à ce dernier.

— Non, attends, tête de mule. Il a quelque chose à te dire au sujet du glaive. (Je fis signe à Hans d'attendre un instant, mais il colla son visage contre le mien, l'oreille sur le portable.) Je te le passe. Je t'embrasse. Et fais attention au petit, surtout. À la moindre embrouille, je veux que tu me le ramènes à la vitesse grand V, c'est compris ?

Hans se renfrogna.

— Ne t'en fais pas, si cela devient trop dangereux, je rentre.

Il n'en croyait pas un mot, je lui ressemblais trop pour cela.

— Morgan ?

— Bonsoir, professeur Peter.

— Je t'en prie, oublie le « professeur ». Dis-moi, le sceau du glaive que tu as scanné pour ton père me dit quelque chose.

Je me raidis.

— Vraiment ? Vous l'avez déjà vu ?

— Oui, mais je n'arrive pas à me rappeler où. Tout ce que je peux te dire pour l'instant, c'est que le sceau d'Héphaïstos devait peu ou prou ressembler à cela. Une main tenant un marteau.

— Le forgeron des dieux ?

— Oui, Morgan. Je vais faire des recherches pour te donner plus d'informations. Ton père ou moi te contacterons dès que nous aurons trouvé quelque chose de plus consistant... Hans est là ?

— Oui, il est collé à ma joue. Je vous le passe. Et merci encore.

Hans m'arracha littéralement le téléphone des mains.

—Pépé ? Ouais, c'est génial. De quoi ?

Je filai aux toilettes, les laissant discuter tranquilles et, lorsque je revins, Hans n'avait toujours pas raccroché et s'entretenait avec mon père.

—Ne vous en faites pas, dit-il en me jetant un regard entendu. C'est lui qui fait peur aux autres. Euh… je vous embrasse aussi. (Je ricanai.) Au revoir. D'accord, je lui dis.

Hans me tendit mon téléphone avec une moue amusée.

—Il est marrant, ton pater.

—De quoi avez-vous parlé ?

—Que je te dise de faire attention et gnagnagna. Il va me prêter des bouquins sur l'Inde, aussi.

—Voilà qui ne m'étonne guère.

J'allais ranger mon téléphone et régler l'addition lorsque je remarquai que j'avais reçu un texto : « Un mail vous attend, Morgan. Mieux vaudrait le consulter au plus tôt. Hélios. »

—Je vais avoir besoin de ton ordinateur, Hans.

*

Assis sur l'un des lits jumeaux, je branchai mon mobile sur l'ordinateur et me connectai à Internet.

—Tu prends ta douche ou j'y vais ? demanda Hans.

Je lui fis signe d'y aller et consultai ma boîte aux lettres électronique. Un message m'attendait, mais l'adresse d'expédition m'était inconnue. Pas d'objet. Juste un message et un fichier attaché : « Je pense que ceci devrait vous intéresser. Hélios. »

J'ouvris le fichier attaché, un document de deux pages sous un format courant de traitement de texte mais entièrement rédigé en grec ancien. La copie d'un document antique ?

Je commençai à lire et ne pus retenir un juron. Rien d'antique là-dedans. C'était un rapport très détaillé de deux pages sur diverses activités et condamnations de ce qu'il aurait été difficile de qualifier autrement que de mercenaire. Et y figurait une jolie photo de notre ravissante assistante…

« Virginia Santos Mezquiriz, née à Puebla (Mexique), le 14 octobre 1969… Condamnée à 15 ans de réclusion aux États-Unis pour complicité de trafic d'armes… Condamnée à 37 ans de travaux forcés au Guatemala pour conspiration… Soupçonnée de meurtre en Argentine… Accusée de trafic de fausses pièces d'identité au Canada… Évadée du pénitencier de Cancun… Recherchée pour trahison à Cuba… » La liste était longue.

— La place est libre ! lança Hans en sortant de la salle de bains.

Je sursautai et éteignis l'ordinateur sans même prendre le temps de me déconnecter.

— Oui, je… j'y vais…

— Ça va pas ?

Je lui adressai un sourire figé.

— Si. Si, tout va bien. Juste un peu… « lessivé », comme tu dis.

Il se laissa tomber sur son lit et jeta sa serviette dans un coin de la chambre.

— Pourquoi as-tu demandé une chambre pour deux ? (J'allais lui répondre sèchement, peu disposé à supporter ses jérémiades après ce que je venais de lire.) Je sais encore me défendre face à une fille, tu sais.

— Je n'en doute pas, Hans, soupirai-je en retirant mes vêtements.

« Mais face à celle-ci, ça m'étonnerait que tu fasses le poids », pensai-je en me glissant sous la douche.

Je me promis de répondre au mystérieux inconnu dès que Hans aurait le dos tourné, mais j'étais prêt à parier que mon mail me reviendrait. Dans quel nid de guêpes avais-je donc mis la main ? J'étais partagé entre l'envie de fuir à toutes jambes, en pleine nuit, Hans sous le bras, et celle de faire irruption dans la chambre de « Mae » pour lui mettre un couteau sous la gorge et lui demander des explications. Aucune de ces deux solutions ne me satisfaisait. Je n'allais pas me laisser intimider.

« Morgan, tu finiras au fond d'un ravin ou coincé dans un souterrain ! », ne cessait de me seriner Etti en me voyant prendre tous les risques pour être le premier à mettre la main sur *la* pièce maîtresse du chantier de fouilles. Ironie du sort, ce fut lui, si méthodique et si prudent, qui se laissa surprendre. Pourquoi l'avais-je encouragé à plonger, ce jour-là ? Il ne voulait pas. Il disait que les structures n'étaient pas assez solides. Et je l'avais traité de couard, lui avais agité les relevés topographiques sous le nez. Je m'étais moqué de lui…

—Oh, Etti… Qu'est-ce que je dois faire ? Si seulement je n'avais pas la responsabilité de ce gamin…

Mais, après tout, c'était lui qui avait décidé de me suivre. Lui qui s'était entêté à m'aider.

« Mais c'est toi qui lui caches des informations pour ne pas l'effrayer, Morgan », fit la voix de mon frère dans ma tête.

Je tournai le robinet d'eau froide au maximum, dans l'espoir de m'éclaircir les idées, mais je savais que c'était inutile. Le danger et les difficultés avaient toujours agi sur moi comme un catalyseur, comme cela avait été le cas de mon père avant moi. Je n'abandonnerais pas. La mort d'Etti ne m'avait pas changé, contrairement à ce que j'avais cru durant plus d'un an. Je n'avais rien appris, je n'avais pas retenu la leçon, je ne voulais pas l'apprendre. Quoi qu'il pût se passer, j'étais prêt à foncer, à encaisser et à rendre les coups, comme toujours.

*

Je ne cessais de m'agiter sur le banc de bois au dossier sculpté de salamandres, croisant et décroisant les jambes. Le caoutchouc de mes chaussures de randonnée crissait sur le parquet fraîchement astiqué et la forte odeur de cire me donnait la migraine. Je regardai ma montre. 11 h 10. Le *padre* Ilario était en retard.

J'avais eu un mal de chien à me débarrasser de Mae. Convaincue à grand-peine de la nécessité de prendre une série de clichés du mausolée d'Auguste, elle était partie avec mon appareil photo en grommelant.

Je lui avais expliqué que l'empereur Auguste s'était inspiré du mausolée d'Alexandre pour bâtir le sien, ce qui était vrai, et que ces photos pourraient nous être utiles, ce qui était totalement faux. Même si cela avait été le cas, j'aurais pu le dessiner les yeux fermés.

Hans, lui, m'attendait place Saint-Pierre, sous l'obélisque de Caligula. J'avais eu trop peur que le langage et les manières de mon assistant ne choquent le *padre* Ilario. Il ne s'agissait pas d'indisposer ce saint homme alors qu'il pouvait m'être précieux.

11 h 15. Je scrutai les extrémités du couloir qui s'étirait de part et d'autre de la porte du bureau du prêtre. Pas une soutane en vue.

Mon téléphone vibra pour m'annoncer l'arrivée d'un texto et mon cœur fit une embardée : « Vous avez un glaive, Morgan, n'hésitez pas à vous en servir… Hélios. »

Je sentis le sang déserter mon visage.

*

—*Signor* Lafet ? (Je tressaillis si violemment que le jeune ecclésiastique qui s'était penché sur moi recula d'un pas.) *Signor* Lafet, le *padre* Ilario va vous recevoir.

Pas très grand et tout maigre, il faisait peine à voir. Une première impression confirmée par son crâne déjà presque chauve et ses yeux globuleux.

— Merci, réussis-je à articuler en éteignant mon téléphone.

Il trottina jusqu'à la double porte capitonnée et la referma doucement sur moi. L'immense bureau n'était que pourpre et or. Des tableaux, représentant pour la plupart des scènes religieuses, et dont je n'osai même pas tenter l'estimation, recouvraient les murs. Les meubles d'époque Renaissance disparaissaient sous les bibelots et les icônes. Le bon goût de leur propriétaire, néanmoins, et la disposition étudiée de chaque objet en ôtaient tout le côté tape-à-l'œil.

Le *padre* Ilario, petit homme échevelé et souriant, comme sa voix enthousiaste tirant vers les aigus me l'avait laissé imaginer, me serra chaleureusement la main avant de prendre place dans un voltaire, derrière un bureau aux pieds ciselés.

— Soyez le bienvenu en notre sainte cité, mon garçon, fit-il dans un excellent français agrémenté d'un charmant accent italien. Asseyez-vous, asseyez-vous, je vous en prie.

Je m'installai dans un fauteuil tapissé de velours cramoisi légèrement lustré et aux accoudoirs patinés. Comme tout le reste, il était probablement d'époque.

— Je vous remercie de me recevoir aussi rapidement.

— C'est tout naturel. Désirez-vous boire quelque chose ? Un café ou un rafraîchissement ? Quelque chose de plus fort peut-être ? (Je refusai poliment et il croisa ses doigts devant son menton en une attitude de prière.) Pauvre Bertrand, quel malheur ! C'était un très brave homme. Le Seigneur saura l'accueillir comme il le mérite, n'en doutez pas. Il est tombé de son balcon, m'avez-vous dit ? (J'acquiesçai.) Quel malheur, répéta-t-il. Il n'avait pas de famille, je crois ? Pauvre âme. Mais nul ne peut aller contre

110

la volonté divine, n'est-ce pas ? Enfin… Et votre père, que devient-il ? Bertrand me parlait souvent de son vieil ami. (Je lui fis un rapide résumé des dernières tribulations de papa, et il m'écouta, les yeux pétillants de curiosité.) Dites-moi tout, mon garçon. Que puis-je faire pour vous ? Vous m'avez dit au téléphone que vous poursuiviez ses recherches ?

—En effet. Et j'aimerais avoir votre avis au sujet de ceci.

J'ouvris mon sac et en sortis le document du Vatican, que je lui tendis.

—Oh ! Je crois savoir de quoi il s'agit, dit-il en déroulant le parchemin avec précaution. Oui, Bertrand me l'avait déjà montré, il souhaitait que je l'authentifie. C'est un rapport de fouilles menées par le père Francesco, à Herculanum.

—Le père Francesco ?

—Oui. Il a écrit de nombreux traités sur le sujet, que vous pouvez consulter, si vous le souhaitez. Avez-vous également le glaive ? Ah, bien. Bertrand y tenait beaucoup. Si je me souviens bien, il avait été découvert dans un hypogée contenant surtout des jarres et des vases. Certainement les fondations d'une domus, d'après le père Francesco, qui fait aussi mention d'une statue, dans un document semblable à celui que vous tenez. Mais, comme je l'ai déjà dit à Bertrand, je n'en ai trouvé nulle trace, hormis un croquis de ce cher Francesco.

J'extirpai le carnet de Lechausseur de mon sac et montrai au prêtre le dessin de la statue romaine.

—Celle-ci ?

—Oui, c'est bien elle. Bertrand l'a recopiée d'après le document original.

—*Padre* Ilario… D'après les notes du professeur Lechausseur, il semblerait que vous disposiez de textes, disons, assez rares, pour ne pas dire mythiques. (Il leva un sourcil.) *Les Mémoires d'Agrippine*, par exemple.

Il eut un sourire malicieux.

— Si vous saviez le nombre de palimpsestes qui dorment dans nos archives, vous en feriez des cauchemars tous les soirs, mon garçon.

— Alors vous les avez réellement retrouvées ?

Il éclata de rire et s'excusa aussitôt.

— Quelques extraits, oui. Le reste doit encore attendre quelque part sous un texte plus moderne.

Je faillis en tomber de mon siège.

— Et... j'imagine qu'ils ne sont pas consultables... facilement, disons.

— Pourquoi donc ? (Il sembla comprendre où je voulais en venir et baissa d'un ton.) Voulez-vous que je vous fasse une confidence, mon garçon ? La seule raison pour laquelle certains textes anciens ne sont pas répertoriés et rendus publics par le Vatican, c'est qu'à la vitesse où nous allons, et en tenant compte de la quantité de documents, il nous faudra encore deux ou trois siècles pour en venir à bout, et cela si le ciel nous vient en aide ! (Il se redressa, débonnaire.) Vous pourrez consulter ces extraits quand vous le souhaiterez. À la condition que vous me laissiez un peu de temps pour les retrouver, bien entendu, ajouta-t-il avec une moue. J'avais rangé tous les documents utilisés par Bertrand séparément, au cas où il en aurait encore besoin, mais où ? Sainte Marie, mère de Dieu, ayez pitié de ma pauvre tête. Pourriez-vous repasser demain matin ? Vers 10 heures, disons ?

Je n'osais croire à ma bonne fortune.

— Oui, bien entendu. Je... je ne sais comment vous remercier.

— Allons, allons, si notre sainte mère l'Église ne peut rendre service à ses enfants, qui le pourrait ?

— Encore une question, si vous le permettez. Le glaive confié au professeur Lechausseur... c'est une copie de l'original, n'est-ce pas ?

—J'avoue ne pas en avoir la moindre idée. Tout ce que je peux vous dire, c'est que Bertrand y tenait beaucoup. En revanche, il possédait une mosaïque qui, elle, est bien d'époque. Vous voyez de quoi je veux parler ?

—Oui, l'interrompis-je. Elle est au Louvre à l'heure qu'il est et, d'après les dernières informations qui m'ont été communiquées, elle devrait être envoyée à Naples sous peu.

—Voilà une bien bonne nouvelle. Si seulement le Louvre consentait à se défaire aussi du fragment de l'Ara Pacis qu'il possède pour le renvoyer à Rome, soupira-t-il. Savez-vous que l'Italie a fait plusieurs demandes en ce sens ?

Je hochai la tête, désolé. Beaucoup de monuments antiques étaient éparpillés dans les musées du monde.

—Depuis des dizaines d'années, la Grèce réclame les marbres du Parthénon au British Museum sans plus de résultat, *padre* Ilario.

—Doux Jésus, les pauvres gens. Voulez-vous voir les dernières pièces trouvées dans la Maison dorée ? demanda-t-il soudain, jovial. Il y a quelques statuettes votives absolument ravissantes et très bien conservées.

Il me prit le bras d'autorité pour me pousser vers le musée et je n'osai refuser de le suivre, par crainte de le vexer. Le *padre* Ilario était intarissable et, selon toute vraisemblance, un authentique passionné. Il ne pouvait passer devant une statue antique sans s'extasier, et la moindre cuiller, la moindre poterie, était pour lui prétexte à disserter sur le génie de ses ancêtres. Je me fis la réflexion que, dans sa jeunesse, le brave père avait dû davantage manier la truelle que le crucifix et que ce n'était certes pas un hasard s'il se retrouvait au classement et à l'étude des documents anciens. Je crois que j'en appris plus sur les palimpsestes en trois heures avec lui qu'en six ans à l'université. Il me fit visiter le laboratoire du musée du Vatican, m'offrit une démonstration sur la façon dont, au Moyen Âge, les parchemins étaient « grattés » puis réutilisés, et me montra les différentes techniques par lesquelles on pouvait les retrouver, les rayons X étant, d'après lui, la plus efficace et celle qui abîmait le moins les parchemins.

Avant de quitter l'endroit, je pris soin de vérifier que le glaive que j'avais glissé dans mon sac à dos après l'avoir montré à l'ecclésiastique était bien accessible. Au cas où…

Lorsque je retrouvai Hans, vers 15 heures, au pied de l'obélisque de Caligula de la place Saint-Pierre, je crus qu'il allait m'éborgner avec le bâtonnet de sa glace.

—Ton portable était éteint !

—J'ai subi une visite guidée dans les sous-sols du Vatican. Tu as faim ?

Il jura et gesticula comme un singe, provoquant l'indignation des nombreux touristes et religieux qui piétinaient sur la place.

—Trois heures à cuire sous le soleil au milieu d'une bande de pingouins en sandales, j'ai même failli prévenir les flics parce que je t'imaginais déjà en train de te vider de tes tripes dans un coin, et toi, tu me demandes si j'ai faim ? Pourquoi tu ne m'as pas appelé ?

Un moine nous jeta des regards offensés et je pris Hans par le bras.

—Cesse de vociférer, tout le monde te regarde. J'ai de très bonnes nouvelles, ajoutai-je plus bas, remarquant un prêtre qui faisait mine de lire sa bible mais jetait fréquemment des regards dans notre direction.

Hans suivit mon regard et se suspendit à mon épaule.

—Le pape a enfin dit oui ? s'écria-t-il, faisant se retourner une bonne dizaine de personnes. (Je lui jetai un regard ulcéré.) On va pouvoir se marier à l'église, tu te rends compte !

Deux religieuses virèrent au rouge profond et je poussai Hans hors de la place en le menaçant de lui tordre le cou dès que nous serions hors de vue.

*

J'emmenai Hans dans un petit restaurant familial, non loin de la vieille ville. Nous n'étions pas les seuls à déjeuner aussi tard et dûmes nous contenter d'une table minuscule, nichée dans une soupente de l'établissement, où j'eus le plus grand mal à me glisser. Un homme râblé fit des remontrances cuisantes à son épouse – ou sa fiancée ? – qui m'avait détaillé avec une expression plus qu'amicale lorsque nous étions passés devant eux. L'incident donna lieu à des réflexions amusées de la part des autres clients et la belle, agacée, quitta les lieux, plantant là son chevalier servant, qui ne tarda pas à la rejoindre, non sans m'adresser un regard belliqueux avant de claquer la porte vitrée.

— *Bastardo* ! gronda le patron de l'établissement en vérifiant que ses carreaux n'avaient pas souffert du choc. *Stò burino* !

Hans ricana et se plongea dans la lecture du menu.

— C'est quoi ton truc avec les nanas ?

Je ne répondis pas et grignotai une olive épicée.

Ma carrure, ma cicatrice et l'insolite longueur de ma chevelure blonde attiraient immanquablement les regards. J'en usais souvent, je l'avoue, mais cela me valait aussi des scènes comme celle dont venait d'être témoin mon stagiaire.

Je commandai une pizza pour Hans, dont l'estomac grondait depuis que nous avions quitté la cité vaticane, et pour moi des tagliatelles.

— Les gens mangent aussi tard qu'en Espagne, ici, remarqua-t-il en se rabattant sur les gressins et les olives.

— Tu as visité l'Espagne ?

— J'ai participé une fois à un concours de surf, en Galice. Et toi ? Tu connais ?

—J'ai passé plusieurs mois à Carthagène. Nous avons remonté des cargaisons de bateaux antiques échoués dans la rade.

Hans leva le sourcil.

—Des amphores ?

—Des lingots.

—De l'or ? s'écria-t-il.

J'éclatai de rire tandis que le patron nous servait notre repas, que mon compagnon entreprit d'engloutir avec délectation.

—Non, du plomb. (Hans reposa sa fourchette et fit la moue.) Dans l'antiquité, Carthagène faisait partie de ce que nous appelons la « route du plomb ». Elle exportait ce métal dans toute la Méditerranée.

—Du commerce international ? À l'époque ?

—Bien entendu. Le meilleur blé venait d'Égypte, l'or d'Éthiopie, le coton, les épices et la soie d'Asie, les plus belles poteries de Crète, et cætera. Des milliers de bateaux et caravanes parcouraient le monde, approvisionnant les marchés des grandes cités comme Athènes, Marseille, Sardes, Alexandrie, Rome ou Byzance. Et les voyageurs n'étaient pas en reste. Des officines leur offraient divers moyens de transport et des auberges touristiques sillonnaient les grandes routes commerciales. Certaines destinations étaient plus courues que d'autres, l'Égypte et la Grèce en tête. Des auteurs anciens ont même écrit de véritables guides, comme Hérodote. (Mon stagiaire avait cessé de manger et m'écoutait, bouche bée.) Nous n'avons rien inventé, Hans, ajoutai-je, amusé par son étonnement. Il y a deux mille ans, des Romains partaient déjà en vacances à Rhodes pour admirer le célèbre colosse et en rapportaient des souvenirs « kitsch » pour leurs amis.

—Vu comme ça, c'est plutôt marrant, l'antiquité. (Je ris de bon cœur et attaquai le dessert, une délicieuse glace au chocolat.) Et en parlant d'antiquités, que t'a-t-il raconté, le curé ? (Je lui narrai ma visite au *padre* Ilario et il repoussa son assiette vide.) Tu comptes aussi me laisser en plan demain ?

—Non, Hans. Tu pourras m'accompagner, cette fois. Le brave père est un homme on ne peut plus conciliant et tout ce qu'il y a de charmant.

—Pépé aussi a toujours peur de me présenter à ses amis universitaires, murmura-t-il, soudain morose. Le vieux a honte de moi.

—Je crois que tu interprètes un peu vite l'attitude de ton grand-père. Il a beaucoup d'affection pour toi, crois-moi.

—Il a même refusé que je fasse un stage avec ton père, l'année dernière, quand il est parti à Halebid.

—Tu voulais participer aux fouilles du temple ? fis-je, estomaqué. Je l'ignorais.

Il haussa les épaules.

—Pépé ne lui en a même pas parlé.

—Pourquoi t'a-t-il envoyé à moi ?

—Comme tu es jeune, il a dû se dire que le courant passerait mieux.

—Mais je suis helléniste, pas ind...

—Il s'en fiche. La Grèce est une spécialité qu'il peut m'enseigner lui-même, sans craindre que je ne le ridiculise devant ses confrères.

—Je vois... Écoute, Hans, si l'Inde t'intéresse à ce point, je te promets de parler à mon père et à ton grand-père dès que nous serons rentrés à Paris, mais, avant de te spécialiser, il te faut étudier l'histoire dans sa globalité.

Il hocha la tête.

—Je commence à m'en rendre compte, figure-toi. (Il posa les coudes sur la table et croisa les mains sur sa nuque, abattu.) Pépé a raison, je suis une vraie bille...

Je lui tapotai amicalement l'épaule et réglai l'addition.

— Allons, ne te laisse pas abattre.

Nous quittâmes le restaurant en devisant avec légèreté, mais je sentais que j'avais ouvert une profonde blessure en encourageant mon assistant à parler. Hans était écrasé par la notoriété de son grand-père et par la réussite financière de son père. Il avait beau dissimuler ses faiblesses sous des dehors de jeune révolté, il n'en souffrait pas moins d'un terrible complexe d'infériorité. J'aurais pu me trouver dans sa situation si j'avais été fils unique, mais, contrairement à lui, j'avais eu la chance d'avoir un frère avec qui faire front aux ambitions que mon père nourrissait à notre endroit. Je voulais devenir helléniste et Etti spécialiste en archéologie sous-marine. Papa ne put jamais nous en faire démordre et dut se résoudre à brûler ses Upanishad[VIII] au grand feu de l'échec.

Lorsque nous descendîmes la via Capo d'Africa, et en dépit du détour que je lui avais imposé pour lui changer les idées, Hans n'avait pas retrouvé son allant habituel. Pire, son impuissance s'était muée en colère.

— Mais tu m'emmènes où, à la fin ?

— Profites-en, visite.

— Je n'ai pas envie de visiter ! Où sommes-nous ?

— À ta gauche, le Palatin. La via del Colosseo est à dix minutes de marche. De là-haut, on a une vue imprenable sur l'amphithéâtre Flavien.

Il me suivit en traînant des pieds sur la via Nazionale, pestant contre les trottoirs trop étroits envahis par les voitures, et fit un clin d'œil à deux jeunes adolescentes allemandes.

— Je vous offre un verre, mesdemoiselles ? leur lança-t-il dans leur langue, se retournant sur les jeunes femmes et marchant à reculons. Je ne...

VIII. Textes sacrés hindous.

Un bruit d'avertisseur le fit sursauter et les deux touristes pouffèrent. Hans se retourna et adressa un geste grossier au conducteur de la camionnette de livraison.

Arrivés sur la grande place Largo Magnanapoli grouillante de touristes, nous nous dirigeâmes vers le Largo Corrado Ricci, en passant par la Salita del Grillo, la piazza du même nom et la via Tor de' Conti. Après avoir longé l'imposant mur d'enceinte du forum d'Auguste puis celui du petit forum de Nerva, nous rejoignîmes la via del Colosseo. C'était une zone résidentielle aux rues très étroites que les touristes délaissaient volontiers ou, plutôt, qu'ils ne connaissaient pas.

—Regarde, fis-je à Hans en lui désignant le Colisée, qui nous faisait face, entre les arbres. Et ose me dire que ce n'est pas beau.

Je m'assis sur les marches, à l'ombre d'un cyprès, et humai le parfum de l'herbe fraîchement arrosée avant d'allumer une cigarette.

—C'est l'un de mes coins préférés. (Je lui désignai un tapis d'herbe, entre les arbres, à l'abri des plantes grasses.) J'ai même fait l'amour là-bas, lorsque j'étais étudiant, ajoutai-je avec un clin d'œil.

Il sembla soudain plus intéressé.

—Tu as déjà fricoté dans des endroits dingues ? demanda-t-il en prenant place à mes côtés.

—Plus d'une fois.

Il me poussa du coude.

—Et le plus dingue, c'était où ?

—Dans la nécropole royale, à Tanis, murmurai-je. (Il plissa le front.) C'est ainsi que les Grecs ont baptisé l'ancienne Djanet, en Égypte.

—Tu t'es envoyé en l'air dans le tombeau d'un Pharaon ? La vache !

Je regardai ma montre. 17 h 47. Il était temps que

l'on rentre ou Mae allait nous accueillir avec une paire de gifles.

—Nous ferions mieux d'y al…

Mes paroles restèrent dans ma gorge en voyant les deux hommes qui montaient vers nous. Aussi grands que moi, tannés par le soleil, ils grimpaient les marches quatre à quatre, les poings serrés, sans me quitter des yeux.

—Tu les connais ? fit Hans en les désignant d'un mouvement de tête.

Je le pris par le bras et le tirai derrière moi en grimpant l'escalier aussi vite que je le pouvais.

—Cours ! criai-je.

Mon assistant ne se fit pas prier. Il était hors de question d'affronter ces deux brutes sur un escalier raide, et surtout pas avec Hans dans mes pattes.

Arrivé en haut des marches, je remontai la via del Colosseo en le traînant derrière moi, essayant de ne pas buter sur les pavés.

—Mais qu'est-ce qu'ils nous veulent ?

Il n'eut pas le temps d'épiloguer. Les deux hommes étaient sur nos talons. Des détrousseurs de touristes ? De simples voleurs ? J'avais l'intuition qu'il n'en était rien et je contractai ma main libre sur la bandoulière de mon sac à dos.

Au bout d'une centaine de mètres, je me sentis tiré en arrière et Hans, que je tenais toujours, trébucha. L'un des deux hommes s'était agrippé à mon sac. Je me retournai et lui décochai de toutes mes forces un coup de pied. Surpris, il se plia en deux sur le sol en gémissant, mais je n'eus pas le temps de le « finir ». J'entendis Hans crier. Le second agresseur fonçait vers moi.

—Morg, fais gaffe ! cria Hans. Il a un couteau.

En un éclair, je tirai le glaive de titane de la longue poche externe de mon sac.

L'arme était lourde mais bien équilibrée. Le visage de l'homme, en face de moi, se fendit d'un large sourire. Il n'avait nullement l'air surpris.

— *Volevi questo* ? demandai-je entre mes dents, le cœur battant. Viens le prendre, qu'attends-tu ?

Il fendit, mais j'esquivai. Son sourire s'élargit. Il prenait plaisir à m'effrayer, tel un chat jouant avec une souris.

— Qui t'envoie ? demandai-je encore.

J'avisai un 4 x 4 de luxe garé devant la porte de l'un des immeubles.

« Ce serait bien le diable si elle n'était pas équipée d'une alarme… Quelqu'un appellera la police. »

— Qui te paie ? insistai-je en m'approchant discrètement du 4 x 4.

Il me répondit en substance que ma mère devait avoir couché avec une tripotée de porcs pour arriver à mettre bas une chose comme moi. Ce qui me surprit n'était pas tant la grossièreté du personnage, je ne me serais pas attendu à autre chose de sa part, mais qu'il se fût exprimé en grec.

— Mais qui êtes…

Mon adversaire ne me laissa pas le temps de finir ma phrase. Il esquissa une nouvelle attaque et je profitai du recul qu'il m'imposait pour pivoter et frapper la lunette arrière de la voiture de toutes mes forces. La vitre se brisa, presque sans bruit, en centaines de morceaux qui tombèrent sur le siège arrière et l'alarme du véhicule se mit à hurler.

L'homme au couteau, réalisant ce que je venais de faire, cessa ses feintes et tenta le tout pour le tout. Il plongea vers moi, lame en avant. Dans un effort maladroit pour parer le coup, je fis avec le glaive un ample moulinet de gauche à droite. Non sans surprise, je vis une expression horrifiée figer le visage de mon agresseur et son regard tomba sur son t-shirt blanc, qui se teintait de rouge à une vitesse affolante. Le glaive avait mordu dans le tissu et la chair comme dans du beurre. Je n'aurais jamais cru qu'il était aussi aiguisé.

Une femme hurla au-dessus de ma tête au balcon de l'un des luxueux appartements, et l'homme que j'avais estourbi en premier tituba vers son compère, pour le soutenir. Cahin-caha, ils se précipitèrent vers l'escalier, et je m'accroupis à côté de Hans, toujours assis sur le pavé. Il avait la lèvre fendue, semblait un peu sonné mais point trop amoché.

—Ça va? haletai-je, nauséeux et à bout de souffle. Tu as de la chance qu'il ne t'ait pas poignardé.

—N'approche pas ce truc de moi, fit-il en repoussant ma main qui tenait encore le glaive à présent luisant de sang sur l'un de ses tranchants. Morg, tu aurais pu le tuer! couina-t-il.

Les gens étaient aux fenêtres, à présent, et l'alarme de la voiture nous vrillait les tympans. Lorsque les sirènes de police se joignirent au concert, Hans se prit la tête dans les mains et deux *carabinieri*, arme au poing, m'ordonnèrent de lâcher mon arme et de lever les bras.

*

Hans, assis dans le fauteuil du bureau du *maresciallo* Santini, se tordait les mains et regardait sa montre.

—Mais qu'est-ce qu'elle fabrique! fit-il en tâtant le pansement qu'un infirmier avait collé sur sa lèvre fendue.

Par la porte entrouverte, nous voyions Mae parlementer avec le brave *maresciallo*. Nous étions enfermés dans son bureau, qui empestait la sueur et le tabac, depuis plus de quatre heures. La moquette beige était constellée de taches dont je préférais ignorer la provenance.

Les *carabinieri*, alertés par les riverains, nous avaient cueillis comme un bouquet de violettes via del Colosseo pour nous conduire dans la petite *stazione dei carabinieri*, à deux pas du forum de Trajan.

« Mais qu'essaie-t-elle de lui expliquer ? » pensai-je, inquiet.

Je voyais le *maresciallo* secouer la tête d'un air borné tandis que Mae lui adressait des gestes suppliants.

N'en pouvant plus, je me levai et me dirigeai droit sur le *maresciallo* Santini. Celui-ci, me voyant arriver d'un pas décidé et le visage décomposé par un mélange de colère et d'angoisse, se tourna vers moi en portant instinctivement la main à son pistolet.

—*Signore*, restez dans le bureau, je vous prie.

—Écoutez, *maresciallo*, m'écriai-je, vous nous traitez comme des criminels alors que c'est nous qui avons été agressés ! (Ledit *maresciallo* fronça les sourcils.) Nos papiers et les objets que nous transportons sont en règle. Vous n'avez aucune raison de nous retenir ici.

—*Signor* Lafet, je n'ai que votre version des faits. En vous gardant ici, je ne fais que suivre les consignes. Demain matin, lorsque nous nous serons mis en rapport avec votre consulat, nous…

—Parce que vous comptez nous faire passer la nuit ici ?

Mae me lança un regard de reproche, mais je n'en eus cure.

—Écoutez, *maresciallo*, je ne sais pas quelles sont vos consignes, mais, en ce qui me concerne, sachez que je…

—Basta ! trancha-t-il avec un geste las en faisant signe à ses collègues. Mettez-moi ces deux-là au frais !

—Quoi ? s'écria Hans, qui nous avait rejoints. Vous n'avez pas le droit ! Je veux un avocat !

Un policier emmena Hans, gesticulant.

—Allez-vous être coopératif, *signor* Lafet, ou dois-je appeler du renfort ?

Mae me posa la main sur le bras.

— Je vais appeler monsieur Jurgen immédiatement, Morgan. Tu ne passeras pas la nuit ici, je te le promets. Même si nous devons réveiller la moitié du consulat pour cela, ajouta-t-elle à l'intention du *maresciallo* Santini, qui perdit de sa superbe.

Depuis qu'il nous avait interrogés, il était persuadé d'avoir affaire à un règlement de comptes entre trafiquants d'antiques.

— Emmenez-le ! ordonna-t-il à un policier, qui me poussa (gentiment) vers la cellule où l'on avait enfermé Hans.

— Je m'occupe de tout, Morgan ! lança Mae avec un signe de la main.

Las, je me laissai tomber sur l'une des banquettes de métal et poussai un profond soupir en m'appuyant contre le mur couvert de graffitis.

— Assieds-toi, Hans, et cesse de bramer.

Il obéit à regret, aussi à bout que moi.

— Qui étaient ces mastodontes ? Des voleurs ?

— Oui, mais qui savaient ce que nous transportions.

— Jurgen ?

Je secouai la tête.

— Mae aurait pu nous prendre les documents et le glaive à tout moment. Non, c'est autre chose.

Il se leva pour faire les cent pas.

— Et si ce n'était pas Mae qui avait visité ton appartement, à Paris ? Si c'était les mêmes types que ceux qui nous ont envoyé ces deux baleines ? Les mêmes qui… qui ont poussé le vieux prof par la fenêtre ?

Je me mordillai l'intérieur de la joue.

— Possible.

— Merde… lâcha-t-il en s'asseyant à mes côtés. (Il me coula un regard entre ses doigts, pressés sur son visage.) Morg… je crois bien que je commence à avoir la trouille.

— Tu veux rentrer à Paris ?

— Tu rentrerais avec moi ? (Je secouai la tête, borné.) Alors ne compte pas là-dessus.

Nous restâmes silencieux un long moment, durant lequel j'essayai de faire le tri entre ma serrure forcée, le meurtre de Bertrand, Jurgen, les deux Grecs qui nous avaient agressés, Mae et… Hélios. Qui était cet homme ? Que voulait-il ? Ses messages avaient été des avertissements. Il était au courant de ce qui se tramait, de ce que nous cherchions, de ce que nous faisions et, j'étais prêt à le jurer, de l'identité de nos ennemis, car je ne pouvais plus les appeler autrement. Hélios… un pseudonyme grec. Et un homme cultivé. Un collectionneur, adversaire de John Jurgen ? Le mécène de Bertrand, peut-être, pourquoi pas ?

Vers 23 heures, on vint nous apporter deux plateaux repas et mon paquet de cigarettes. Si j'avais l'estomac trop noué pour manger, Hans, lui, dévora le contenu de ses barquettes sans rechigner.

— Tu sais, murmura mon compagnon en avalant son yaourt, j'ai les foies, mais, d'un autre côté, je me dis que c'est planant, ce qui nous arrive. Tu vois ce que je veux dire ?

Je roulai de gros yeux en expulsant la fumée par les narines.

— Je pense surtout que tu ne réalises pas ce qui plane au-dessus de nos têtes.

— Tu les as bien décalqués, les deux grizzlis, non ? Si tu avais pu te voir, avec ton épée ! « Thor, le retour ! »

Je souris malgré moi.

— Tu sais, je n'aurais jamais cru que t'étais ce genre de type, quand pépé nous a présentés. Un vrai dur.

Je lui lançai un regard par-dessous.

— Je n'ai rien d'un superhéros, Hans. Là-bas, via del Colosseo, je n'étais pas fier, tu sais.

— Tu ne comprends pas. Comment t'expliquer ? Un vrai dur, c'est un type qui fait des choses que personne n'oserait faire de peur de passer pour une tapette ou une nouille, mais que l'on ne chambre pas parce qu'il peut te faire avaler ta langue en moins de deux. Tu vois ce que je veux dire ? Un type qui sait se faire respecter, voilà ! Un mec qui réfléchit. C'est pour ça que je sais qu'on peut y arriver. J'ai la trouille, mais je sais qu'avec toi on peut surfer sur la vague. Tu as assez de muscles et de cerveau pour ça. On va le trouver, ce tombeau, et tes copains pourront s'éclater pendant des années à tout passer à la loupe.

« J'ai confiance en toi », c'est ce que cela voulait dire. Venant de Hans, qui ne croyait en rien ni en personne, et en lui-même moins que tout autre, un tel aveu était aussi surprenant que touchant.

*

Le *maresciallo* Santini vint en personne ouvrir la porte de notre cage à 3 heures du matin, l'air défait. Mae, en tenue de voyage écrue, saharienne et longue jupe de lin, se tenait derrière lui, satisfaite.

—Vous pouvez partir, cracha le policier en nous faisant signe de sortir. On vous remettra vos effets personnels dès que vous aurez signé la décharge.

Hans sortit de la cellule en se pavanant comme un jeune paon, narguant le brave *maresciallo*, selon toute vraisemblance tiré du lit.

—Que s'est-il passé ? demandai-je à Mae tandis que nous récupérions nos affaires.

—J'ai téléphoné à monsieur Jurgen pour lui expliquer ce qui s'était passé. Quelques-uns de ses contacts au consulat et au ministère de la Justice ont fait le reste, expliqua-t-elle avec une certaine fierté. Venez, il faut passer prendre nos valises à l'hôtel. Nous partons pour Alexandrie dans trois heures à peine.

—Quoi ?

Elle me fit signe de baisser d'un ton et me poussa hors de la *stazione dei carabinieri*.

—Nous ne pouvons partir si vite, Mae. J'ai rendez-vous à 10 heures avec le *padre* Ilario. Il doit me montrer certains documents qui...

—A-t-il authentifié le rapport de fouilles, oui ou non ? me coupa-t-elle.

—Oui, mais...

—Alors, nous partons. Les billets sont réservés. Rester ici est trop dangereux, Morg. Vous auriez pu vous faire tuer, tous les deux, hier !

Les questions me brûlaient la langue, mais je n'osai les poser dans le taxi, par crainte d'être entendu par le chauffeur. Je commençais à me méfier de tout le monde.

Une fois dans la chambre d'hôtel, je coinçai Mae contre la porte.

—Vous savez qui étaient ces hommes, n'est-ce pas ?

Hans s'assit sur l'un des lits et croisa les bras, attendant lui aussi la réponse.

—Probablement des hommes de main de collectionneurs privés, murmura notre compagne. Ces méthodes, pour n'être pas monnaie courante, n'en sont pas moins utilisées par certains d'entre eux, peu scrupuleux. Monsieur Jurgen en sait quelque chose. Il a perdu deux chercheurs, l'année dernière, à Delphes, et le site sur lequel ils travaillaient a été pillé. Certaines personnes, en Italie, ont apparemment eu vent de notre présence et surtout des objets que vous transportez. Il nous faut donc quitter le territoire au plus vite. Le milieu est très proche de la mafia, ici. Il n'est pas question de se frotter à ces gens-là, Morgan, nous ne ferions pas le poids.

—La mafia italienne, donc ?

—Très certainement, oui. (Je la lâchai et elle réajusta sa saharienne en lin écru.) Je vais faire mes bagages et nous appeler un autre taxi. Retrouvons-nous en bas dans, disons, une heure ?

J'acquiesçai et Hans commença à se déshabiller.

—On part en Égypte, alors ?

—Oui.

—Génial ! J'y suis jamais allé.

Il fila prendre sa douche et je me laissai tomber sur mon lit, mon sac à dos sur les genoux. Je sentais le glaive me piquer la cuisse, comme un avertissement. La mafia italienne… Et pourquoi pas le KGB, tant qu'on y était ?

Juste avant d'embarquer sur le vol direct pour Alexandrie de 6 h 27, je passai un coup de fil au Vatican, pour annuler mon rendez-vous avec le *padre* Ilario. Une jeune voix masculine me répondit.

—*Buongiorno !* fis-je en italien. Puis-je laisser un message pour le *padre* Ilario ? Nous avions rendez-vous à 10 heures et je ne… Pardon ? Quand ?… Non, je… ce n'était rien de vraiment important. Merci.

J'éteignis mon portable dans un état second et Mae fronça les sourcils.

—Qu'est-ce que tu as ? On dirait que l'on vient de t'annoncer la fin du monde.

—Le *padre* Ilario n'a pas retrouvé les documents dont j'avais besoin.

—Tu vois ! lança-t-elle. Nous aurions perdu une journée pour rien. Allez, en route.

Elle s'embarqua sur la passerelle après avoir fait valider son ticket d'embarquement et nous la suivîmes de peu.

Nous nous installâmes dans l'avion, Hans côté hublot, Mae côté couloir et moi, entre les deux. Je fis semblant de m'endormir peu après le décollage pour ne pas avoir à subir leur discussion futile sur les dernières techniques de glisse et essayant d'oublier la conversation que j'avais eue avec le secrétaire du *padre* Ilario.

« Le *padre* Ilario nous a quittés, monsieur… Cette nuit, monsieur, que Dieu lui pardonne. C'est moi qui l'ai trouvé. Il s'est pendu dans la bibliothèque. Puis-je vous être utile ? »

« Il s'est pendu… » J'aurais donné cher pour connaître l'identité de celui qui l'y avait aidé.

Après un petit déjeuner sur le pouce, Hans reprit son ordinateur portable et le journal de Lechausseur. Par le hublot, la lumière sanguinolente du soleil récemment levé nous meurtrissait les yeux et je rabattis le petit store en me penchant par-dessus les genoux de mon « assistant ».

— Alors ? lui demanda Mae. Qu'as-tu de nouveau à nous apprendre ?

— Pas ici, intervins-je d'une voix sourde.

— Morg… Tu deviens paranoïaque. Alors, Hans ?

Ce dernier fit une bulle avec son chewing-gum pour éviter de répondre et notre compagne poussa un petit soupir dépité.

Une hôtesse nous invita à rabattre nos tablettes et à attacher nos ceintures. Nous allions bientôt atterrir. Hans rangea son ordinateur portable et le pilote amorça l'atterrissage.

VI

Dans le hall des arrivées, nous fûmes assaillis par le bruit, la foule et les odeurs typiques des aéroports égyptiens. Hans regardait autour de lui avec des airs de cosmonaute qui vient d'atterrir sur une autre planète, ce qui fit beaucoup rire Mae.

— Qu'est-ce que c'est que ce souk ? bredouilla-t-il en essayant d'échapper aux autochtones qui lui proposaient taxi, hôtel ou souvenir. Il se dégagea brutalement d'une femme voilée qui le retenait par la manche en gesticulant.

Je le pris par le bras et marchai d'un pas assuré vers la sortie, suivi de Mae, qui répondait en arabe aux importuns, ce qui avait pour effet de les refroidir aussi sec.

Une fois à l'extérieur, loin des climatiseurs, la chaleur nous engloutit comme une chape de lave.

— On crève ici ! grogna Hans. (Un taxi d'un autre âge nous gratifia d'un lâcher de résidus de carburant nauséabonds dans une pétarade de pot d'échappement trafiqué.) On a inventé les pots catalytiques depuis Ramsès !

Le bruit, voitures, cars et foule mêlés, était assourdissant. Des groupes de touristes se précipitaient vers des animateurs en uniforme porteurs de pancartes où étaient inscrits des noms de clubs ou d'hôtels, et des familles entières, en vacances au pays, se pressaient dans des épaves roulantes, que l'on s'attendait à voir s'affaisser d'un moment à l'autre sous le poids des ballots entassés sur le toit.

— Une voiture nous attend, répondit sèchement Mae au chauffeur de taxi qui lui proposait ses services.

J'allumai une cigarette et elle insulta deux jeunes hommes qui faisaient semblant de lacer leurs chaussures pour apercevoir une partie de ses jambes sous son ample jupe de lin.

—Ne vous gênez pas, surtout, bande de désaxés !

—Mae, la tançai-je gentiment. Tu vas nous attirer des ennuis.

—Ça va, je me tais, fit-elle entre ses dents. (Une luxueuse limousine bleu nuit aux vitres teintées se fraya un passage jusqu'à nous.) Je crois que notre chauffeur est arrivé.

Une vitre électrique s'abaissa et un homme en strict costume noir apparut.

—Mister Lafet ? demanda-t-il.

—Vous en avez mis, du temps ! tempêta notre compagne en anglais.

En s'excusant platement, le chauffeur descendit et entassa nos bagages dans le coffre avant de nous ouvrir aimablement la portière.

La climatisation me donna l'impression de passer d'une étuve à un frigo et je frissonnai. La voiture démarra et nous quittâmes l'aéroport, bercés par le ronronnement de la *Septième* de Beethoven qui filtrait discrètement des enceintes, et des politesses d'usage du chauffeur sur le voyage, la fatigue et la promesse de passer un séjour ensoleillé.

—Où dois-je vous conduire en premier lieu ? demanda-t-il enfin.

Mae parut un instant déstabilisée mais se reprit vite.

—J'ai réservé une suite au Renaissance Hotel.

Je tiquai. Elle nous avait parlé du El-Salamlek Palace.

—Nous allons passer par les quais et contourner la baie. Il y a de grands travaux sur la corniche et l'est du centre-ville est bouché à cette heure.

—Faites au mieux.

Je me penchai discrètement vers elle, par-dessus les genoux de Hans, pour connaître la raison de ce changement d'itinéraire, mais elle me devança et me chuchota à l'oreille :

—Il y a un problème, Morgan… Et, qui sait, ajouta-t-elle plus haut, comme riant à une bonne plaisanterie, peut-être te ferai-je même un massage !

J'entrai dans son jeu et ris à mon tour, malgré mon appréhension. Je jetai un œil par la vitre. Nous étions sur une voie rapide. Impossible de sauter de la voiture en cas de nécessité.

Comme si elle lisait dans mes pensées, Mae me serra le genou, me signifiant ainsi qu'elle me ferait signe le moment venu. Je la vis glisser discrètement la main sous sa jupe tout en parlant au chauffeur avec légèreté. Ce dernier jetait de temps à autre un regard dans le rétroviseur. Ses lunettes de soleil avaient beau cacher la moitié de son visage, il ne fallait pas être grand clerc pour s'apercevoir que ses traits n'étaient pas ceux d'un Oriental. Son hâle était trop doré pour cela et ses cheveux, bien que bruns, étaient fins, souples et brillants de reflets châtains.

Au bout d'un trajet qui me parut interminable, nous arrivâmes, je ne sais comment, place Saad Zaghloul. C'était une véritable fourmilière humaine qui recouvrait presque la statue du célèbre homme d'État. Des enfants s'empiffraient de glace sur les bancs surchargés de monde et les femmes se pressaient, les bras chargés de sacs et de paquets, venant des rues commerçantes Saad Zaghloul et Satiyyah Zaghloul. Ce fut l'une de ces rues que notre chauffeur emprunta avant que la voiture ne soit prise de soubresauts.

—Pardonnez-moi, s'excusa-t-il. Je crois que j'ai un problème d'embrayage. J'en ai pour un instant.

Mae me pinça la cuisse. C'était le moment.

—Rien de grave, j'espère ? demandai-je en grec, la main sur la fermeture de la portière.

L'homme secoua la tête en obliquant dans une ruelle déserte.

—Non, je ne…

Il se tut, réalisant que je ne m'étais pas exprimé en anglais, et freina brutalement.

J'ouvris la portière et sautai, tirant Hans avec moi dans ma chute.

—Eh ! Qu'est-ce qui…

Je percutai durement le sol et mon compagnon m'atterrit lourdement sur le ventre. Je luttai pour me redresser, prêt à affronter le chauffeur, quand je vis Mae sortir calmement du véhicule pour en faire le tour. Elle ouvrit la portière du conducteur… qui bascula sur le côté et s'écroula à ses pieds, le front ensanglanté.

—Aide-moi à le dégager, Morgan, cracha-t-elle en coinçant son pistolet dans la sangle qui enserrait sa cuisse, sous sa longue jupe.

Hans étouffa un cri et je me redressai, blanc comme un linge.

—Vous l'avez tué de sang-froid ?

—C'était lui ou nous. Tu crois qu'il nous a entraînés ici pour nous offrir des pâtisseries ? (Du bout du pied, elle souleva un pan de sa veste, dévoilant un pistolet à demi tiré de son holster.) Alors, ça vient ? Ou t'as peur d'un cadavre ?

Je jetai un coup d'œil de part et d'autre de la ruelle, qui s'avéra être un cul-de-sac, et l'aidai à sortir le corps de la voiture. Mae le fouilla, sans succès. Aucun papier, bien entendu. Nous dissimulâmes le cadavre sous une pile de déblais et de vieux cartons, devant ce qui avait dû être une ancienne épicerie.

—Maintenant, ça suffit ! m'écriai-je. Je veux savoir qui sont ces types, qui vous êtes et pourquoi ce cher John m'a obligé à emmener une cinglée qui nous fait risquer la prison en montant dans un avion avec un flingue !

—Pas ici ! rétorqua-t-elle en me désignant la voiture. Monte, ordonna-t-elle à Hans qui, assis sur le sol, paraissait sur le point de tourner de l'œil.

—Mais... mais il faut appeler les flics !

—Tu n'es pas en Europe, mon petit père, railla-t-elle. Monte !

Il obéit comme un pantin, tremblant, et s'affala sur le siège arrière. Mae s'installa au volant et je pris place sur le siège du passager, encore sous le choc.

Elle démarra aussitôt et nous n'échangeâmes plus un mot jusqu'au El-Salamlek Palace, où elle confia les clés de la voiture à l'homme en uniforme qui vint nous accueillir.

L'hôtel s'élevait au cœur des jardins de Montazah, une ancienne dépendance du palais du roi Farouk. Mae y avait réservé une suite luxueuse qui comportait, en plus de deux salons, trois chambres avec salle de bains, toutes en soieries, dorures et bois précieux, marque nostalgique typique des anciennes résidences royales. L'un des plus beaux endroits où j'avais eu l'occasion de séjourner, hormis, bien entendu, les palais indiens qui, à mon sens, n'avaient pas d'égal à travers le monde. Mais, installés sur les divans brodés du grand salon, nous n'avions pas le cœur à disserter sur les tapisseries ou les façades sculptées aux couleurs chatoyantes. Mae, assise sur le rebord de la petite fontaine d'agrément trônant au milieu du salon, s'entretenait au téléphone avec Jurgen en laissant tremper ses doigts dans l'eau claire parsemée de fleurs fraîches.

—Le corps de Selim, l'homme qui aurait dû venir nous chercher au débarquement de l'avion, a été retrouvé dans le parking de l'aéroport, soupira-t-elle en raccrochant.

J'écrasai rageusement ma cigarette et plantai mon regard dans celui de Mae.

—Maintenant, j'exige des explications. Qui êtes-vous ?

Elle avala son verre de thé d'un trait et tendit la main dans ma direction.

—Offre-moi une cigarette, s'il te plaît. (Je lui tendis mon paquet et une boîte d'allumettes de l'hôtel.) Et dire que j'avais presque réussi à arrêter... (Elle tira une longue bouffée et hocha la tête.) Monsieur Jurgen m'a engagée pour vous protéger, avoua-t-elle enfin, non pour vous assister, ce pour quoi je ne suis pas très douée, comme vous avez dû le remarquer.

—Nous protéger, raillai-je. Et... de quoi ? Ou, plutôt, de qui ?

Elle haussa les épaules.

—Nous n'en savons rien encore, mais monsieur Jurgen était certain que nous allions avoir des renards aux fesses. Pas aussi rapidement, cependant. Quelqu'un a mouchardé, c'est certain.

Hans se pencha en avant, soudain intéressé.

—Alors tu es un garde du corps ?

—Quelque chose comme ça, oui.

—Pourquoi était-il certain que nous serions suivis ? intervins-je. Que savez-vous que j'ignore ?

Elle fit les cent pas autour de la fontaine.

—Morgan ! Je t'en prie ! Nous parlons du tombeau d'Alexandre. Comment pouvais-tu espérer un instant qu'une telle quête n'éveille pas les convoitises ?

J'allumai une autre cigarette et croisai les jambes.

—Là-haut, près du Colisée, c'est le glaive que l'on a voulu me prendre. Pas un s...

—Le glaive, le journal et le document du Vatican. Quelqu'un espère trouver ce tombeau avant nous et, qui sait, peut-être possède-t-il des informations que nous ignorons. Sans cela, ses hommes se seraient contentés de nous suivre, de nous laisser faire tout le boulot et de nous dessouder au dernier moment. L'homme qui a tué Selim pour prendre sa place voulait nous éliminer et récupérer les biens de Lechausseur. (Elle s'assit à mes côtés avec un profond soupir.) Et nous ne sommes pas au bout de nos surprises, je peux te l'assurer. Nous sommes une épine plantée dans leur talon. Ils ne nous lâcheront pas tant qu'ils ne nous auront pas logé une balle dans la tête.

— Comment t'es-tu débrouillée pour passer les détecteurs avec un pistolet ?

Elle souleva sa jupe et sortit son arme de sa sangle pour me la tendre. Elle était légère, d'un gris opaque et façonnée dans un matériau que je n'arrivais pas à déterminer.

— Ce joujou ne comporte aucun élément métallique, expliqua-t-elle. C'est une sorte de résine très dure.

— Et les munitions ?

— De l'eau.

— De l'eau ? bredouillai-je, croyant à une plaisanterie.

— Le compartiment, ici, est un refroidisseur à l'azote. Cinq millilitres d'eau par balle. Elles peuvent percer jusqu'à trois millimètres d'acier et fondent une fois logées dans leur cible, ne laissant aucune trace, ou presque.

Hans me prit prudemment l'arme des mains et l'examina avec précaution.

— Il faut faire vite, Morg, poursuivit Mae en récupérant son petit bijou de technologie. Chaque minute perdue nous éloigne un peu plus du tombeau d'Alexandre et nous rapproche du nôtre. Finis les petits secrets. Je dois savoir pourquoi tu as tenu à venir à Alexandrie et quelle idée tu as derrière la tête. Fais cavalier seul, joue les gros bras et, la prochaine fois, c'est Hans et toi que l'on retrouvera dans le conteneur d'un parking.

— Pourquoi ne pas nous avoir dit tout cela dès le début ? Pourquoi ce rôle ridicule de poule de luxe ? Pour essayer de nous amadouer ?

—Monsieur Jurgen ne voulait pas t'effrayer. Il craignait que tu abandonnes ton projet si tu avais vent des risques.

Je désignai Hans du doigt.

—Et lui ? Il y a pensé, à lui ?... Mais quel homme est-il donc !

—John Jurgen est un passionné, Morgan. Un collectionneur invétéré. Je mentirais en disant que la présence d'un gam... de ce garçon, se reprit-elle, ne l'a pas contrarié, mais il lui faudrait bien plus pour renoncer que la crainte de risquer des vies humaines.

—Salopard... m'emportai-je.

—Ce n'est pas moi qui dirai le contraire, Morgan. Mais c'est ce salopard en question qui me paie grassement pour vous protéger, et je ne pourrai pas faire mon travail si tu t'obstines à me semer, comme à Rome, ou à me cacher des informations. Libre à toi de continuer ton jeu de cache-cache si tu tiens à risquer ta peau et celle de ton protégé. Tu sais à présent de quoi il retourne. Je ne demande qu'à respecter ma part du contrat, mais si tu préfères te passer de mes services, je m'en lave les mains, Morgan. Je serai payée quoi qu'il arrive.

Hans me lança un regard suppliant et je hochai la tête.

—Très bien. Je marche, fis-je à regret.

—Qui était au courant du projet ?

—En dehors de nous trois, Ludwig Peter et son fils, bien sûr, mon père, le directeur du musée du Louvre et un collègue en qui j'ai une totale confiance.

—C'est à voir... Que comptais-tu trouver à Alexandrie ?

Je fouillai dans mon sac pour en sortir mon portefeuille et lui tendis un bout de papier.

—Le professeur Lechausseur devait prendre l'avion pour Alexandrie le lendemain de sa mort. Dans son journal, j'ai trouvé un papier portant un numéro de téléphone en face d'un prénom du cru, « Amina ». Mais aucune adresse.

Elle me tendit son portable.

—Alors ? Qu'attends-tu ? Essaie, nous verrons bien.

Je composai le numéro de téléphone, le nez sur le morceau de papier, et mon cœur se mit à battre lorsqu'une voix synthétique débita en arabe une phrase qui devait être « Le numéro que vous demandez n'est pas attribué… » même si je ne la compris pas.

—Retour à la case départ, soupira Mae.

—Pas tout à fait. Nous n'avons pas fini de décrypter le journal, peut-être contient-il des informations plus précises.

—Espérons-le.

—Y a-t-il moyen d'avoir un accès Internet ? demandai-je.

—Je vais aller me renseigner à l'accueil. Profitez-en pour prendre une douche et vous reposer un peu, vous en avez bien besoin. Et verrouillez la porte, ajouta-t-elle en fermant cette dernière.

Hans tourna le verrou et s'appuya contre le battant. Des cernes sombres lui creusaient les joues et son survêtement gris pâle était maculé de poussière et d'huile de moteur.

Je ne devais pas avoir meilleure allure après avoir passé une partie de la nuit dans la cellule d'une *stazione dei carabinieri* et sauté d'une voiture.

—On ferait bien de suivre ses conseils, fis-je en m'extirpant de mon divan.

—Morg… on peut faire confiance à Mae, alors ?

—Non, répondis-je en me traînant vers la salle de bains de ma chambre.

Il grimaça et m'emboîta le pas en soupirant.

Lorsque j'entendis le bruit de la douche chez Hans, je décrochai mon téléphone cellulaire de ma ceinture. Je composai à nouveau le numéro de notre mystérieuse Amina mais dans le bon sens, cette fois, et laissai un message.

—Amina, Morgan à l'appareil. Nous sommes arrivés à Alexandrie plus tôt que prévu et nous ne…

— Allô ?

— Amina ?

— Oui, bonjour, Morgan. Excusez-moi, je filtre les appels, comme vous me l'avez conseillé. J'étais très inquiète. Vous m'aviez dit que vous m'appelleriez de Rome.

— Nous avons eu quelques ennuis, je vous raconterai.

— Mon Dieu, rien de grave, j'espère ?

— Je ne peux pas parler pour l'instant. Vous n'avez pas été inquiétée, de votre côté ?

— Pas du tout. Votre père a fait envoyer un dossier pour vous, chez moi. Je ne me suis pas permis de l'ouvrir, bien sûr. Et j'ai aussi contacté qui vous savez.

— Parfait. Pourrions-nous nous voir aujourd'hui ?

— Oui, bien entendu. J'avais des cours à donner, mais je peux les reporter sans problème. Avez-vous trouvé les plans ?

— Non, j'ai retourné la bibliothèque de Bertrand avant de partir mais sans résultat. À quelle heure pouvons-nous nous rencontrer ?

— Vous êtes bien au El-Salamlek Palace ?

— Oui.

— Je passe vous chercher dans deux heures. J'attendrai à la porte des jardins, dans une Renault 5 blanche.

— Très bien. Si vous ne me voyez pas arriver au bout d'une demi-heure, c'est que je n'aurai pas pu m'esquiver.

— Entendu. À tout à l'heure, Morgan, et que Dieu vous aide.

Je raccrochai et pris une douche rapide avant de jeter un œil dans la chambre de Hans, qui dormait à poings fermés. Je revêtis un peignoir de l'hôtel et m'allongeai sur mon lit, attendant le retour de Mae.

J'étais en contact avec Amina depuis plusieurs jours, déjà. La consonance orientale de son nom et le fait que Lechausseur ait prévu de partir pour Alexandrie m'avaient conduit à la conclusion évidente qu'elle devait habiter la région. Elle avait été très méfiante au début mais s'était vite rassérénée en vérifiant, par un simple appel à mon père dont Bertrand lui avait beaucoup parlé, que j'étais bien celui que je prétendais être. Papa m'avait dit qu'elle s'était effondrée au téléphone lorsqu'il lui avait confirmé la mort du vieux professeur, son mentor durant des années, et lui avait relaté les circonstances mystérieuses de son décès. Elle me recontacta presque aussitôt pour m'assurer de son soutien dans mes recherches, et c'est alors que je lui avais conseillé d'être prudente, de mettre en lieu sûr les documents de travail de Bertrand qu'elle possédait, de verrouiller sa porte et de filtrer ses appels. Professeur de latin et de grec dans un lycée privé d'Alexandrie, Amina s'était forgé une solide réputation d'archéologue grâce à sa participation aux recherches sur le site du phare et aux fouilles des catacombes de Kom el-Shugafa.

J'entendis une clé tourner dans la serrure de la porte d'entrée et fis semblant de dormir. Entre mes cils, j'aperçus la tête de Mae dans l'entrebâillement de la porte de ma chambre. J'attendis, immobile, guettant le moindre bruit. La chasse d'eau des toilettes, la douche, la porte d'une armoire et… le silence. Je patientai ainsi une bonne heure et, lorsque je regardai ma montre, le cadran indiquait 12 h 42. Amina devait déjà m'attendre en bas.

Avec mille précautions, j'enfilai un jean, un t-shirt, mes chaussures et sortis de ma chambre sur la pointe des pieds, mon sac à dos sur l'épaule. Hans dormait à poings fermés et, après un rapide coup d'œil dans la chambre de Mae, je constatai qu'elle aussi s'était laissée aller dans les bras de Morphée.

Je déverrouillai silencieusement la porte, sortis dans le couloir en la refermant doucement et empruntai l'ascenseur jusqu'au rez-de-chaussée. Je passai aussi discrètement que possible devant la réception et traversai les jardins luxuriants jusqu'aux grilles ouvragées qui donnaient sur la rue.

—Morgan ! Morgan, par ici !

Je tournai la tête vers une mince jeune femme en robe fleurie qui agitait la main, appuyée contre une Renault 5 blanche, et traversai la rue en zigzaguant entre les voitures et les promeneurs.

—Amina ? demandai-je en serrant sa main tendue.

—Ravie de vous rencontrer. Votre père ne m'a pas menti, il est difficile de ne pas vous remarquer dans la foule.

—Je prends cela comme un compliment, fis-je en lui adressant un sourire.

Je ne m'attendais pas à ce que ma mystérieuse Alexandrine fût aussi jolie : mince comme un roseau, élancée et élégante, sa chevelure brune retombait libre sur ses épaules et son dos, encadrant un visage aux grands yeux d'un noir intense.

—Montez, nous allons chez moi.

J'obéis en vérifiant que je n'étais pas suivi ou que Mae n'était pas sur mes talons, et Amina démarra.

—Je ne vous remercierai jamais assez de votre aide ni pour les risques que vous acceptez de courir.

Elle me sourit aimablement et je pris sur moi pour ne pas laisser mon regard s'attarder sur son décolleté, pourtant discret.

—Vous pensez sérieusement que Bertrand Lechausseur a été tué ?

Je lui racontai les détails de l'enquête de police et poursuivis par les ennuis que nous avions eus à Paris, puis à Rome. Ses mains se mirent à trembler sur le volant.

—Voulez-vous que je conduise ? J'ai été un peu brutal, pardonnez-moi, mais nous n'avons pas beaucoup de temps.

Elle secoua la tête et essaya sans grand succès de sourire à nouveau.

—Je n'aurais jamais cru que cela en arriverait là, murmura-t-elle. Bertrand était très méfiant, c'est vrai, mais de là à… Dieu tout-puissant.

—Il avait donc des raisons de se méfier ? A-t-il été menacé ?

Amina haussa ses jolies épaules et alluma une cigarette après m'en avoir proposé une.

—Je sais que le torchon a commencé à brûler entre Bertrand et son mécène lors de sa dernière visite à Alexandrie. Nous en étions arrivés à la conclusion que le tombeau devait se trouver sous la mosquée Shorbagi, qui englobe des restes antiques et, comme beaucoup de lieux de culte monothéistes, a été bâtie sur d'antiques sites païens. Mais Bertrand avait refusé de faire part de cette recherche à son mécène. Il se méfiait de lui. Je crois que cet homme, contrairement à ce qu'il affirmait, souhaitait faire main basse sur le contenu de la sépulture.

Je faillis en laisser tomber ma cigarette.

—Alors Bertrand a découvert le site ?

—Nous ne sommes sûrs de rien. Mais, d'après ses plans, ceux que vous n'avez pas retrouvés, il y avait de fortes chances pour que le tombeau se trouve là, en effet. Le lendemain de sa mort, Bertrand devait venir à Alexandrie pour rencontrer le mollah Yousri Marzouk, qui était tout disposé à écouter sa théorie. C'est un homme charmant, vous verrez. Un peu bizarre mais charmant.

—Bizarre ?

Elle rit, comme à une plaisanterie qu'elle seule pouvait comprendre.

—Disons qu'il aurait du mal à cadrer avec l'idée que l'on peut se faire d'un mollah, sévère et opiniâtre. Il aurait beaucoup amusé Bertrand, j'en suis certaine, ajouta-t-elle tristement.

—Dire qu'il était si près du but, soupirai-je… Amina, que savez-vous exactement du mécène de Bertrand ?

—Pas grand-chose. Un Allemand, je crois.

—Bertrand vous a-t-il dit son nom ?

—Un certain Jim… non, John Jurgen.

Mon cœur rata un battement.

—Nom de Zeus ! Faites demi-tour. Vite !

—Pourquoi ?

—Je vous expliquerai. Je vous en supplie, faites demi-tour !

Elle braqua brutalement, provoquant une symphonie de klaxons, et nous fonçâmes en direction de l'hôtel.

Amina se gara devant l'entrée principale et je me précipitai hors du véhicule pour courir jusqu'à la réception ou, prétextant avoir oublié ma clé dans la chambre, j'en demandai un double.

Je pénétrai dans la suite le ventre noué. Rien ne semblait avoir bougé depuis que j'étais parti.

À pas de loup, je pénétrai dans la chambre de Hans et le secouai doucement.

—Morgan ? geignit-il. Quelle heure il…

—Chut ! fis-je en lui mettant un doigt sur la bouche.

Par gestes, je lui fis signe de prendre ses affaires et de sortir sans bruit dans le couloir. Il obéit sans discuter. Je récupérai mon sac et nous nous dirigeâmes à pas feutrés vers la porte. Mae dormait toujours.

Une fois dans le couloir, nous rejoignîmes l'ascenseur, toujours sur la pointe des pieds, puis nous traversâmes le hall en direction de la sortie.

—Merde, Morgan, qu'est-ce qui se passe ?

—Tais-toi et avance.

—Mais… et Mae ?

Je le poussai devant moi quand une chose ricocha contre un arbre, à quelques centimètres de ma tête. Je tressaillis et, en me retournant, je vis Mae sur l'un des balcons de la suite, arme au poing. Quelqu'un à l'accueil avait dû la prévenir que nous quittions l'hôtel avec nos bagages.

— Cours ! hurlai-je en tirant Hans par la manche.

Deux balles ricochèrent encore à mes pieds et, lorsque nous quittâmes les jardins, ce fut avec un soulagement indescriptible que je constatai qu'Amina avait réussi à se garer juste devant l'entrée.

— Démarrez ! lui criai-je en poussant brutalement Hans sur le siège arrière.

Amina fit tourner la clé de contact et je n'avais pas encore refermé la portière côté passager qu'elle démarra, le pied au plancher.

— C'est qui, elle ? balbutia Hans. Et pourquoi Mae nous a-t-elle tiré dessus ?

— Voici Amina Saebjam. Elle a travaillé avec le professeur Lechausseur durant près de trois ans. Amina, voici Hans. Mon stagiaire, le petit-fils du professeur Peter, dont Bertrand a dû vous parler.

— Peter ? Ludwig Peter ? Le célèbre helléniste ?

— Ouais, acquiesça Hans. Morgan, tu n'aurais pas comme oublié de me dire quelques trucs ? Je croyais que nous faisions équipe, toi et moi.

— Si Mae t'avait tiré les vers du nez, je ne voulais pas que tu…

— On nous suit, m'interrompit Amina d'une voix étranglée en jetant un œil dans le rétroviseur.

Je me retournai pour regarder par la lunette arrière. Un 4 x 4 conduit par un homme de forte corpulence qui n'était pas sans me rappeler celui que j'avais étendu, via del Colosseo.

— L'un des agresseurs dont vous m'avez parlé ? s'enquit Amina, nerveuse.

— Croyez-vous pouvoir le semer ?

Elle braqua soudain, m'aplatissant contre la portière.

—J'en ai bien l'intention !

—Mais elle est dingue ! s'écria Hans en la voyant prendre une voie rapide à contresens.

—J'espère que vous savez ce que vous faites, fis-je d'une voix étranglée en m'agrippant à mon siège.

—Je l'espère aussi.

Un car de touristes apparut soudain devant nous et j'entendis Hans pousser un hurlement qui se confondit avec le klaxon assourdissant du monstre. Je fermai les yeux, attendant le choc, mais Amina, d'un coup de volant, prit la première sortie qui se présentait. Derrière nous retentirent des coups de klaxon, des crissements de freins et une explosion de ferraille et de verre.

—Elle l'a envoyé dans le décor ! s'écria Hans, bouche bée.

Juste avant qu'une courbe ne me cache la vue, j'eus le temps de voir le 4 x 4 percuté par un camion transportant des cages remplies de poulets vivants, dont la moitié se brisa sur la chaussée.

Amina se faufila dans un dédale de ruelles avant de se garer devant un magasin d'alimentation. Elle coupa le contact et laissa retomber sa tête entre ses bras croisés sur le volant.

—Que Dieu nous vienne en aide, gémit-elle, encore tremblante. Pourvu que personne n'ait eu l'idée de relever le numéro de ma plaque…

Hans secoua la tête, sonné.

—Je ne pense pas que quelqu'un en ait eu le temps. Avec qui avez-vous appris à conduire comme ça ?

—Je n'en ai aucune idée… sanglota-t-elle. Oh ! Mon Dieu… Je n'ai jamais eu aussi peur de ma vie.

Je lui posai la main sur l'épaule et la serrai doucement.

—Ça va aller ? (Elle hocha la tête et se redressa en essuyant ses yeux d'un revers de la main.) Je suis désolé. Je n'aurais jamais dû vous entraîner là-dedans.

—J'y étais déjà jusqu'à la gorge, essaya-t-elle de plaisanter, pleurant et riant à la fois.

Deux coups secs furent soudain frappés à la vitre et nous sursautâmes tous trois ensemble.

—Boissons fraîches ? proposa en souriant le commerçant devant lequel nous nous étions garés en nous montrant deux bouteilles de soda.

—C'est ça ! murmura Hans, blême comme un cierge, la main contractée sur la poitrine.

Amina se prit la tête dans les mains et je me laissai aller sur mon siège avec une plainte rauque. À l'instar de Hans, j'avais frôlé l'attaque.

*

Amina habitait un modeste appartement de la rue el-Mousher Ahmed Ismaiel, près de la gare Gaber. L'ordinateur et la télévision seize-neuvièmes contrastaient avec l'ameublement et la décoration « antiquisante » et hétéroclite. Des fresques égyptiennes ornaient les murs, des petits meubles chinois laqués côtoyaient des vases et des amphores élégamment transformées en pots de fleurs géants, et une superbe colonne ionienne miniature sur l'abaque de laquelle souriait un bouddha de jaspe joufflu.

—C'est vous qui avez peint les fresques ? demandai-je en dégustant la bissara qu'Amina nous avait servie, une soupe froide à base de fèves blanches.

—Oui. Avec l'aide de quelques amis. Ce n'est pas bon ? demanda-t-elle à Hans, qui picorait à peine. Vous préférez quelque chose de plus occidental ?

Il tressaillit, tiré de ses pensées, et secoua la tête.

—Non, non, c'est très bon. C'est juste que je repensais à ce que Morg avait dit, c'est tout.

Je posai ma cuiller. Nous avions discuté durant trois bonnes heures ; j'avais avoué la mort du *padre* Ilario et parlé des messages du mystérieux Hélios. Hans s'était refermé comme une huître. Il avait l'impression qu'en lui cachant certaines informations j'avais trahi sa confiance.

Mon téléphone portable sonna à nouveau. « Numéro inconnu ». Mae, probablement. Depuis plus d'une heure, elle me laissait des messages plus ou moins menaçants. Je laissai sonner et, au bout d'une minute, écoutai le début du message avant de l'effacer.

— Encore elle ? demanda Amina. (J'acquiesçai.) Vous feriez mieux de l'éteindre.

— Non, mon père ou cet Hélios pourraient essayer de me joindre.

— En parlant de votre père, fit-elle en se tournant pour fouiller dans le tiroir d'un petit meuble chinois pour en sortir une grande enveloppe. Tenez, le courrier dont je vous ai parlé.

J'ouvris l'enveloppe : un message de mon père et un mot du grand-père de Hans accompagné de la page arrachée d'un catalogue de vente aux enchères. Une photo d'une statuette de femme, mise à prix 18 000 dollars.

— Qu'est-ce que c'est ? demanda Hans, sortant de sa léthargie.

— Un courrier de ton grand-père. Cette statue a été vendue aux enchères en janvier 1987 aux États-Unis. Il s'agit d'Harmonie, fille d'Arès et d'Aphrodite. Regardez la marque, sur son collier.

— La main avec le marteau, le même sceau.

— Le sceau d'Héphaïstos. Selon la légende, il aurait forgé ce collier, que Cadmos offrit à Harmonie en cadeau de mariage. Après la chute de Thèbes, la mythologie raconte que ce collier aurait porté malheur à tous ceux qui en furent les propriétaires successifs.

Hans haussa les épaules.

— Et tout ça nous conduit où ?

— Nulle part, j'en ai peur. Si ce n'est au fait que celui qui a forgé l'armure d'Alexandre a adopté le sceau du forgeron divin.

— Super… On est bien avancé. Je vais finir la traduction du journal, c'est ce que nous avons de mieux à faire jusqu'à demain.

Il s'installa sur le canapé avec son ordinateur portable et j'aidai Amina à ramener les restes du repas et la vaisselle dans sa minuscule cuisine.

— Un coup de main ? proposai-je.

— J'avais oublié que les mâles occidentaux participaient aux tâches ménagères, railla-t-elle gentiment. Ça ira, ne vous en faites pas. (Elle me désigna un petit lave-vaisselle, sous les plaques chauffantes.) Il s'en charge mieux que moi. Du thé ?

— Avec plaisir, oui.

Je remarquai la photo d'une ravissante jeune femme, sur une petite étagère croulant sous les épices, et je me rappelai celle d'Etti, que j'avais glissée dans mon portefeuille avant de partir.

— Votre compagne ? demandai-je.

Elle suivit mon regard et éclata de rire.

— Non, ma meilleure amie.

— Désolé, m'excusai-je, confus.

— Il n'y a pas de mal. J'espère que le mollah pourra nous recevoir demain matin.

— Plus vite nous en aurons terminé, plus vite nous pourrons vider les lieux.

— Loger chez moi vous embarrasse ? demanda notre hôtesse.

— Bien sûr que non, mais nous vous mettons en danger en restant ici.

—J'y suis plus habituée que vous ne le pensez, soupira-t-elle en s'asseyant sur le plan de travail.

—Que voulez-vous dire ?

—Nous sommes en Égypte, Morgan. Être une femme n'est déjà pas facile dans un pays musulman, mais être une femme qui travaille, qui enseigne et qui milite pour la condition féminine relève presque du suicide.

Je hochai la tête, admiratif.

—Vous avez beaucoup de courage.

—J'aimerais en avoir davantage. Savez-vous que de nos jours encore de jeunes adolescentes à peine pubères sont mariées contre leur gré à des hommes qui ont l'âge de leur père ? Des milliers de gamines de douze ou treize ans meurent en accouchant chaque année. (Je reposai mon verre sur la table de la cuisine, ne sachant que répondre.) Pardonnez-moi, je vous mets mal à l'aise. Tous les Égyptiens ne sont pas des monstres. En cherchant un peu, on trouve quelques athées et une poignée de bouddhistes, essaya-t-elle de plaisanter. Vous êtes athée ?

—Oui. Et je ne suis pas égyptien.

—Alors je vous pardonne d'être un homme.

Je souris, un peu amer toutefois, et finis mon verre de thé.

—Et moi, vous pardonnerai-je de croire en Dieu ?

—Ma vision de Dieu est un peu inhabituelle, vous savez. Seriez-vous un athée militant ?

—Non, mais mon frère disait que les religions monothéistes étaient par définition intolérantes puisqu'elles n'admettaient même pas l'idée de l'existence d'autres dieux que le leur.

—Il n'avait pas tort.

—Connaissez-vous l'histoire du cosmonaute qui revient sur terre et demande audience au pape ? demandai-je.

Elle fit tinter son doux rire velouté.

—Non.

— C'est un cosmonaute qui après avoir passé des semaines sur une station spatiale revient sur terre, demande audience au pape et lui dit : « Très Saint-Père, j'ai vu Dieu là-haut, je lui ai parlé et, si vous ne me donnez pas trois millions d'euros, je dirai la vérité au monde entier. » Le pape répondit alors : « Mais au contraire, mon fils, une telle preuve ne peut qu'être bénéfique à notre sainte Église. » « Mais, Très Saint-Père… Dieu est noir ! » Alors ses amis le virent ressortir avec une mallette remplie de liasses de billets. Cela fait, il s'en fut voir le Grand Rabbin de Jérusalem, lui tint le même discours et ajouta : « … mais Dieu est aussi arabe. » Et le voilà avec trois millions supplémentaires. Il se rendit alors à La Mecque et s'entretint de même avec les chefs religieux qui lui répondirent : « Mais si Dieu existe, qu'il est noir et arabe… qu'avons-nous à craindre pour l'avenir de notre religion ? » Alors le cosmonaute se pencha vers eux et ajouta sur le ton de la confidence : « Elle est lesbienne ! »

Amina rit de si bon cœur que les larmes lui montèrent aux yeux.

— Il n'y a qu'un Occidental pour oser raconter ce genre de blagues !

— Morgan ! Ça y est, j'ai terminé !

Le cri de Hans brisa notre agréable moment de complicité et Amina se précipita dans le salon.

— Tu as fini le décryptage du texte ? demandai-je en le rejoignant.

Je m'assis sur le divan et notre hôtesse prit place à mes côtés.

— Le journal dont vous m'avez parlé ?

Hans acquiesça, s'éclaircit la gorge et prit un chewing-gum dans la poche de son pantalon.

— Tout est là, dit-il en tapotant son ordinateur portable. Et accrochez-vous parce que vous allez entrer dans la quatrième dimension. Notre professeur espérait trouver le reste de l'armure d'Alex dans son tombeau. Il ajoute que la légende la déclare magique, et devinez comment il l'explique.

Je haussai les épaules.

—Superstition ?

—Religion ? intervint Amina.

—Écoutez ça : magique et blablabla... c'est là : « En effet, que l'on s'imagine, à une époque où l'acier était encore inconnu, "un métal que la hache la plus dure et la plus lourde ne pouvait entamer", "légère au point qu'un enfant de cinq ans aurait pu la porter une journée durant sans la sentir peser sur ses épaules" et au fil "aiguisé à un point tel qu'elle pouvait fendre la pierre la plus dure sans s'émousser". Au vu de ces descriptions, rapportées par Tacite, Agrippine et Plutarque (voir note précédente), on comprend alors pourquoi une telle armure a pu être qualifiée de magique. En supposant qu'elle était de même facture que le glaive, avis auquel j'ai tendance à me ranger, il devient alors évident qu'elle est apparue magique aux personnes qui ont pu l'admirer, et j'en arrive donc à la conclusion que, comme le glaive, elle a dû être façonnée... (Hans fit une pause pour marquer son effet.) en titane d'aluminium. »

Je poussai un juron grossier.

—Du titane ? m'écriai-je. À cette époque ? Bertrand était donc persuadé que le glaive était authentique ?

—Rappelle-toi ce qu'a dit ta copine, rétorqua Hans. Pour elle, il n'existe aucun moyen scientifique de prouver le contraire.

—Nom de Zeus ! Que dit-il d'autre ?

—D'après les textes qu'il a consultés au Vatican, Caligula, il ignore pourquoi, ne l'a pas gardée après sa petite démonstration sur son pont de bateaux. Sa sœur raconte : « Une nuit, alors que tous les invités dormaient après une débauche de vin et de mets rares, il envoya Hélicon... » Qui est-ce ?

— C'était son... majordome, en quelque sorte, expliqua Amina. Un Égyptien.

— Ah. « ... il envoya Hélicon quérir les hommes qui, sur ses ordres, avaient tiré l'armure du grand Alexandre de son tombeau. Ils vinrent à César sans crainte aucune, sûrs d'être rétribués pour leur besogne impie, mais, au lieu de cela, Caius les fit jeter au cachot, où des Germains de sa garde reçurent ordre de les étrangler... » Sympathique, le garçon.

— Il ne l'a pas rendue ?

— Attends, je n'ai pas fini. « Une fois cela accompli, Hélicon disparut et nul ne le revit jusqu'au jour suivant, accompagné d'hommes que personne ne connaissait. Ces derniers repartirent presque aussitôt, en chariot fermé et escortés de plusieurs Germains. Plus tard, lorsque l'on interrogea César sur l'armure du grand Alexandre, qu'il n'avait plus arborée, il affirma simplement l'avoir rendue aux "gardiens du tombeau" pour qu'elle retrouve son propriétaire légitime. Je pense que Gaius craignait l'ire des mannes du grand homme et que c'est la raison pour laquelle il se débarrassa de son bien. » Un brin superstitieux, notre Caligula.

— Mais, dans ce cas, pourquoi le glaive est-il resté en Italie ? demandai-je.

Hans hocha la tête.

— D'après le prof, il a été volé durant le transport. Écoute ça : « Tacite rapporte que l'un des esclaves offerts aux "gardiens" aurait été corrompu par un riche collectionneur, proche de l'empereur, qui lui promit la liberté et une forte somme s'il volait pour lui le glaive mythique. L'esclave le subtilisa donc et s'enfuit. » Après, il parle d'une sorte de malédiction. L'esclave eut la gorge tranchée et le riche Romain passa l'arme à gauche lors d'une rixe. Depuis, tous ceux qui ont eu ce truc entre les mains sont morts de mort violente. Rassurant !

— Ne t'en fais pas, Hans. Ce genre de superstitions entoure de son aura tous les objets insolites, fis-je en agitant négligemment la main. Beaucoup étant prêts à tout pour les obtenir, les morts et les accidents s'accumulent. L'objet lui-même n'y est pour rien.

— Je plaisantais, je ne suis pas stupide à ce point.

Amina dissimula un sourire. Elle n'avait que trop remarqué le soulagement de notre jeune ami en entendant mes explications.

— Cela étant dit et clarifié, un « hic » persiste, fit-il en ruminant sa pâte chlorophyllée. D'après le prof, personne n'a jamais entendu parler de gardiens du tombeau d'Alexandre et « nulle source antique n'en parle ». Texto.

— Allons bon, voilà autre chose.

— Et si quelqu'un avait monté un bateau à Caligula ? se risqua Hans. Sans jeu de mots, ajouta-t-il. Il aurait remis l'armure à des voleurs qui se seraient fait passer pour les gardiens du tombeau d'Alexandre.

Amina croisa ses jolies jambes et se tapota les lèvres.

— Pas avec Hélicon à ses côtés. Il était égyptien, je vous le rappelle. Il aurait flairé l'imposture.

— Et s'il était dans le coup ?

— Non. Pas lui. Beaucoup de gens dans l'entourage de Caligula attendaient le moment propice pour lui enfoncer un couteau dans le dos, mais pas Hélicon. Ils étaient très proches. Un peu trop, même, d'après certaines sources. Il fut l'un des seuls à lui être fidèle jusqu'au bout et ne l'aurait jamais trahi. Non, si l'armure a été confiée à ces mystérieux « gardiens », c'est qu'ils existaient vraiment. Du moins, à son époque.

— J'adhère à cette idée, fis-je en allumant une cigarette.

Ma compagne me sourit et encouragea Hans à continuer.

— Le tombeau se trouve bien sous la mosquée Shorbagi, rue… Nokrashi, s'il n'a pas été détruit lors de la construction. Mais le prof pense que non.

— Et comment en est-il arrivé à cette conclusion ?

— En étudiant la configuration de l'ancienne Alexandrie, répondit Amina à la place de Hans. Il a juxtaposé les descriptions des sources antiques et les tracés de la ville que les fouilles ont pu mettre au jour. Il a compulsé les plans et les cartes en notant toutes les modifications. Le plus ancien plan de la ville que nous avons trouvé datait du IXe siècle. Ces archives auraient dû se trouver chez lui, mais, d'après ce que vous m'avez dit, il y a de fortes probabilités pour qu'elles aient été dérobées.

— Ce sont ces plans que vous m'avez fait chercher ?

— Oui, Morgan.

— Quoi d'autre ? demandai-je à mon assistant.

Il secoua la tête, impuissant.

— Exactement ce qu'elle vient d'expliquer. Il s'étale sur trente bonnes pages en racontant la façon dont il a trouvé l'emplacement.

J'écrasai ma cigarette, déçu.

— Je me serais attendu à quelque chose de plus spectaculaire, à des révélations plus croustillantes. (Je fis la moue et fixai le journal, comme s'il pouvait me fournir une réponse.) J'ai comme une impression de « bâclé », l'intuition que Bertrand n'a pas tout dit. (Je leur montrai le carnet.) Il disserte durant des pages et des pages sur l'historique de l'armure, rapporte toutes les références, recopie des extraits entiers de textes antiques et, soudain, le voilà qui se précipite, sautant directement de Caligula à une mosquée alexandrine. Non, il y a un problème.

— Bertrand a travaillé sur ces plans durant plus de deux ans, Morgan, plaida Amina, et, très sincèrement, je ne vois pas ce qu'il pourrait dire d'autre. Il ne va pas décrire les rues par le menu.

—Vous avez peut-être raison, admis-je.

—Je crois surtout que nous sommes très fatigués, murmura notre hôtesse, nerveusement à bout, et que nous y verrons plus clair demain matin.

Nous aidâmes Amina à déplier le divan, et, après une rapide toilette, nous nous effondrâmes.

—Bonne nuit, fit la jeune femme en refermant la porte de sa chambre. Je vous réveille à 7 heures.

Hans s'endormit presque aussitôt, mais je me tournai et me retournai durant un long moment avant de trouver le sommeil. Quelque chose clochait, m'avait échappé, mais quoi ? C'était d'autant plus agaçant que je sentais, au plus profond de moi, la réponse s'agiter comme une évidence sans parvenir à percer. Peut-être qu'après quelques heures de sommeil…

Mais le sommeil me bouda, cette nuit-là. Je ne cessais de m'interroger sur les hommes qui nous avaient pris en chasse à Rome, puis à Alexandrie. Qui étaient-ils ? En songeant aux moyens dont John Jurgen disposait, je ne pus retenir un frisson.

*

La mosquée Shormbagi présentait une façade typique du Delta. La décoration était faite de briques apparentes rouges et noires, liées par un mortier blanc. Le mollah Yousri Marzouk avait accepté de nous recevoir tôt le matin, alors qu'un semblant de fraîcheur planait encore sur les rues encombrées d'Alexandrie, saturées de parfums d'épices et de gasoil. Pour l'occasion, Amina avait glissé un ample voile brodé dans son sac, dont elle se couvrit la tête et les épaules avant de sortir de la voiture. Sur le seuil de la mosquée, une foule de fidèles discutait avec animation, échangeant potins, points de vue et commentant le dernier sermon ou les nouvelles du jour. Alors que nous nous frayions un chemin vers la porte, un homme corpulent se racla bruyamment la gorge et cracha distraitement sur le sol, à deux pas de Hans, qui se raidit, dégoûté, et eut un haut-le-cœur en le voyant finir sa vidange, pressant successivement ses deux narines avec le bruit d'un soufflet de forge.

—Quel porc !

—Hans, fis-je entre mes dents en tirant mon compagnon par la manche de son t-shirt.

—Mais c'est dég…

—La ferme, Hans !

—Attendez-moi ici, fit Amina en pénétrant dans l'enceinte sacrée.

Elle revint quelques minutes plus tard, accompagnée d'un petit homme au visage de souris mangé par une énorme moustache qui nous invita à le suivre à travers des couloirs immaculés vers les appartements de notre hôte. Une écœurante odeur d'encens se mêlait à celle du produit détergeant et je vis Hans froncer le nez.

Nous pénétrâmes dans un salon confortable, meublé de divans de cuir couleur de datte disposés autour d'une grande table ronde en métal ciselé.

—Installez-vous, je vais faire apporter du thé, murmura notre guide en s'esquivant discrètement.

Nous prîmes place et Amina réajusta son voile.

La porte se rouvrit presque aussitôt pour laisser passer un jeune homme barbu vêtu de blanc qui nous salua aimablement et posa un plateau de thé et de gâteaux orientaux sur la table. Il nous servit en commençant par moi, s'inclina et s'éclipsa. Le mollah ne tarda pas à nous rejoindre. Yousri Marzouk était un homme d'une cinquantaine d'années, poupin et avenant. Vêtu d'un pantalon noir et d'une chemise orientale anthracite, j'aurais eu du mal à reconnaître en lui un religieux si je l'avais croisé dans la rue. Ses yeux noisette crépitaient de malice et il taquinait constamment les courts poils gris de sa barbe, soigneusement taillée, comme si elle le démangeait.

— Alors comme ça, vous êtes archéologue, monsieur Lafet ? demanda-t-il.

— Helléniste, oui.

Il joignit les mains avec un petit claquement en hochant la tête.

— Ah ! La Grèce... Nous entretenons avec elle une longue histoire d'amour. Alexandrie est un véritable carrefour de civilisations, nul ne le sait mieux que vous. (Hans parut étonné.) Oui, Alexandrie est une ville totalement arabe, à présent, mais il n'en fut pas toujours ainsi, mon garçon. Au temps de sa gloire, elle était une ville ouverte sur le monde, telle que l'avait voulu son fondateur, le grand Alexandre. Des hommes de toutes nationalités et de toutes religions s'y côtoyaient. Les plus grands savants et penseurs ont fréquenté sa bibliothèque.

— Après la conquête arabe du VIIᵉ siècle, intervint Amina, la ville fut interdite aux non-musulmans. Il fallut des siècles avant qu'Alexandrie n'accueille de nouveau des étrangers dans ses murs. Puis il y eut la nationalisation du canal de Suez. Les communautés étrangères durent fuir Alexandrie.

Yousri Marzouk s'agita, quelque peu embarrassé, mais acquiesça sous le regard amusé de la jeune Égyptienne.

— Un âne ne bute jamais deux fois sur la même pierre, mon jeune ami, mais les hommes oui. C'est ainsi. En parlant de pierres... Avez-vous admiré les vestiges de l'île d'Antirodos, monsieur Lafet ? (J'acquiesçai.) J'étais présent lorsque l'on a remonté les statues. Dieu, en sa grande bonté, nous a permis d'entrebâiller pour quelques instants la porte de l'histoire. (Il sembla hésiter un instant et se pencha pour murmurer.) Mais dites-moi – car vous devez savoir ces choses-là : est-il vrai que le tombeau du Christ, à Jérusalem, n'est pas vraiment le sien ?

Je restai un instant décontenancé. Amina m'avait prévenu qu'il était un peu étrange, mais je ne m'étais pas attendu à cela.

— C'est à chacun de se faire une opinion, répondis-je prudemment. Nul ne peut l'affirmer mais non plus l'infirmer.

— Et votre avis à vous ?

— Ce n'est probablement pas le sien, non.

Il fronça les sourcils, fit la moue et haussa finalement les épaules avec une petite grimace dépitée.

— Tant pis ! Cet endroit est très étonnant quand même. Je l'ai visité il y a quelques années. Vous êtes chrétien ?

Amina dissimula un sourire derrière son voile.

— Non. Je suis athée.

— Vous ne croyez en rien ? s'étonna-t-il.

Je secouai la tête.

— En moi. Et parfois en mes semblables, mais j'avoue que c'est rare.

Yousri Marzouk partit d'un rire tonitruant qui me déstabilisa quelque peu.

— Alors ce n'est pas « rien ». Avez-vous visité la mosquée ?

— Nous comptions le faire après cet entretien, intervint Amina, pour couper court.

Je poussai un soupir de soulagement. Le mollah paraissait être la version musulmane du *padre* Ilario et je n'avais nulle envie de subir une visite guidée alors que le temps nous était compté.

— Parfait. Vous verrez que l'on reconnaît encore très bien les restes antiques par endroits.

— C'est justement de ces « restes » que je voulais vous entretenir, répondis-je, sautant sur l'occasion.

Yousri Marzouk hocha vigoureusement la tête.

— Oui, c'est ce que j'ai cru comprendre. De quoi est-il question exactement ? Monsieur Lechausseur – que Dieu l'accueille en son paradis, le pauvre homme – m'a dit au téléphone qu'ils recelaient sans doute des témoignages primordiaux pour l'histoire de notre ville. C'est fascinant. D'autant que notre mosquée n'est, hélas, pas la plus fréquentée, loin s'en faut.

— Cela risque de changer rapidement, croyez-moi... soupirai-je.

Le mollah ouvrit de grands yeux et appuya ses coudes sur ses genoux, tout ouïe.

— Racontez-moi.

Je lui exposai les conclusions de Bertrand, qu'Amina soutint avec force détails et, à la fin de notre laïus, le mollah paraissait avoir reçu un coup de massue sur la tête.

— Vous voulez dire... là, sous nos pieds ? murmura-t-il en pointant le sol de l'index.

Il se leva dans un état second et fit quelques pas hésitants dans le petit salon en tiraillant sa barbe et appelant Dieu à son aide.

— Faire des fouilles dans la mosquée ? finit-il par croasser lorsqu'il retrouva un semblant de calme. Avec pour seule preuve le journal d'un vieil homme ?

— Ainsi que les sources antiques.

— Qui sont au Vatican, pour ce que vous m'en avez dit. Qu'en est-il de ces plans et des documentations du professeur Lechausseur ?

— Les plans ont été volés, fit Amina, mais j'ai une partie de la documentation, des copies et des...

Yousri Marzouk l'interrompit d'un geste.

— Monsieur Lafet... si cela ne dépendait que de moi,

nous serions déjà tous quatre dans les sous-sols, un pic à la main, mais, outre le gouvernement égyptien, les services archéologiques et l'administration, vous avez en face de vous un mur infranchissable, un adversaire que vous n'êtes pas en mesure d'affronter.

—Lequel ?

—La religion.

Je me pris la tête dans les mains.

—Nous parlons du tombeau d'Alexandre le Grand !

—Et moi, je vous parle de milliers de fidèles prêts à vous lapider si vous infligez à cette mosquée ce qu'ils considéreraient comme une profanation. (Il s'assit à mes côtés et me pressa l'épaule.) Je sais que Dieu, en son infinie bonté, vous accueillerait avec joie dans sa maison, vous laisserait l'explorer dans les moindres recoins si vous savez la respecter, mais il est des gens qui ne le comprendront pas et qui ne le comprendront jamais.

—Il y a certainement un moyen de faire entendre raison à une poignée d'ignorants.

—Monsieur Lafet, cette poignée d'ignorants, comme le vous dites si justement, est composée de gens simples, manipulés, engoncés dans des croyances d'un autre temps où l'on se servait de la religion à des fins d'abrutissement et de domination. Leurs leaders sont dangereux, capables d'éveiller dans le cœur de foules désœuvrées une haine aveugle, et de la diriger vers des hommes tels que vous. Je refuse de vous sacrifier, vous et vos amis, sur l'autel de leur fanatisme, de leur… (Il serra les poings, hésitant.) stupidité ! finit-il par exploser, las de prendre des pincettes.

—Mais…

—Morgan. J'ai beau être ce que vous appelez un religieux, je suis aussi un homme, comme vous. J'ai commis des erreurs, je le reconnais, mais s'il est une chose que je ne suis pas et que, Dieu m'en est témoin, je refuse de devenir, c'est un meurtrier. Je ne vous autoriserai pas à procéder à des recherches en ce lieu et, de tout cœur, croyez que je le regrette. Ce sol sacré ne sera pas souillé du sang d'innocents.

Je me levai, la rage et la déception tapies au creux du ventre.

— Il le sera, Yousri Marzouk, assurai-je, le faisant pâlir. Parce que ceux qui marchent dans mes pas n'ont rien à envier à vos intégristes. J'espère seulement que ce sang ne sera pas le vôtre, ajoutai-je avant de quitter la pièce, suivi de Hans.

— Je vous rejoins dans la voiture, bredouilla Amina dans le couloir en me tendant les clés avant de refermer la porte sur elle et le mollah, interdit.

Hans et moi quittâmes la mosquée et je dus prendre sur moi pour ne pas laisser libre cours à ma colère, ce qui ne fut pas le cas de mon compagnon.

— Saleté de religion ! s'emporta-t-il en tapant du plat de la main sur le capot de la voiture. Sauvages à barbe !

J'allumai une cigarette et m'appuyai contre la portière en essuyant la sueur qui perlait déjà à mon front. La journée promettait d'être suffocante.

— Le problème n'est pas la religion, Hans. Yousri Marzouk est un brave homme, comme le *padre* Ilario l'était, mais il ne peut se battre seul contre l'ignorance et la bêtise

— Que comptes-tu faire maintenant ?

— Retourner en France, alerter la communauté scientifique et la presse. Sous la pression, le gouvernement égyptien fera céder les instances religieuses.

— Tu oublies les dingues qui nous courent après ! Ils vont rentrer là-dedans, crever ce pauvre vieux et piller le tombeau, tu peux compter là-dessus ! (Il eut un geste rageur.) Si près du but !

Nous vîmes Amina sortir de la mosquée et courir vers nous en zigzaguant entre les voitures.

— Je l'ai mis en garde contre les hommes qui vous avaient attaqués, dit-elle en retirant son voile avec soulagement. Après votre petite sortie, je n'avais pas vraiment le choix.

— Et ?

— Il propose de vous loger jusqu'à ce que vous repartiez pour la France, soupira-t-elle en ouvrant la portière. Il estime que vous seriez plus en sécurité ici que chez moi.

L'idée de profiter de l'hospitalité de Yousri Marzouk pour faire discrètement un tour dans ses sous-sols de la mosquée me titilla, mais c'était trop risqué. Je pouvais me faire repérer à tout moment par un fidèle ou l'un des « assistants » du mollah.

— Vous croyez qu'il peut changer d'avis ? demandai-je, sans trop d'espoir.

Amina mit le contact et secoua la tête.

— Non. Il a été bien clair sur ce point. Pourtant, je pense qu'il adorerait participer à de tels chantiers. Lors des fouilles sous-marines autour du phare, il était tout le temps dans mes pattes, ajouta-t-elle avec un sourire attendri. Il n'y connaît rien, mais l'archéologie le fascine.

Nous regagnâmes l'appartement en prenant soin de vérifier que nous n'étions pas suivis et je demandai à Amina d'arrêter devant le premier distributeur de billets qu'elle apercevrait. Je retirai le montant maximal qu'autorisait la carte de crédit que Jurgen nous avait octroyée puis la jetai sur le bas-côté avant de remonter dans la voiture, non sans avoir noté le code d'accès au dos. Si quelqu'un la trouvait et s'en servait, ce qui ne tarderait pas, notre cher mécène n'aurait qu'une fausse piste à suivre.

— Un petit dédommagement pour tracas subis, fis-je en rangeant la liasse de billets dans mon sac à dos.

Hans consentit enfin à sourire et Amina redémarra en secouant la tête.

VII

J'appelai mon père dans le courant de l'après-midi et le prévins que nous avions pu obtenir une réservation pour le vol du lendemain en direction de Paris. Je tus le fait que nous avions eu à subir par deux fois l'empressement de nos amis grecs, pour ne pas l'inquiéter, mais lui appris néanmoins pourquoi nous avions rompu tout contact avec John Jurgen. Il tomba des nues et parla d'alerter les autorités, mais je réussis à le faire patienter jusqu'à notre retour et à lui faire promettre qu'au cas où on l'interrogerait il dirait ne pas avoir de mes nouvelles.

— Je serais terriblement inquiète, à sa place, fit Amina en posant un verre de thé brûlant devant moi.

— Et Ludwig doit me maudire pour avoir entraîné son petit-fils dans cette folle aventure.

Mon téléphone cellulaire vibra. Je le décrochai de ma ceinture pour lire le texto. « Ne bougez pas de chez votre amie jusqu'à ce soir et surveillez le téléphone. La graine germée, il faut moissonner. Hélios. »

— Comment doit-on interpréter cela ? bredouilla Amina, penchée par-dessus mon épaule. Une menace ?

— Il ne faut pas bouger d'ici ? demanda Hans. Une façon de dire : « Des hommes de main vont venir vous liquider, soyez gentils, attendez-les sagement » ?

— Ce n'est pas son genre, murmurai-je. Jusqu'à présent, Hélios a plutôt essayé de nous avertir d'un danger imminent. Non, cela semble plutôt signifier que quelqu'un va nous contacter. Lui, peut-être ?

—Comme ça, nous saurons peut-être enfin qui est cet allumé !

—Comment fait-il pour savoir où nous sommes et ce que nous faisons à chaque instant ? C'est à croire qu'il a mis un bataillon d'espions à nos trousses, pensai-je tout haut.

—Le butor qui nous a suivis ? proposa Amina.

Je secouai la tête.

—Non. Hélios m'avait mis en garde contre eux. Je suis prêt à jurer qu'il n'est ni un homme de Jurgen ni le complice de nos mystérieux Grecs. Mais quel but poursuit-il, bon sang !

Notre hôtesse nous resservit du thé et s'installa sur le canapé.

—Le mieux que nous ayons à faire est d'attendre, je crois.

Alors nous attendîmes. Et vers 17 heures, comme l'avait prédit Hélios, le téléphone sonna. Amina me jeta un regard affolé et la sonnerie retentit pour la deuxième fois. À la troisième, je tendis la main vers le combiné, mais elle m'arrêta.

—Je vais le faire, on ne sait jamais. Seuls Hélios, le mollah et votre père savent que vous êtes chez moi. (Elle décrocha.) Oui ? (Nous lûmes la stupéfaction sur son visage.) Très bien. Nous y serons. Qu'est-ce qui vous a fait chang… D'accord. Et vous ne l'aviez jamais remarqué ? Oh… je comprends. Oui, à tout à l'heure.

Elle reposa le combiné, comme étourdie.

—Alors ? la pressai-je.

—Le mollah Yousri Marzouk, fit-elle d'une voix presque inaudible. Il nous attend cette nuit, à 23 heures, juste après la prière. Mahmoud, l'homme qui nous a servi le thé cet après-midi, nous attendra devant la porte de service.

—Pourquoi veut-il nous voir en pleine nuit ? demanda Hans, méfiant.

—Un piège ? murmurai-je. Vous pensez qu'on l'a forcé à nous appeler ?

Amina secoua la tête.

—Non. Après notre visite, il s'est rendu dans les sous-sols de la mosquée pour explorer les fondations. Et, à l'endroit indiqué, il a trouvé un mur qui, il en est certain, n'était pas là il y a trois ans, lorsque des travaux de consolidation ont été effectués. Un mur qui bouche l'une des galeries.

Hans hoqueta et je fronçai les sourcils.

—Comment ne s'en est-il pas aperçu avant ?

—Nul ne descend jamais dans ce labyrinthe. Un reste de superstition car les fondations sont celles d'un lieu de culte antique.

—Attendez… Que voulez-vous dire par « l'endroit indiqué » ? Nous n'avons pu lui fournir aucune indication précise.

Elle prit une profonde inspiration.

—Vous allez comprendre dans un instant.

—Mais…

—Une minute, Morgan. S'il vous plaît. (Le téléphone retentit à nouveau, mais Amina m'empêcha de décrocher.) Non. C'est une télécopie.

J'attendis, la gorge serrée, que le téléphone-fax finisse l'impression de la page et la retirai d'un coup sec. C'était une télécopie adressée à Yousri Marzouk, à 13 h 17, sans en-tête ni numéro de correspondant. Un plan des sous-sols de la mosquée y figurait. Au croisement de deux galeries, un cercle gras avait été tracé avec, en son centre, le dessin d'une main tenant un marteau. On pouvait lire en marge : « Vérifie si tu en as le courage. Oublie si tu y parviens. Abandonne si tu l'oses. Hélios. »

—Il savait ! s'écria Hans.

—Amina, ce plan faisait-il partie de ceux que Bertrand avait étudiés ? m'enquis-je, suspicieux.

—Oui, avoua-t-elle en détournant le regard. Il faisait partie de ceux que je vous avais demandé de chercher. Nous l'avions obtenu auprès des architectes qui ont participé aux travaux de consolidation de la mosquée. Mais ce n'est pas Bertrand qui a tracé ce cercle ni dessiné ce sceau. Je suis catégorique.

—Cela voudrait dire que c'est Hélios qui... Grands dieux. Mais si c'est lui qui a assassiné Bertrand, pourquoi nous guider ? C'est... c'est illogique !

Hans agita les mains en secouant vigoureusement la tête.

—Et s'il comptait justement nous effacer de son échiquier ce soir, hein ? Morg, je ne suis pas d'accord pour aller me jeter dans la gueule du loup !

—J'ai confiance en Yousri Marzouk, rétorqua Amina. Jamais il n'aurait cédé au chantage. Il préférerait mourir plutôt que de sauver sa vie en la payant avec celle d'autres personnes. Il ne nous a pas trahis. Faites ce que bon vous semble, mais moi, j'y vais ! Bertrand et moi avons travaillé durant des années sur ce projet et je n'abandonnerai pas si près du but !

Elle extirpa un sac à dos d'un placard et commença à y entasser torches, appareils de mesure, caméra numérique, burin, marteau et que sais-je encore.

Je jetai un regard interrogateur à Hans, qui haussa les épaules, résigné, et entreprit de se changer.

Il était 22 h 45 lorsque nous nous garâmes à une centaine de mètres de la mosquée. Nous fîmes le reste du trajet à pied, pour ne pas éveiller de soupçons. Les odeurs de cuisine embaumaient l'air et des discussions animées s'échappaient par les fenêtres grandes ouvertes. Amina marchait d'un pas alerte et décidé, mais je l'avais vue glisser au dernier moment un couteau et une bombe lacrymogène dans son sac. Sentir le glaive dans mon sac à dos me rassurait, mais je regrettais de ne pas avoir d'arme moins archaïque à agiter sous le nez d'agresseurs potentiels en cas de besoin. Vêtus de noir, nous avancions en essayant de nous confondre avec les ombres des ruelles et des porches, dans le vain espoir de ne pas nous faire remarquer. Nous croisâmes néanmoins quelques touristes égarés ou des Alexandrins profitant de la fraîcheur de la nuit pour une dernière promenade après la prière du soir.

Une fois la mosquée en vue, nous en fîmes le tour en évitant soigneusement l'entrée principale, où des fidèles s'attardaient encore, et Amina frappa discrètement à une porte de bois épais qui s'ouvrit presque aussitôt. Mon cœur s'arrêta de battre, et je jetai un œil alentour avant de la suivre à l'intérieur, croyant discerner un assassin prêt à bondir dans chaque coin d'ombre.

— Entrez vite, fit une voix masculine. (Le jeune homme qui nous avait servi le thé dans l'après-midi verrouilla nerveusement le battant et nous fit signe de le suivre.) C'est par-là, venez.

Je remarquai qu'il avait troqué sa tenue blanche et sa toque brodée contre un jean, une casquette et une ample chemise maculée de traces crayeuses, comme s'il s'était appuyé contre un mur chaulé.

Il nous guida à travers un dédale de couloirs jusqu'à une petite porte qui donnait sur un escalier enténébré.

— Yousri Marzouk est déjà en bas ? demandai-je, méfiant.

— Oui, murmura-t-il en actionnant un interrupteur. Suivez-moi et refermez bien derrière vous. (Je fis doucement claquer la porte métallique après avoir laissé passer Hans et Amina.) Attention, les marches sont un peu raides. On glisse facilement.

Je dus me plier en deux pour ne pas heurter le plafond où pendaient des ampoules maladives et nues, et je craignis par moments de rester coincé tant l'escalier était étroit.

Au bout d'une descente qui parut interminable, nous débouchâmes au milieu d'un couloir dont on ne voyait pas les extrémités et Mahmoud, puisque c'était son nom, se baissa pour ramasser une torche électrique, probablement laissée là avant de monter.

— Et maintenant ? demandai-je.

Il désigna le corridor de gauche.

— C'est par-là, mais attendez, je veux vous montrer quelque chose, dit-il en braquant sa torche vers le sol, tout sourire. Je l'ai vu tout à l'heure. Regardez, monsieur Lafet.

Je me penchai à mon tour et il me désigna des petits carrés multicolores, tout près du mur.

— C'est un reste de mosaïque. Nous sommes sur ce qui devait être le rez-de-chaussée de l'ancien bâtiment.

Mahmoud écarquilla les yeux.

— C'est très vieux, alors, monsieur Lafet ?

Je souris de son étonnement.

— D'après la profondeur à laquelle nous sommes, à vue de nez une dizaine de mètres, je dirais deux mille bonnes années, oui.

— Deux mille années… répéta-t-il, incrédule. Venez, venez, se reprit-il. C'est par ici.

Il s'engagea dans un second couloir, bifurqua, en emprunta un second et nous atteignîmes un croisement de corridors, comme l'indiquait le plan. Celui qui s'étirait sur notre gauche paraissait à demi effondré et celui qui se trouvait en face de nous était muré. Devant ce dernier se tenait Yousri Marzouk, en jean lui aussi.

Deux projecteurs à batterie avaient été posés sur le sol, ainsi qu'une caisse à outils et un plateau de thé.

— C'est le mur dont je vous ai parlé, fit le mollah, la voix vibrante. Vous voulez du thé ?

— Non, merci, fis-je en examinant le mur.

170

— C'est de la brique, intervint Mahmoud. Et ce n'est pas très épais ; regardez, j'ai réussi à enlever ça. (Il désigna trois briques, sur le côté du mur, qu'il avait soigneusement délogées.) Je n'ai pas osé en enlever plus, j'avais peur d'abîmer.

— Avez-vous idée de ce qui s'y trouve ? demanda Amina à Yousri Marzouk.

Il haussa les épaules, impatient.

— Pas encore. Mais nous sommes là pour le savoir, si Dieu le veut.

À l'instar de Mahmoud, il ne tenait pas en place. Amina avait certainement raison lorsqu'elle affirmait qu'il n'aurait jamais accepté de nous piéger.

Je sortis le fax de ma poche pour regarder le plan des galeries à la lumière des projecteurs.

— Oh ! Monsieur Lafet, fit Mahmoud. Nous avons reçu un autre fax, tout à l'heure.

— Oui, c'est vrai, acquiesça le mollah en fouillant dans la boîte à outils. Je me suis dit que cela devait provenir de cet Hélios parce qu'il est rédigé en grec.

— Que dit-il ? (Yousri Marzouk haussa piteusement les épaules et je souris.) Je vais vous le traduire, donnez.

Je parcourus la ligne de texte et fronçai les sourcils avant de le tendre à Amina.

— Cela ressemble à une menace, murmura-t-elle.

— Ou à une mise en garde, notai-je.

— Qu'est-ce que ça dit ? demanda Mahmoud.

— « L'homme méfiant, comme le grand homme, dort toujours avec un poignard sous l'oreiller. Hélios. »

Yousri Marzouk frissonna.

— Sympa, comme carte de vœux, fit Hans. On fait quoi ?

— Nous nous occuperons de cela plus tard, dis-je en glissant le fax plié dans ma poche pour me concentrer sur le plan. Voyons… D'après ceci, nous devrions tomber sur un cul-de-sac. Mais pourquoi boucher l'entrée d'un cul-de-sac ? Y a-t-il eu des effondrements durant les consolidations ?

Le mollah me désigna son jeune compagnon, à qui le contenu de la télécopie avait fait perdre tout enthousiasme.

—Mahmoud était présent, lors des travaux. Moi, j'étais parti rencontrer nos frères de Jérusalem.

Je repensai à ses questions sur le tombeau du Christ et souris.

—Oui, il y a eu un très grave accident, monsieur Lafet, acquiesça l'interpellé. Quatre hommes ont été blessés. Là-bas, précisa-t-il en me désignant la seconde galerie, encore partiellement bouchée par les gravats.

Je m'approchai avec Amina et nous observâmes la structure.

—De la pierre, dit-elle. Aucune fissure. Des jointures parfaites.

—Et une architecture irréprochable, ajoutai-je. Comment cela a-t-il pu s'effondrer ? Une secousse ?

—Non, monsieur Lafet. Les architectes n'y croyaient pas non plus. Ils sont venus voir exprès. Ils ont dit que, logiquement, cela n'aurait jamais dû avoir lieu.

J'échangeai un regard entendu avec ma compagne. Elle non plus ne semblait pas croire à la thèse de l'effondrement accidentel.

—Où mène cette galerie ? demanda-t-elle.

Je regardai le plan.

—Au générateur électrique. Il y a un second accès par le nord, apparemment.

—Oui, confirma le mollah. La bibliothèque. C'est par-là que nous descendons au générateur en cas de besoin.

—Il ne nous reste plus qu'à continuer le travail de taupe, Mahmoud, fis-je en lui tapant sur l'épaule pour l'encourager. Une dizaine de briques et nous devrions pouvoir passer. (Cela parut lui redonner un peu d'enthousiasme et il s'attela immédiatement à la tâche.) Chacun la sienne, ajoutai-je gaiement en m'accroupissant sur le sol.

Le mollah lui-même mit la main à la pâte, ravi de participer à ce qu'il considérait sans doute comme sa « première expérience archéologique ». Au bout d'une demi-heure, nous avions réussi à faire dans le mur un trou d'un bon mètre de diamètre, ce qui me permettait de me glisser de l'autre côté en rampant.

— Cela devrait aller, fis-je en me couchant sur le sol, une torche électrique à la main.

De l'autre côté, le couloir de deux mètres de large s'allongeait sur trois mètres avant d'être brutalement barré par un mur de pierre.

— Alors ? demanda Amina.

En me retournant, je vis quatre têtes curieuses scruter l'obscurité par le trou dans le mur de briques.

— Vous pouvez venir, dis-je en leur faisant signe. C'est solide. Prenez les projecteurs.

Je détaillai les moellons et tapotai la pierre avec le manche d'un petit tournevis en tendant l'oreille.

— Essayez de repérer un endroit où la pierre sonne creux, fit Amina en m'imitant.

Nous cherchâmes durant une bonne demi-heure sans résultat.

— Je vais essayer plus ba… Ah !

Le cri d'Amina nous fit tressaillir et elle se blottit contre moi en me désignant quelque chose sur le sol. Un serpent.

— Dieu tout-puissant, geignit le mollah. Écartez-vous !

— Comment est-il arrivé jusqu'ici, lui ? cracha Hans, dégoûté. Saleté de bestiole !

Il se saisit de mon sac à dos, que j'avais posé à terre et, avant que je n'aie eu le temps de glapir un avertissement, en sortit le glaive pour aplatir la pauvre bête comme s'il se fut agi d'un simple cafard. Il l'attrapa avec une grimace et la jeta dehors, à travers le trou que nous avions creusé. Nous le regardâmes essuyer ses mains sur son survêtement noir, horrifiés.

—Hans, m'écriai-je, c'était un serpent venimeux !

Il haussa les épaules.

—Je sais. Quand je suis parti faire du trekking en Turquie, on en trouvait jusque dans nos godasses, de ces merdes ! Et les araignées… ajouta-t-il avec une moue en rangeant le glaive. Ce ver de terre, à côté, c'est *peace and love*. Grosses comme des cheese-burgers.

Yousri Marzouk toussota pour se remettre de ses émotions et Amina réprima un frisson.

—Vous avez beaucoup de locataires du même genre dans les sous-sols ? essayai-je de plaisanter.

—Vous savez, monsieur Lafet, intervint Mahmoud, les serpents se glissent dans le moindre interstice.

—Une fois, j'en ai même vu un passer sous une porte, Dieu m'en est témoin, ajouta le mollah.

Je tiquai.

—Sous une porte, dites-vous ?

—Oui, à peine un centimètre.

—Amina… il était bien dans le coin là-bas, non ? demandai-je en pointant le doigt vers le mur du fond. (Elle hocha la tête.) S'il était passé par le trou que nous avons creusé pour se glisser entre nos jambes, nous l'aurions remarqué. Le couloir fait à peine deux mètres de large et nous sommes quatre.

Voyant où je voulais en venir, elle se dirigea vers l'endroit où s'était dressé le reptile en prenant soin d'y braquer sa lampe torche.

—Pourtant, le mur est plein, j'ai vérifié.

Je passai le doigt sur les moellons jusqu'à ce que, à quarante centimètres du sol, à peu près, je sente le mortier s'effriter comme sable.

—Ces pierres ont été déplacées.

À la lueur du projecteur, nous remarquâmes alors que le mortier avait même complètement disparu par endroits, laissant entre les pierres des interstices de un ou deux millimètres à presque un centimètre.

—Voilà par où est passé notre petit ami, fit-elle avec un large sourire. Il y a quelque chose, là-derrière.

—Peut-être la cave d'un voisin.

—Ce n'est pas exclu, admit-elle. Il faudrait une lame plate pour la glisser sous les moellons et tirer la pierre vers nous.

Je lui adressai une grimace.

—Ou… les pousser ! fis-je en posant les mains à plat sur un moellon pour pousser de toutes mes forces.

—Morgan, non ! Vous allez peut-être endommager ce qui… Dites donc, sacrée structure.

—Oui… fis-je entre mes dents serrées. Ces blocs font bien trente kilos chacun.

—Je parlais de vous, murmura-t-elle à mon oreille, taquine.

J'entendis Mahmoud toussoter avec ostentation. Elle éclata de rire en mettant ses mains sous les miennes pour m'aider à pousser. Bien sûr, je pris grand soin de forcer plus que nécessaire, histoire de lui montrer à quel point mes biceps et mes pectoraux pouvaient être irrésistibles… Même dans une situation comme celle là, pour peu qu'une jolie femme se trouve à portée, je ne peux m'empêcher de jouer les Adonis.

Au bout de quelques minutes d'effort, le bloc bougea.

—Encore un peu.

Le moellon céda brutalement et nous fûmes emportés par notre élan. Nous l'entendîmes tomber de la quarantaine de centimètres d'où nous l'avions délogé et Amina et moi pressâmes nos visages dans l'ouverture en braquant une torche.

— Oh! Mon Dieu! s'écria-t-elle. Mon Dieu! Mon Dieu!

— Nom de Zeus… fis-je, la gorge serrée.

— Quoi, qu'est-ce qu'il y a? fit Hans en essayant de regarder entre nos cous. C'est le tombeau? Morg! C'est le tombeau?

— Nous l'avons trouvé? demanda à son tour le mollah d'une voix vibrante.

— Mon Dieu, répéta Amina d'une voix étranglée par l'émotion. Il semble intact.

Je m'écartai, à regret, et fis signe à mes compagnons, qui tremblaient d'impatience.

— Regardez, dis-je en tendant la torche au mollah. Vous aussi, Mahmoud, venez voir.

— Si pépé voyait ça… s'étrangla Hans.

Je le tirai en arrière pour laisser la place à Yousri Marzouk et à son jeune coreligionnaire, qui restèrent bouche bée devant l'ouverture, torche braquée vers le tombeau.

— Dieu tout-puissant, ne cessait de répéter le mollah. Dieu tout-puissant… C'est magnifique. Magnifique…

Amina me tomba dans les bras, émue jusqu'aux larmes, et j'éclatai d'un rire irrépressible. Nous avions réussi.

Nous dégageâmes deux moellons supplémentaires pour pouvoir pénétrer dans le tombeau. En temps normal, je n'aurais jamais laissé des profanes mettre le pied dans un lieu pareil, mais les heures s'égrenaient. Nous devions quitter les lieux avant la prière du matin, au lever du soleil.

— Ne touchez à rien, surtout, ordonna Amina, mais c'était bien inutile.

Yousri Marzouk et Mahmoud étaient pétrifiés. La chambre mortuaire, un curieux mélange de traditions grecques et égyptiennes, mesurait dans les vingt mètres carrés, le plafond à deux mètres du sol. Trois des quatre murs, recouverts de plaques d'albâtre épaisses comme la main, étaient peints à fresque et le quatrième, qui nous faisait face, disparaissait sous un texte en grec qui, d'après les premières lignes, composait un panégyrique à la gloire d'Alexandre. Sur des supports, des colonnes et de petits meubles d'ébène ou d'albâtre, quand ils n'étaient pas d'argent ou d'or massif, des armes, des bijoux et des ex-voto s'amoncelaient. Un trésor comme je n'en avais jamais vu. Et, au centre de la pièce, posé sur un bloc titanesque de lapis-lazuli pur, tel un soleil, le sarcophage en or, et non en verre comme le laissait croire la légende.

Amina pressa soudain ses deux mains sur sa bouche pour réprimer un cri et je sentis moi aussi la rage m'envahir. Il était ouvert.

— Les salauds ! cracha Hans en observant le couvercle, qui reposait sur le sol, irrémédiablement endommagé. Ils l'ont grillé… bredouilla-t-il en jetant un œil dans le sarcophage avant de reculer brusquement.

— Quoi ?

Je franchis les quelques pas qui me séparaient de lui et jetai un œil sur le corps qui, contrairement à ce que je pensais, n'avait pas été volé. Mais combien j'aurais préféré que ce fût le cas…

Amina se détourna, les mâchoires crispées.

— Qu'y a-t-il, professeur Lafet ? s'enquit le mollah d'une voix timide.

— Le corps a été… balbutiai-je en forçant les mots à sortir de ma gorge. Quelqu'un a versé de l'acide sur la momie.

Yousri Marzouk fit un signe que je ne compris pas, sans doute pour chasser le mauvais œil ou appeler à lui l'aide de son Dieu, et se força à regarder ce qui restait de celui qui avait conquis de ses mains le plus grand empire que le monde ait connu.

— Dieu miséricordieux…

— Ne nous laissons pas abattre, le temps nous est compté.

Il faut photographier et répertorier tout ce que nous pouvons. Hans, va chercher la caméra.

—Je m'occupe des inscriptions, fit Amina.

—Aidez-moi à remettre le couvercle, voulez-vous ? demandai-je au mollah et à son compagnon. Attendez, me repris-je, ma conscience professionnelle pointant le bout de son nez. Il faut d'abord examiner ce… cette soupe.

Je me penchai sur le sarcophage pour observer ce qui restait de la momie, à savoir pas grand-chose hormis une bouillie de bandelettes, de goudron et d'os. Avec le temps, l'acide qui ne s'était pas évaporé s'était mué en une sorte de gelée dégoûtante. Un bout de sandale avait été épargné, ainsi que la pièce d'or que l'on avait glissé sous la langue du défunt pour payer le passeur Charron, quelques amulettes de métal précieux et ce qui ressemblait à une boucle de métal.

—Hans… donne-moi le tournevis.

—Tu as réussi à repérer quelque chose ?

—On dirait que l'acide utilisé n'a détruit que les parties organiques, pas métalliques.

—C'est quoi, ce bitoniau ?

—À première vue, la boucle d'une ceinture ou d'une sangle.

—L'armure ! Voilà ce qu'ils ont embarqué ! Tu as bien dit qu'Alex avait été enterré avec son armure, non ?

J'observai fébrilement autour de moi. Les armes, plastrons, glaives et boucliers étaient nombreux, nais ce n'étaient que des armes d'apparat. Inutilisables.

—Tu as raison… fis-je en observant la boucle métallique, bien légère par rapport à sa taille. Approche la torche. Et donne-moi une loupe. (J'observai la pièce métallique et appelai Amina.) Quel genre de métal, à votre avis ?

—C'est très léger, comme de l'aluminium, mais ça a l'air solide. L'acide l'a noirci.

—Du titane d'aluminium, l'interrompis-je. C'est probablement l'une des sangles du plastron.

Hans jura comme un charretier.

—Ils lui ont enlevé son armure et l'ont grillé comme un poulet !

Le mollah s'approcha timidement.

—Pardonnez-moi mais… de quoi parlez-vous ?

—Les hommes qui ont pillé ce tombeau ont emporté l'armure d'Alexandre. C'est uniquement pour elle qu'ils sont venus. (Je tendis à Hans le tournevis, dans lequel j'avais fait glisser la sangle.) Enroule ça dans quelque chose et fais attention à ne pas mettre tes doigts dessus, on ne sait jamais.

—Mais… quel besoin avaient-ils de profaner le cadavre s'ils avaient ce qu'ils voulaient ? insista Yousri Marzouk.

—Eux seuls le savent. Au moins le sarcophage est-il presque intact. Comme le coussin d'or sur lequel devait reposer la tête de… (Je me tus, soudain inspiré.) « L'homme méfiant, comme le grand homme, dort toujours avec un poignard sous l'oreiller », citai-je. Hans ! Repasse-moi le tournevis.

Il me tendit le petit outil et mes quatre compagnons se pressèrent autour du sarcophage pour me regarder retourner précautionneusement le coussin métallique, entièrement tissé de fils d'or. Un défunt n'est pas trop regardant sur le confort. Lourd de cinq bons kilos, il m'échappa et je le laissai retomber, ne voulant pas l'endommager. J'essayai à nouveau, sans plus de succès. La troisième fois fut la bonne et je parvins à le garder en équilibre sur le côté.

—Le poignard ! s'écria Hans.

—Le pendant du glaive ! renchérit Amina.

—Trouvez quelque chose pour le récupérer et vite, le coussin m'échappe.

—Attendez, fit Mahmoud en retirant sa chemise pour l'enrouler autour de sa main. Je l'ai !

Il le posa cérémonieusement à terre et je me baissai pour l'examiner. L'os de la garde avait été un peu attaqué par l'acide, mais le coussin l'avait en partie protégé. Je le retournai du bout du tournevis et, sur la lame, juste sous la garde, apparut le sceau d'Héphaïstos.

—Et doués, avec ça ! gouailla Hans. Ils en ont laissé la moitié !

—Pas tout à fait, mais c'est déjà un élément qu'ils n'auront pas.

—Pardonnez-moi d'interrompre si brutalement cette incroyable expérience, fit soudain le mollah, mais il va être l'heure de la prière.

Amina se dépêcha de photographier tout ce qu'elle pouvait et je hochai la tête, déçu.

—Peut-être pourrions-nous rester ici pour…

—Non, monsieur Lafet. Nous avons juste le temps de refermer ce sarcophage, remettre les briques en place, tant pis pour les moellons, et laisser ce pauvre homme reposer en paix. Tout restera en l'état, vous avez ma parole. Je pense que vous avez largement de quoi prouver l'existence de cet endroit et, ainsi, obtenir les autorisations néces-saires. Je ne vous demanderai qu'une chose : ne citez ni mon nom ni celui de Mahmoud, comme convenu avec Amina. Vous vous êtes introduit ici par vos propres moyens sans passer par la mosquée, nous trouverons une excuse en temps voulu. Au besoin, je creuserai un trou dans le mur de mes propres mains, jusqu'à l'égout le plus proche, mais aucun membre de cette confrérie ne vous a aidé et vous n'avez pas profané la mosquée. Ai-je votre parole ?

—Vous l'avez, promis-je en lui serrant la main. Mais j'aime mieux vous prévenir que les pressions seront telles que vous vous verrez contraint d'autoriser des fouilles

Il hocha la tête en souriant.

— Si le gouvernement m'y contraint... qu'y puis-je ? Je ne suis qu'un homme au service de Dieu et soumis aux lois de notre pays, comme les autres.

— Merci pour tout, Yousri Marzouk. Je sais ce que je vous dois.

— Rien du tout. Cette nuit vaut tous les remerciements. Allez, et que Dieu vous garde. Mahmoud va remettre les briques en place et il n'y paraîtra plus. Je vais vous conduire jusqu'à la porte.

Nous saluâmes chaleureusement ce dernier avant de rassembler nos affaires et nous engager dans les corridors. Une fois sortis des sous-sols, nous eûmes l'impression de respirer de l'oxygène pour la première fois depuis des lustres.

— Je n'avais pas réalisé à quel point il faisait chaud, là-dessous ! remarqua Hans en inspirant à pleins poumons.

À la petite porte de la mosquée, je serrai une dernière fois la main du mollah et regardai ma montre. 3 heures du matin. Il n'y avait âme qui vive dans la rue.

— Soyez prudents et surtout ne...

— Ne bougez plus ! enjoint une voix féminine, sortant de l'ombre.

— Oh ! Non, pas elle... gémit Hans en reconnaissant Mae.

Elle n'était pas seule. Un homme l'accompagnait : rasé, tatoué, grimaçant, il était la caricature même des mercenaires des films de série Z. En bon petit soldat, il pointait sur nous une arme de poing dernier modèle munie d'un silencieux.

— Mae, essayai-je de parlementer, ne...

— La ferme, Morg. Le glaive et le reste. Vite. Ne t'avise pas d'oublier une cnémide.

— Une cnémide ? Quelle cnémide ?

—Ne me prends pas pour une idiote. L'armure ! Et en entier ! Je compte jusqu'à cinq. Un... Deux...

—Il n'y avait pas d'armure ! intervint Amina. Le tombeau a été pillé !

—Trois...

—Au nom de Dieu, intervint le mollah, je vous jure qu'elle dit la vérité. Le sarcophage était ouv...

Il n'eut pas le temps de finir sa phrase. Un petit sifflement se fit entendre et Yousri Marzouk s'effondra à nos pieds, les deux mains sur l'abdomen.

—Marzouk ! criai-je en m'accroupissant à ses côtés.

Hans jura, Amina pressa les deux mains sur sa bouche et Mae réarma, un large sourire sur ses lèvres sensuelles.

—Puisque vous le prenez comme ça, je me servirai moi-même.

Elle pointa son pistolet sur moi.

—Non ! hurla Amina.

Je fermai les yeux et mis les mains devant mon visage par réflexe.

Un petit bruit sec résonna dans la ruelle et je rouvris les yeux l'un après l'autre, surpris de ne ressentir aucune douleur. L'arme de Mae lui avait échappé des mains et roulait sur les pavés.

Comme au ralenti, je vis le butor se raidir et se tourner vers sa compagne. Elle ouvrit alors la bouche, les yeux écarquillés, et tomba en avant sur le sol, la gorge transpercée par une balle tirée dans son dos.

Son comparse, pris de court, canarda à l'aveuglette dans la ruelle d'où était parti le coup de feu. Nous fûmes soudain éblouis par les phares d'une voiture, garée sur le trottoir d'en face, et nous vîmes le colosse s'écrouler à nos pieds, une balle logée entre les deux yeux.

Tétanisés, impuissants, incapables de réaliser ce qui venait de se passer, nous nous tînmes sur le pas de la porte de la mosquée, le souffle coupé, jusqu'à ce que, dans un vrombissement de moteur, la voiture s'avance jusqu'à nous.

—Rentrez à l'intérieur de la mosquée ! cria Amina. Vite.

—Je ne vous veux aucun mal, dit en grec une voix masculine veloutée, teintée d'un léger accent italien. Si j'avais voulu vous tuer, vous seriez déjà morts.

La petite lampe du rétroviseur de la voiture s'alluma et nous vîmes un jeune homme châtain d'une trentaine d'années nous sourire, accoudé à la vitre baissée. Je ne l'avais jamais vu et il ne ressemblait en rien aux brutes qui nous avaient pourchassés à Rome et à Alexandrie.

—Qui êtes-vous ? demandai-je dans la même langue.

—Un ami d'Hélios.

—Morgan, il faut se tailler ! me pressa Hans en me tirant par le dos de mon t-shirt.

Le jeune homme acquiesça en hochant la tête et nous montâmes dans la voiture, une confortable italienne gris métallisé qui, bien que flambant neuve, ne devait pas attirer l'attention. Je pris place sur le siège du passager et mes deux compagnons à l'arrière.

L'inconnu démarra aussitôt et les nerfs d'Amina lâchèrent. Elle éclata en sanglots.

—Tenez, proposa aimablement notre chauffeur en français en lui tendant un paquet de Kleenex.

—Pourquoi l'avez-vous laissé tuer, le pauvre homme ? m'écriai-je.

—Cette garce a été plus rapide que moi, répondit-il simplement.

—Qui êtes-vous et que voulez-vous ? insistai-je, prêt à me saisir du volant et à l'assommer.

Il me regarda en coin, comme s'il devinait mes pensées.

—Nerveux, hein ? Hélios m'avait prévenu.

—Qui est cet homme ?

— Il n'est pas votre ennemi. Vous ne l'avez pas encore compris ?

— Où nous emmenez-vous ? sanglota Amina.

— En sécurité, *dottoressa* Saebjam.

— Je veux retourner chez moi ! s'écria-t-elle, cédant à l'hystérie.

— Vous n'avez plus de chez vous, *signorina*. À l'heure qu'il est, des individus peu fréquentables retournent votre appartement et deux d'entre eux attendent votre retour près de votre voiture.

Hans lui passa le bras autour des épaules pour la calmer et je sortis mon paquet de cigarettes de ma poche. Vide. Je l'écrasai et le jetai à mes pieds d'un geste rageur, mais notre inconnu m'en tendit un neuf, exactement de la même marque et estampillé d'un cachet italien.

— Rien ne vous échappe, on dirait.

— Je suis bien renseigné.

— Vous nous avez suivis en Italie, n'est-ce pas ?

— Bien entendu, fit-il avec un large sourire.

Ses dents blanches étincelèrent et je le détaillai. Une gravure de mode. Mince, élégant, des traits délicats et les cheveux bouclés mi-longs.

— Que comptez-vous faire de nous ? soupirai-je.

Il rit, comme à une bonne plaisanterie.

— Avez-vous trouvé le poignard ? demanda-t-il.

— C'est lui que vous voulez ?

— Je n'ai pas encore reçu d'instructions en ce sens. Pas plus que pour le glaive. Fascinantes pièces, n'est-ce pas ?

— Attendez, comment Hélios savait-il que le poignard avait été oublié dans cette bouillie ?

Notre chauffeur fronça les sourcils.

— « Bouillie » ? Le sarcophage est abîmé ?

— L'Alex a pris un bain forcé à l'acide.

— Curieux… Le poignard en a-t-il souffert ?

184

—À peine, fis-je, ne sachant sur quel pied danser.

—Nous sommes arrivés, *dottor* Lafet, dit-il en obliquant sur la grande avenue qui bordait le front de mer.

À cet endroit d'Alexandrie, une magnifique corniche s'étirait sur plus de vingt kilomètres. Pour un visiteur non averti, tout imprégné de l'ambiance des souks et la tête pleine de pyramides, c'était le choc. Ici, l'Égypte adoptait le visage de la modernité et de la technologie. Le front de mer était empreint d'une atmosphère tout européenne mais très XXIe siècle. Les plages et les constructions futuristes s'égrenaient au gré de la sinuosité de la corniche dans une débauche de bleus et de blancs parsemés d'espaces verts savamment étudiés. Le soleil levant nimbait le tout d'une lumière douce et pailletait la Méditerranée d'or et d'argent.

—C'est beau, n'est-ce pas ? fit notre conducteur en souriant à Hans, qui avait collé le nez contre la vitre, étonné par le panorama. Vous aurez une meilleure vue de la terrasse. (Il se gara devant la porte d'un building, d'où un gardien en livrée se précipita pour prendre les clés de la voiture.) Suivez-moi, dit-il en prenant le sac d'Amina, encore sous le choc.

—Ça va aller ? m'enquis-je en me penchant vers elle.

Elle hocha nerveusement la tête et je lui donnai le bras pour traverser un hall tout de miroirs et de dorures afin d'emprunter un immense ascenseur jusqu'au dernier étage.

—Où sommes-nous ? demandai-je.

—Dans l'une des résidences d'hiver d'Hélios. Vous pourrez vous laver, vous reposer et vous changer, si vous le souhaitez.

—Tout ce que nous souhaitons, c'est partir d'ici !

—Vous auriez tort. C'est très confortable.

L'ascenseur s'arrêta avec un petit « cling » musical et notre « hôte » ouvrit la seule porte qui se trouvait sur le palier, surveillé par deux caméras, en glissant une carte électronique dans la serrure.

—Après vous, je vous en prie, fit notre guide.

—Avez-vous au moins un nom ? lui demandai-je, le faisant sourire à nouveau.

—Hyacinthe, répondit-il.

L'appartement, immense, entièrement climatisé, occupait presque tout le dernier étage de la tour. Le décor, un mètre-étalon du design et de la modernité, était dépouillé, clair, et le mobilier, décliné en tons écrus, confortable mais dénué de tout ornement tapageur. Les lignes pures prédominaient. Je remarquai avec surprise qu'aucune allusion à l'antiquité n'était visible. Les quelques pièces de collection présentes étaient des statues de bronze modernes et les rares tableaux, un vibrant hommage contemporain au désert.

Hans s'assit avec précaution sur un épais canapé de cuir blanc et Amina prit place à ses côtés en regardant ce qui l'entourait d'un œil méfiant.

Hyacinthe, si c'était bien son nom, sortit plusieurs bouteilles du réfrigérateur du bar et les posa devant nous, sur une table que je reconnus comme d'un des chefs-d'œuvre des prestigieux ateliers de cristal de Baccarat.

—Thé glacé, cola et bière blonde, dit-il en remplissant les verres. C'est bien ça ? À moins que vous ne préfériez un café, si tôt le matin.

—Allons-nous poursuivre longtemps ce jeu stupide ? fis-je en prenant place dans l'un des deux fauteuils, notre hôte s'étant installé sur l'autre. J'exige des explications tout de suite.

Hyacinthe hocha la tête en suçotant une olive noire.

—En quelques mots, maintenant que votre mécène n'est plus, Hélios se...

—Pardon ? le coupai-je.

Il afficha une expression étonnée puis recouvra son sourire.

—C'est vrai. Vous l'ignorez encore. Tout comme cette petite sotte, qui se prenait pour un militaire. Remarquez que, là où elle est, cette information ne lui sera plus d'aucune utilité. John Jurgen est allé rejoindre ses nazis de grands-parents il y a peu. Paix à son âme de chacal. Personne ne le regrettera et surtout pas vous, j'imagine, conclut-il en avalant une gorgée de Martini.

—Vous l'avez expédié ? s'étrangla Hans.

Notre hôte éclata de rire.

—Vous avez une façon de dire ça !

—Est-ce lui ou Hélios qui a mis fin aux jours de Bertrand Lechausseur ? demandai-je, craignant la réponse.

Hyacinthe s'assombrit, comme si je l'avais vexé.

—Hélios ne s'en prend ni aux cadavres ni aux vieillards, *dottor* Lafet ! fit-il d'une voix sèche. C'est Jurgen qui a fait assassiner votre ami, pour récupérer ce qu'il estimait être son bien. Un bien que son grand-père s'était approprié dans mon pays, lors de la Seconde Guerre mondiale. Le glaive et le document que vous transportez faisaient partie d'un assortiment d'armes grecques volées par les nazis chez un collectionneur d'art antique italien.

—Et les plans de Bertrand ? intervint Amina, sortant de son mutisme.

Notre hôte disparut dans une pièce voisine et revint avec plusieurs documents, dont un épais dossier cartonné qu'il lui tendit.

—Les voici. Sans doute travaillait-il dessus lorsqu'il a été surpris car je doute qu'il les ait laissés traîner dans sa bibliothèque. Nous les avons récupérés chez Jurgen, il y a deux jours. Mais revenons-en à la raison de votre présence ici. Je vous disais que votre mécène n'étant plus, Hélios souhaiterait prendre la relève afin que vous puissiez poursuivre vos recherches.

Je bus une gorgée de bière, la bouche sèche, et secouai la tête.

— Mais elles sont achevées ! Nous avons trouvé le tombeau. La seule chose à faire est d'alerter les...

— *Dottor* Lafet, railla Hyacinthe. Morgan... Hélios se fiche d'Alexandre. Maintenant qu'il a le poignard, il veut l'armure. Vous n'êtes pas arrivés au terme de votre quête. Vous n'en êtes qu'au début.

Hans posa brutalement son verre de soda et se pencha vers lui.

— Minute, papillon ! Comment votre boss savait-il que le poignard avait été oublié ? Pourquoi a-t-il besoin de nous, s'il est si doué ?

— Brutal mais efficace, raillai-je en me tournant vers Hyacinthe. Alors ?

— Pour répondre à la première question, nous avons nos sources. Quant à la seconde, je dirais qu'Hélios a besoin de gens compétents et vous êtes un homme compétent, *signor* Lafet. Comme ce brave *dottor* Lechausseur l'était. Il vous sait capable de résister aux pressions pour retrouver l'armure.

— Vous savez que c'est impossible. Les gens qui ont profané le tombeau l'ont emportée, les dieux seuls savent où, après avoir réduit la momie en bouillie acide. Comment voulez-vous la retrouver ?

Hyacinthe secoua la tête, à la façon d'un professeur devant un mauvais élève.

— Vous lisez bien, Morgan, mais raisonnez de travers. Et dire que tous les indices sont sous votre nez... vous, un helléniste. Vous devriez rougir de honte.

— Je ne suis pas ici pour me faire insulter !

— Expliquez-vous, fit Amina.

— Reprenez le carnet du professeur Lechausseur, *dottoressa* Saebjam, murmura notre hôte. À la cent trente-deuxième page.

— Comment connais-tu le contenu du carnet, toi ? s'écria Hans.

— La porte forcée… réalisai-je. C'était vous.

Hyacinthe m'adressa un clin d'œil.

— Vous n'aviez pas posé un pied dans l'avion que le décryptage du journal était achevé. Nous savions dès lors que le tombeau se trouvait dans la mosquée. Il ne nous fallait plus que les plans… et vous aider à y pénétrer pour récupérer le poignard, bien entendu.

— Pourquoi ne pas l'avoir récupéré vous-même ?

— À chacun son métier, *dottor* Lafet. C'est vous, l'archéologue.

Amina avait extirpé la version imprimée du décryptage effectué par Hans et tournait frénétiquement les pages.

— Page cent trente-deux du journal, j'y suis.

— Relisez le passage concernant Caligula.

— « …Caius Julius Caesar l'avait fait tirer du tombeau du grand Alexandre, en Égypte. Il la fit réparer, l'agrémenta de l'un des poignards qui, selon lui, avaient transpercé le cœur du meurtrier de sa mère, et la porta à plusieurs reprises mais, la dernière fois qu'on la vit fut le jour où, à l'instar du roi des Mèdes, il ordonna la construction d'un pont de bateaux sur la baie de Naples. »

Le visage délicat de Hyacinthe se fendit d'un large sourire.

— Le poignard… Vous y êtes, à présent ?

— Vous insinuez que ce sont les hommes envoyés par Caligula qui auraient oublié le poignard en titane ? Pas les raclures qui ont pris l'Alex pour un méchoui ?

— Quel besoin aurait-il eu de remplacer le poignard manquant par une arme en métal ordinaire, dans le cas contraire ?

Je me levai et secouai la tête.

— Comment saviez-vous que l'armure originale comptait un poignard ?

—Hélios savait de quelles pièces exactes elle était constituée lors de sa fabrication, Morgan, rétorqua-t-il.

—Et par quel miracle ?

—Je l'ignore. Mais il pourrait vous en dessiner chaque élément un bandeau sur les yeux.

—Il l'a donc déjà eue dans les mains ?

—Il assure que non.

—« Caligula la fit réparer », intervint Amina, songeuse, le nez dans le texte. Morgan…

—Quoi ?

—La boucle ! s'écria Hans, saisissant immédiatement où elle voulait en venir.

Amina acquiesça.

—Quelle boucle ? demanda Hyacinthe.

—Nous avons retrouvé une boucle en titane, probablement celle du plastron, dans le sarcophage. Ceux qui ont pris l'armure ont dû arracher la sangle de cuir vermoulue. Cela dit, cet élément aurait aussi pu se détacher il y a trois ans.

—Impossible, assura Hyacinthe.

—Et pourquoi donc ? m'enquis-je.

—Parce que l'armure n'est jamais retournée à Alexandrie.

Amina tourna les pages et lut à haute voix :

—« Plus tard, lorsque l'on interrogea César sur le fait qu'on ne l'avait plus vu arborer l'armure du grand Alexandre, il répondit simplement qu'il l'avait rendue aux "gardiens du tombeau" pour qu'elle retrouve son propriétaire légitime » !

—C'est bien ce que je dis, *dottoressa* Saebjam, fit Hyacinthe avec un sourire en coin.

—Le glaive a été volé par l'esclave, c'est vrai, mais l'armure, elle, est retournée dans le tombeau. C'est écrit ici.

Notre hôte lui tendit un livre qu'il avait rapporté de la pièce voisine : le célèbre *Les Vies parallèles* de l'auteur grec Plutarque, sur lequel tous les étudiants avaient transpiré un jour ou l'autre.

— « Vie d'Alexandre ». Chapitre XV, alinéa 7.

Hans s'en saisit et s'éclaircit la gorge. Commençant à comprendre où Hyacinthe voulait en venir, je me frappai le front du plat la main, maudissant ma sottise. C'était si évident…

— « Tel était donc son élan et telles étaient ses intentions lorsqu'il passa l'Hellespont. Il monta à Ilion[IX], où il offrit un sacrifice à Athéna et des libations aux héros. Sur le tombeau d'Achille… » (Amina hoqueta, réalisant à cet instant que l'évidence lui avait échappé également.) Quoi ?

— Rien, intervint Hyacinthe, continuez.

Hans nous dévisagea à tour de rôle, mais nous lui fîmes signe de poursuivre.

— « Sur le tombeau d'Achille, après s'être frotté d'huile et avoir… » Il n'était pas très net, lui. « … avoir couru, nu, selon l'usage, avec ses compagnons, il déposa une couronne : "Heureux es-tu, s'écria-t-il, d'avoir eu, de ton vivant, un ami fidèle, et, après ta mort, un grand héraut pour te célébrer !" Comme il parcourait et visitait la cité, on lui demanda s'il voulait voir la lyre et l'armure de Pâris ; il répondit : "Ces deux-là ne m'intéressent guère mais j'accepterai volontiers celles d'Achille, témoins de sa gloire et de ses hauts faits[X] !" Les gardiens du temple, craignant que sa colère ne tombe sur Ilion s'ils refusaient, lui remirent donc les présents sacrés qu'Héphaïstos avait déposés jadis aux pieds de l'enfant de Thétis[XI]. » Alexandre a volé l'armure d'Achille ?

IX. Troie.

X. Plutarcus Minor, « εσκριυε κομο υυ χυλο περο εσκριυε », Livre LVII, 9.

XI. Mère d'Achille et épouse de Pelée.

—Les gardiens du temple, soupira Amina en levant les yeux au ciel. L'armure d'Achille… Mais comment n'y avons-nous pas pensé ?

Hans se raidit.

—Alors c'était ça, les gardiens du tombeau ?

—Oui, Hans. Caligula, en rendant l'armure à son propriétaire légitime, ne l'a pas rendu à Alexandre mais à Achille, bien sûr. Quel idiot ! me sermonnai-je.

—Mais alors… bredouilla Amina. S'il s'agit bien du glaive d'Achille, les datations sont exactes ! Entre trois mille et trois mille cinq cents ans. Morgan ! Entre mille et mille cinq cents ans avant Jésus-Christ…

—La date supposée de la guerre de Troie, acquiesçai-je en m'affalant sur le canapé comme si j'avais reçu un coup de marteau sur le crâne. Nom de Zeus !

La bouche de mon stagiaire prit de telles proportions qu'on aurait pu y bâtir une résidence secondaire pour la moitié des mouches alexandrines.

—Attends… tu es en train de dire que ce gus a existé ? J'ai besoin d'un truc à boire, là.

Hyacinthe rit de sa déconfiture et resservit à Hans un verre de cola, qu'il vida d'un trait.

—Bien des héros ou des personnages mythologiques sont inspirés d'hommes réels. Et c'était probablement le cas d'Achille. Quant au forgeron, ma foi, ce devait être un génie. C'est la raison pour laquelle nous devons retrouver cette armure, maintenant que nous avons récupéré le poignard et le glaive. La pièce la plus impressionnante en est, d'après Hélios, le légendaire bouclier.

Hans, toutes fatigue et anxiété enfuies, s'était levé et sautillait à travers la pièce, au grand amusement de notre hôte.

—Que veut faire Hélios de cette armure ? demandai-je de but en blanc.

Le sourire de Hyacinthe s'évanouit.

—Cela ne vous regarde pas. Et moi non plus.

—Je refuse, dis-je simplement.

—Morg ! s'écria Hans. Tu dérailles ! Rends-toi compte !

—Tais-toi, Hans ! le tança Amina d'une voix autoritaire que je ne lui avais jamais entendue. Tu ne sais pas de quoi tu parles.

Si c'était moi qui l'avais tancé de la sorte, il m'aurait insulté, mais, à ma grande surprise, mon assistant rougit et baissa la tête. Élevé par des hommes, il prenait sans doute conscience pour la première fois de sa vie de ce que l'« autorité maternelle » signifiait.

—Je ne retrouverai pas cette armure pour qu'elle soit dissimulée aux yeux de tous dans le coffre d'un collectionneur fortuné, martelai-je. Trouvez quelqu'un d'autre. Les chercheurs de trésors ne manquent pas.

Hyacinthe hocha la tête avec une moue et sortit son portefeuille de la poche de son pantalon.

—Hélios avait prévu votre réaction.

—Un chèque ne me fera pas changer d'avis, dis-je, pour faire bonne mesure.

—Je m'en doute. Mais il ne s'agit pas d'argent. Au cas où vous refuseriez, il m'a demandé de vous montrer... ceci, murmura-t-il en me tendant une photo.

Je la pris, méfiant, et, lorsque je vis qui elle représentait, je sentis mon sang se glacer et déserter mon visage.

—Mais... bredouilla Hans en regardant par-dessus mon épaule. C'est Etti.

—Où avez-vous eu cela ? grondai-je, prêt à sauter sur Hyacinthe. Quand l'avez-vous prise ? Depuis combien de temps me surveillez-vous ? Mon frère est mort depuis plus d'un an !

—Il y a un an, Hélios ignorait jusqu'à votre existence, *dottor* Lafet. Cette photo a été prise il y a cinq jours. Par votre serviteur, précisa-t-il avec une courbette.

— C'est impossible ! Mon frère est mort !

— Il est vivant, assura notre hôte en se levant pour marcher de long en large, l'air concentré. Et en sécurité. Personne ne lui a fait du mal ou ne lui en fera, vous avez la parole d'Hélios. Mais refusez de coopérer et vous ne le retrouverez jamais.

— Espèce de salopard ! m'emportai-je en bondissant de mon fauteuil. Tu vas me…

Je me figeai et Amina poussa un petit cri. Hyacinthe pointait un pistolet sur moi.

— Asseyez-vous, Morgan.

J'obtempérai, la surprise et l'inquiétude me nouant les tripes. Notre hôte remit le pistolet dans le holster qu'il portait sous sa veste.

— Mon frère a trouvé la mort lors des fouilles du canal de…

— Non. Il n'est pas mort. Regardez la date, sur le magazine qui se trouve à côté de lui. Et regardez son front. Avait-il cette cicatrice, la dernière fois que vous l'avez vu ? Portait-il les cheveux aussi longs ?

Je fixai la photo sans oser y croire. Etti s'était toujours fait couper les cheveux très court et, c'est vrai, il n'avait pas de cicatrice sur le front. Quant au magazine, posé parmi tant d'autres sur le lit où il dormait paisiblement, il indiquait bien le mois de juin de cette année.

— Il peut s'agir d'un trucage ! se récria Hans. Donnez-moi un bon logiciel de retouche photo et je vous en fais quinze à la douzaine !

— J'ai pris moi-même cette photo, je vous l'ai dit. Quant à cette cicatrice, elle est le résultat d'une blessure causée par l'une des pierres qui se sont effondrées sur lui, Morgan. (Je secouai la tête, nauséeux, écœuré par une perfidie aussi sordide.) Savez-vous seulement ce qui s'est passé, à Corinthe ?

— J'y étais !

— Alors vous n'ignorez pas, j'imagine, que c'est John Jurgen qui possédait les bijoux romains et «mystérieusement» volés que votre frère avait remontés ?

— Je l'ai deviné.

— Avez-vous aussi deviné que c'était Jurgen qui avait falsifié les relevés topographiques afin de remonter le trésor au plus vite, avant l'arrivée de l'équipe du musée ? Avez-vous deviné que c'était à cause de lui que votre frère a failli mourir dans le canal ? (Je sursautai.) Visiblement non. (Il se rassit et soupira.) Etti remontait avec les autres lorsqu'un bloc l'a percuté, lui faisant perdre connaissance. Les courants l'ont emporté. Ce sont des dockers qui l'ont récupéré un peu plus loin. Je ne sais rien de plus si ce n'est qu'il est resté dans le coma durant de longs mois, d'après ce que m'ont dit les médecins. Il en est sorti en janvier mais dans un triste état, je n'ai pas de raisons de vous le cacher.

— À supposer que ce que vous dites soit vrai, comment avez-vous appris tout cela ?

— En épluchant les comptes bancaires de Bertrand Lechausseur, nous avons découvert qu'il faisait chaque mois des virements réguliers. L'un à la *dottoressa* Saebjam ici présente, l'autre, beaucoup plus important, à la clinique où votre frère était soigné. Nous sommes ainsi remontés d'une part jusqu'à la *signorina*, qui poursuivait une partie du travail de recherche et de repérage pour le professeur, de l'autre jusqu'à Etti et les fouilles du canal. En tant que coordinateur de ces fouilles, c'est naturellement le *dottor* que les autorités maritimes ont prévenu lorsque Etti a été repêché.

Je sentis le sol se dérober sous mes pieds.

— Pourquoi ne m'en a-t-il rien dit ?

— Nous l'ignorons. Peut-être pensait-il préférable que vous croyiez votre frère mort plutôt que… dans cet état.

Mais, rassurez-vous, depuis la mort du *dottor* Lechausseur, les paiements continuent à être honorés et le seront jusqu'à ce que vous récupériez Etti. Si vous le souhaitez.

Amina s'était tassée sur le canapé et Hans paraissait effondré. Pour ma part, je serais incapable de décrire ce que je ressentais. Une partie de moi me criait que mon frère était mort et que tout cela n'était que mensonge et vile manipulation, mais l'autre bondissait et hurlait de joie à l'idée qu'il était peut-être réellement vivant.

— Est-ce que… chuchota Hans en me coulant un regard anxieux. Est-ce que vous voulez dire qu'Etti est devenu un légume ?

Je contractai les mâchoires si fort que j'entendis mes dents grincer.

— Je n'irais pas jusque-là, rétorqua calmement Hyacinthe. Il a retrouvé toutes ses facultés motrices, marche, mange normalement, manipule des objets aussi facilement que vous et moi mais paraît… absent. Il ne prononce que de rares mots incompréhensibles et reste des heures à fixer le vide. Les médecins pensent que, s'il était entouré par les siens, il pourrait peut-être se…

— Arrêtez cette comédie ! tonnai-je, les faisant tous bondir. Quelle pièce nous jouez-vous donc ? Celle du gentil flingueur et du frère ressuscité ? Vous êtes à vomir !

— Vous ne me croyez toujours pas, n'est-ce pas, Morgan ?

— Je crois que je vais prendre l'avion pour la France dans moins de cinq heures et essayer d'oublier ce que j'ai entendu. Je ne tomberai pas dans vos traquenards !

Il hocha la tête et se leva pour prendre le téléphone sans fil posé sur le bar.

— Si vous ne me croyez pas moi, peut-être croirez-vous quelqu'un qui est au-dessus de tout soupçon, dit-il en composant un long numéro, probablement un numéro international.

Hans et Amina fixaient le sol, ne sachant quoi dire.

—Quel lapin allez-vous encore sortir de votre chapeau ?

Il posa un doigt sur sa bouche pour me faire signe de me taire et brancha le haut-parleur.

—Allô ? fit une voix féminine.

—Madeleine ? Hyacinthe à l'appareil.

J'accusai le coup.

—Oh ! Comment allez-vous ? Avez-vous enfin rejoint Morgan et le jeune Hans ?

—Oui, nous sommes à Alexandrie et il fait un temps magnifique.

—Morgan a dû être bien content de vous revoir, après tant d'années. On perd trop souvent de vue ses amis d'université. Il va bien ?

Je serrai les poings jusqu'à me meurtrir les paumes avec mes ongles.

—Il va très bien et il a été très surpris de me voir. Vos délicieux gâteaux lui manquent, chère Madeleine.

—Salopard, articulai-je silencieusement.

—Dites-lui que je leur en ferai un plein panier à leur retour.

—Je n'y manquerai pas. Mais dites-moi… je vous appelle pour une sottise, en fait. Figurez-vous que je discutais avec Morgan et que je lui parlais de ce cher *dottor* Lechausseur en disant qu'il avait un neveu ou quelque chose comme ça. Il me dit que non, mais j'étais pourtant persuadé que vous m'aviez parlé de lui. Vous savez, ce garçon pour lequel il voulait vous engager comme infirmière, celui qui avait reçu un gros coup sur la tête et qu'il souhaitait faire quitter la clinique psychiatrique.

—Oui, c'est vrai. Mais ce n'était pas son neveu, Morgan a raison. C'était l'un de ses anciens élèves dont les plus proches parents étaient en Asie, pour ce que j'ai compris. Sans doute n'avaient-ils pas les moyens de payer les soins, les pauvres gens. Mais Bertrand est décédé peu avant sa sortie de l'hôpital et je n'ai aucune information à son sujet. Sans doute a-t-il été pris en charge par sa famille. Quelle tristesse, rendez-vous compte. Certains ne peuvent pas même s'offrir des soins indispensables et nous, nous gémissons pour un rien.

Hans pressait ses mains sur son visage et je voyais entre ses doigts ses yeux écarquillés. Pour ma part, j'étais paralysé.

—Oui, c'est très triste, mais je suis sûr que ce garçon va très bien. Quoi qu'il en soit, au temps pour moi, j'étais persuadé que c'était son neveu. Attendez, Morgan veut vous dire un mot, je vous le passe. Oui, moi également. Au revoir.

Il me tendit le combiné avec un sourire de carnassier et je le pris, les mains tremblantes et la gorge nouée.

—Bonjour Madeleine. Non, un peu fatigué, c'est tout. Oui, j'étais ravi de le revoir… Oui. Je comprends. C'est très triste, en effet. Vous ne savez pas dans quelle clinique il était, par hasard ? (Hyacinthe secoua la tête.) Oui, probablement. Oui, Hans s'amuse comme un petit fou… Je n'oublierai pas. Je vous embrasse aussi. À très bientôt.

Je raccrochai et tendis le téléphone à mon « ami d'université », qui émit un petit sifflement entre ses dents.

—Bien essayé, Morgan. Alors ? Vous me croyez, à présent ?

Je m'avachis dans l'un des fauteuils, me rappelant une autre conversation, dans la cuisine de Madeleine, peu avant notre départ.

« … À cinquante-cinq ans, plus personne ne voudrait de moi.

—Je suis persuadé du contraire.

—Comme Bertrand. Il m'avait même convaincue de reprendre du service. Un garçon de sa connaissance qui avait besoin d'une aide psychiatrique après un grave accident. Finalement, Bertrand nous a quittés et cela n'a pas pu se faire. »

Ma poitrine était si oppressée que je parvenais tout juste à respirer. Comment aurais-je pu faire le rapprochement avec mon frère ? Cela ne me serait même jamais venu à l'idée !

— Etti… gémis-je sans m'en rendre compte.

Amina me posa la main sur l'épaule dans un vain essai de réconfort.

— Retrouvez cette armure, Morgan, fit Hyacinthe d'une voix douce, et moi, je vous dirai où trouver votre frère.

— Et si je n'y parviens pas ?

Il haussa les épaules.

— Je vous le dirai tout de même. (Je me redressai et vissai mon regard au sien. Il semblait sincère.) À l'impossible nul n'est tenu, et Hélios n'est pas un monstre.

— Et si je refuse de vous aider ?

— J'ai dit qu'il n'était pas un monstre, pas qu'il était idiot. Faites de votre mieux et, armure ou non, vous retrouverez Etti. Vous avez sa parole.

— Qui nous dit que vous n'allez pas nous éliminer quand vous l'aurez dans les mains, votre saleté d'armure ? intervint Hans.

— On ne tue pas une poule aux œufs d'or pour en faire des pâtés. Cette armure n'est que l'une des pièces d'un puzzle qu'Hélios essaie de reconstituer. À l'instant où nous parlons, d'autres Morgan parcourent le monde à la recherche d'autres pièces pour le compte d'Hélios. Et ils n'ont jamais eu à le regretter.

— Qui est Hélios, exactement ? Un collectionneur ? Un fou d'antiques, comme Jurgen ?

— Non. Et pour vous dire la vérité, Morgan, je ne l'ai même jamais vu. Mais je sais que les pièces de musée, il les laisse aux musées.

— L'armure d'Achille est une pièce de musée !

—Non, Morgan. Cette armure lui appartient. Elle lui revient de droit, comme toutes les pièces du puzzle qui ont été éparpillées au fil des siècles.

—Pour lui appartenir, il faudrait qu'il s'appelle Achille !

Il se leva et me tourna le dos pour fuir mon regard.

—J'en ai déjà dit plus qu'il ne m'était permis. Acceptez-vous le marché, oui ou non ?

—Ai-je le choix ?

—On l'a toujours.

Amina me serra la main avec un sourire encourageant et Hans hocha la tête.

—Nous pouvons y arriver, Morg. On va trouver ce tas de ferraille et récupérer Etti ou je ne m'appelle plus Hans.

Je lui assenai un petit coup de poing amical sur le coin du menton.

—Je suis de la partie, murmura Amina.

—Vous n'êtes pas obligée de...

—J'en ai envie, me coupa-t-elle. Outre la curiosité qui me ronge, je crois que je commence à m'habituer agréablement aux « mademoiselle » et aux « après vous, je vous prie ».

Je me levai avec un sourire quelque peu confus, ne trouvant pas de mot adéquat pour leur exprimer ma reconnaissance, et tendis la main à Hyacinthe.

—Je suis d'accord.

Il claqua sa paume dans la mienne et me serra vigoureusement les doigts.

—Vous y arriverez, dit-il. Vous ne le regretterez pas, vous verrez. (Il désigna le couloir, sur sa gauche.) Les chambres sont par-là. Prenez un bain et reposez-vous. Vous trouverez des vêtements neufs dans les armoires. Choisissez.

—Il faut que j'annule les réservations d'avion, fis-je en me massant la nuque. Et que je prévienne mon père, il va s'inquiéter.

— J'ai annulé vos réservations hier soir.

— Prévoyant, à ce que je vois, raillai-je.

— C'est mon métier. Quant au téléphone, il y en a un dans chaque chambre. Ils ne sont pas sur écoute, ajouta-t-il avec un clin d'œil. Les portables ne fonctionnent pas, ici. Question de sécurité. Si vous avez besoin de quoi que ce soit, je suis dans la bibliothèque.

Hans bâilla et je l'imitai. Les émotions de la nuit et de la matinée m'avaient vidé. Mille pensées s'entrechoquaient dans ma tête, mais je les laissai se battre entre elles tandis que je me dirigeai d'un pas lourd vers l'une des chambres. J'étais trop épuisé pour essayer de les démêler.

*

Je me réveillai en sursaut vers 15 heures et il me fallut un moment pour me rappeler où j'étais et ce que je faisais là. Je me levai pour enfiler un short de toile écrue que j'avais trouvé dans l'immense armoire, sans me donner la peine de chercher un caleçon. J'avais toujours aimé porter mes vêtements à même la peau. Après un instant d'hésitation, je pris aussi un t-shirt, que je gardai à la main.

Hans et Amina dormaient encore, la porte de leur chambre grande ouverte, et je me dirigeai vers le grand salon. Hyacinthe sirotait un café, le regard perdu dans le magnifique panorama du front de mer, et je le rejoignis après avoir allumé une cigarette du paquet qu'il avait laissé, probablement à mon intention, sur la table.

— Vous êtes-vous bien reposé ? s'enquit-il aimablement.

Il avait troqué son élégant costume italien pour un jean et une chemise orientale blanche. Dessous, par l'un des pans ouverts que l'air de la mer entrebâillait, je remarquai son holster, qu'il portait à même la peau.

— Vous ne vous en séparez jamais ?

201

—Je me sens nu sans lui, plaisanta-t-il avec un sourire séducteur.

Je m'accoudai à la rambarde pour admirer la vue. L'air iodé était chaud et je sentais déjà la sueur perler sous mes cheveux. Je vis les yeux de Hyacinthe courir sur ma poitrine et mes cuisses nues et j'enfilai le t-shirt, le faisant à peine rougir.

—Avez-vous réussi à joindre votre père ?

—Oui.

—Lui avez-vous parlé d'Etti ?

Je lui lançai un regard meurtrier.

—Bien sûr que non !

Je retournai dans le salon climatisé pour m'asseoir sur le divan.

—Vous avez toujours un doute, n'est-ce pas ? demanda Hyacinthe, qui m'avait suivi. Alors pourquoi accepter la proposition d'Hélios ? (Je ne répondis pas et il fit la moue.) Quelques jours d'espoir valent mieux qu'une telle absence…

—Quel est le programme ? m'enquis-je, pour couper court.

—Je vous le ferai savoir lorsque vos amis seront réveillés. Vous avez faim ?

Je secouai la tête.

—Pas vraiment, non. (Je me tournai vers lui pour le regarder bien en face.) Depuis combien de temps me suivez-vous ?

—Depuis que nous avons appris que c'est vous que l'on avait chargé de l'inventaire des biens du *dottor* Lechausseur.

—Le *padre* Ilario ?

—Ce n'est pas moi.

—Qui, alors ?

—Nous l'ignorons.

—Jurgen ?

—C'est peu probable.

—Qui sont ceux qui nous ont attaqués, dans ce cas ? insistai-je, excédé par son apparente sérénité.

Il haussa les épaules

—Nous essayons de le découvrir.

—Qui, « nous » ?

—Nous. Moi, d'autres comme moi, Hélios et d'autres comme vous.

—Des énigmes ! m'emportai-je en écrasant rageusement ma cigarette. Encore, toujours des énigmes ! Quel rôle jouez-vous, dans tout cela ? Une sorte d'ange gardien prêt à tirer sur tout ce qui gêne ? Un espion d'Hélios ? Quoi ?

—Un peu de tout cela. Et un peu plus. (Je poussai un juron agacé.) Je ne suis pas votre ennemi, Morgan. Et Hélios non plus. Nous ne...

—Arrêtons là, voulez-vous, soupirai-je en me massant les tempes. Votre litanie du bon mafieux me tape sur les nerfs.

—Nous n'avons rien à voir avec la mafia. Nous... (Je lui jetai un regard lassé et il se tut pour allumer une cigarette.) Hélios engage des hommes comme vous pour retrouver... certains objets, dit-il en baissant la voix. Des objets bien particuliers. Et des gens comme moi pour les assister, les protéger ou servir d'intermédiaire.

—Alors il s'agit bien d'un collectionneur.

—Pas vraiment, je vous l'ai dit. (Il se leva pour faire quelques pas.) Il nous arrive souvent, au cours de nos recherches, de tomber sur des sites encore inconnus. S'il nous est possible de le faire discrètement, nous signalons toujours leur présence aux instances concernées pour que des fouilles soient entreprises et les lieux préservés. Nous ne prenons que ce que nous y sommes venus chercher, rien d'autre. Ce sont les ordres. Nous ne sommes pas des pilleurs.

—Et quel genre de « choses » cherchez-vous exactement ? (Il se mordilla la lèvre et détourna le regard.) Des curiosités ?

—En quelque sorte.

—Mais encore ?

—Vous savez l'essentiel, voire plus que je n'aurais dû en dire. (Il se resservit du café et m'en proposa, ce que j'acceptai.) Sucre ?

Il s'assit à mes côtés et vida sa tasse d'un trait. Malgré le contrôle que j'essayais de m'imposer, je ne pus m'empêcher de poser la question qui me brûlait la langue.

—Combien de temps êtes-vous resté avec mon frère, si tant est que vous l'ayez jamais vu ? demandai-je, devant pousser ces mots hors de ma gorge.

Un sourire rassurant étira les lèvres de Hyacinthe.

—Une bonne partie de l'après-midi. Il est très bien soigné. Nous nous sommes promenés dans le parc et je lui ai acheté des magazines et des journaux. Les infirmières m'ont dit qu'il adorait cela.

—Vous avez dit qu'il était aphasique, notai-je, méfiant.

—C'est vrai. Il ne les lit pas mais passe des heures à les feuilleter sans même paraître les voir. Les médecins ont du mal à interpréter ce comportement. Peut-être un trouble obsessionnel compulsif.

J'allumai une autre cigarette pour me donner une contenance.

—Expliquez-moi cela, fis-je sur un ton que j'espérais détaché.

Hyacinthe posa sa tasse sur la table basse et hocha la tête, incrédule.

—Il les prend les uns après les autres, tourne les pages à toute vitesse, en met certains de côté, sans raison apparente, et jette les autres sur le sol. Il y en a toute une pile dans sa chambre et, si les infirmières s'avisent de les jeter ou de les ranger, il fait preuve d'une grande nervosité, voire d'agressivité. Personne ne sait pourquoi il choisit certains magazines ou journaux et pas d'autres. Ils n'ont rien en commun.

Je sentis un sourire étirer mes lèvres et mon cœur se mit à battre à une vitesse affolante.

« Morgan ! Où sont les magazines que j'avais rangés dans la cave ?

—On ne pouvait même plus y rentrer.

—Tu ne les as pas jetés, quand même ?

—Etti... j'en retrouve même sous le lit ! Ne peux-tu arracher la page qui t'intéresse au lieu de garder toute cette paperasse ?

—C'est le meilleur moyen de les perdre !

—Alors mets-les dans un classeur, par tous les dieux.

—J'allais le faire, mais tu as tout jeté !

—C'est ce que tu dis chaque fois. »

L'émotion me prit à la gorge et j'éclatai d'un rire nerveux empreint de mélancolie mais aussi d'une joie trop intense pour être exprimée autrement. Nul ne pouvait savoir une chose pareille. Personne n'était au courant et Etti n'en parlait jamais, par peur des moqueries. Mon frère était vivant. Etti se trouvait quelque part, je ne savais pas encore où, mais il était vivant, Hyacinthe n'avait pas menti.

—Morgan, je vous jure que je vous dis la vérité, plaida ce dernier, se méprenant sur mon hilarité. Vous avez entendu Madeleine, vous avez vu la photo. Jamais nous ne vous ferions croire que...

—Des recettes de cuisine, fis-je entre deux éclats de rire hystériques.

—Pardon ?

Je pris une grande inspiration pour essayer de me calmer.

—Le point commun entre ces journaux et magazines, fis-je, le cœur gonflé à m'en faire mal. Ils contiennent une ou plusieurs recettes de cuisine. Mon frère avait... a la sale habitude, me repris-je, de conserver les recettes de cuisine.

Parler d'Etti au présent me fit l'effet de respirer à nouveau après avoir passé des mois sous l'eau. C'était comme si ce que nous avions vécu depuis quelques jours, les drames dont nous avions été témoins n'avaient jamais eu lieu. En cet instant, j'oubliai Bertrand, Jurgen, le *padre* Ilario, le mollah et les menaces qui nous guettaient. Etti était vivant et plus rien de comptait.

Hyacinthe ouvrit de grands yeux et pouffa.

—C'était donc ça... J'en ferai part à son médecin lorsque je le verrai, on ne sait jamais. Cela peut être bon signe.

—Il va donc si mal que ça ? murmurai-je, une partie de mon enthousiasme soudain soufflé.

—Il fait des progrès et en fera plus encore lorsqu'il sera auprès de vous, j'en suis persuadé. Je lui ai dit que vous alliez venir le chercher bientôt. Qu'il fallait être encore un peu patient.

—A-t-il compris ce que vous lui disiez ? Comment a-t-il réagi ?

Hyacinthe détourna le regard.

—Je ne sais même pas s'il m'a entendu, Morgan. Il s'est contenté de me fixer, avec ses grands yeux dorés. (Il sourit.) Etti a de très beaux yeux.

—Je sais. Quand comptez-vous le revoir ?

—Dans deux jours. Je vais veiller sur lui jusqu'à votre retour.

Je tiquai.

—Votre travail d'ange gardien est donc terminé ?

Il baissa les yeux, embarrassé.

—J'ai demandé à Hélios l'autorisation d'abandonner cette mission.

—Pour quelle raison ?

Il eut une moue ironique.

—Vous me tirez les vers du nez avec un peu trop de facilité, Morgan.

Cet aveu me décontenança et je jouai nerveusement avec mon briquet.

—Oh… Et comment a réagi Hélios ?

—Il m'a proposé de prendre des vacances dans sa villa de Mikonos, répondit Hyacinthe en grimaçant. L'humour n'est pas la moindre de ses qualités.

—Je croyais que vous ne l'aviez jamais vu.

—C'est vrai. Pour moi, il n'est qu'une voix au téléphone. Je crois que personne ne l'a jamais vu. Personne que je connaisse, du moins. (Il se leva et s'étira.) Vos amis ne vont pas tarder à nous rejoindre. Je vais demander que l'on nous apporte un repas copieux et, après cela, nous réglerons les derniers détails.

Il disparut dans une pièce voisine et j'allumai une ultime cigarette avant de manger, la tête remplie du sourire de mon frère.

—Bientôt, Etti, promis-je en fermant à demi les yeux. Très bientôt.

VIII

— Voici le nom et les coordonnées de l'homme que vous devez contacter, fit Hyacinthe en me tendant un dossier.

Il était 19 h 30 et, dans moins de trois heures, nous devions prendre un avion privé en direction de la ville de Çanakkale, en Turquie. Attablés autour du dîner, nous recevions les dernières instructions.

— Le professeur Edward Tool, lus-je sur la première page du dossier. Je n'ai jamais entendu parler de lui.

— Edward est le conservateur du musée archéologique de Çanakkale, précisa notre hôte. Il fut l'un des directeurs de fouilles du site d'Hisarlik, il y a dix ans.

— Le site supposé de la ville de Troie ?

— Oui. Il a abandonné le chantier après un accident qui lui a coûté ses deux jambes.

— Que lui est-il arrivé ? demanda Amina en reposant sa cuiller.

— Le site de Troie est une colline où sont superposées neuf cités antiques. Neuf couches archéologiques qui s'étendent sur plusieurs siècles. La mythique Ilion correspondrait aux couches VI et VII. C'est en fouillant la sixième qu'Edward a fait une chute de plusieurs mètres. Enfin, c'est ce qu'il dit.

Je repris quelques boulettes de viande grillée et me resservis du thé.

— Vous n'avez pas l'air convaincu.

— Pour choir de l'endroit qu'il nous a signalé et de la façon dont il le dit, il aurait fallu qu'il mesure cinquante centimètres de plus. Un homme de un mètre soixante-dix ne bascule pas par-dessus un muret de un mètre vingt sans y être aidé.

—Vous pensez qu'on l'a poussé ?

—Oui. Mais il refuse de l'admettre. Nous avons essayé de le contacter il y a trois ans, quand le *dottor* Lechausseur a commencé ses recherches. En vain. Il ne veut pas dire un mot sur ce qu'il a pu découvrir au cours de ses fouilles.

—Et… vous ne l'y avez pas forcé ?

—*Dottor* Lafet, la torture ne fait pas partie de mes attributions.

—Contrairement au chantage.

Il ne releva pas et remplit sa coupe de vin.

—La piste du tombeau d'Achille s'arrête devant sa porte. À vous de la poursuivre et d'en savoir plus.

Amina s'essuya délicatement les mains avec sa serviette et prit un fruit dans la corbeille.

—Pourquoi avoir attendu aussi longtemps pour continuer cette recherche ?

—Je vous l'ai dit, l'armure d'Achille n'est qu'une pièce du puzzle, pas une priorité. Hélios est un homme patient qui sait attendre le moment adéquat pour reprendre un travail en suspens.

—L'occasion fait le larron, persiflai-je.

—Parfaitement. Et cette occasion, c'est vous.

—Et si le professeur Tool refuse de nous dire ce qu'il sait, en supposant qu'il sache quelque chose ?

Hyacinthe leva sa coupe dans ma direction et en frôla le rebord des lèvres.

—Il parlera, assura-t-il. Pas pour vous ni parce qu'il craint Hélios, mais parce que je l'imagine difficilement rester insensible au sort de vos amis. Il ne laissera pas une femme et un adolescent risquer leur vie sans essayer au moins de les mettre en garde contre ce qui les attend. Et ces informations peuvent nous être très utiles, *dottor* Lafet.

—Vous êtes écœurant…

Notre hôte se contenta de sourire et me tendit une pochette en cuir.

—Vous y trouverez une carte de crédit et de l'argent liquide. Des questions ?

—Avec qui serons-nous en contact ? demandai-je.

—Personne. C'est nous qui vous contacterons si besoin.

—Et qui sera le nouvel « ange gardien », puisque vous vous désistez ?

—Considérez que vous n'en avez plus. Vous savez de quoi il retourne, vous avez accepté le marché et vous devrez donc vous débrouiller par vos propres moyens.

—Je vois. Et si nos poursuivants nous attaquent à nouveau ?

—Je n'ai pas dit que cette mission était sans danger. D'ailleurs, à ce propos… Au cas où ils réussiraient à vous mettre la main dessus, *dottor* Lafet, Hélios aimerait autant qu'ils ne puissent rien emporter. (Il tendit la main ouverte dans ma direction et je fis mine de ne pas comprendre.) Le glaive et le poignard qui sont dans votre sac, je vous prie. Ils seront plus en sécurité avec moi qu'avec vous.

Hans jura et Amina serra les dents, mais je m'exécutai, à contrecœur.

—Je me demandais quand vous comptiez me les réclamer, sifflai-je.

Il s'empara des précieux objets et sortit de la pièce, sans doute pour aller les ranger dans un coffre ou une cache quelconque. Je n'étais plus près de jouer du glaive contre des…

—Qu'est-ce que c'est que ça ? demandai-je en découvrant l'arme qui se cachait au fond de la pochette de cuir que je tenais dans les mains.

—Cent pour cent carbone, munitions comprises, fit Hyacinthe en me prenant le pistolet des mains pour retirer le cran de sécurité et le charger avec un bruit sec. Il fonctionne à l'air comprimé. (Il tira dans un épais coussin, nous faisant tous bondir.) Efficace jusqu'à cinquante mètres et il passe tous les détecteurs. Un vrai petit bijou de technologie. (Il me le tendit et je le pris avec une moue dégoûtée.)

*

Le jet privé de notre nouveau mécène nous déposa à Istanbul, d'où un taxi nous transporta à Çanakkale, à l'hôtel Troya, où les réservations nous attendaient. Chaque chambre portait le nom d'un héros de guerre mythique. La mienne – trait d'humour de Hyacinthe ? – s'appelait Patrocle, le fidèle compagnon d'Achille, celle d'Amina, Hélène et celle de Hans, Hector. Le Troya était un petit hôtel touristique sans prétention, sans doute choisi par souci de discrétion, et, après le luxueux voyage en jet, Hans ne cacha pas sa déconvenue.

—C'est pouilleux !

Les chambres n'étaient pas climatisées et les fenêtres donnaient sur une rue bruyante. Cela ne nous empêcha pas de nous endormir comme des souches après une douche fraîche et ce fut Amina qui nous réveilla le lendemain matin, aux alentours de 10 heures.

Nous prîmes un petit déjeuner européen à l'hôtel avant d'emprunter un bus qui nous conduisit au musée archéologique de la ville, en faisant un détour par les docks, où l'activité était à son comble, et le port, qui comptait quelques petits bateaux de plaisance.

—Des filles en minijupe ! s'écria Hans en désignant un groupe de jeunes femmes à la terrasse du café d'un hôtel. Ça faisait longtemps.

Amina éclata de rire et lui donna un petit coup de coude.

—Moins fort, Hans. Beaucoup de Turcs parlent français.

—Regarde, là-bas, murmura-t-il.

À travers la vitre du bus, il pointait du doigt un groupe de femmes dont les plus jeunes arboraient des vêtements d'été occidentaux et des cheveux courts tandis que les plus âgées étaient emmitouflées dans des voiles traditionnels.

—Çanakkale est une ville à la croisée des chemins depuis que le monde est monde, Hans, intervins-je, amusé de le voir ouvrir des grands yeux curieux sur tout ce qui l'entourait. Mais je croyais que tu étais déjà venu faire du trekking en Turquie.

—Ouais, mais pas ici, c'était sur le mont Ararat, à la frontière avec l'Iran et l'Arménie. C'est quoi, de l'autre côté ? demanda-t-il en me montrant l'autre rive du détroit.

—L'Europe, répondit Amina à ma place. Ici, tu es à la frontière de deux continents. Çanakkale monte la garde face au détroit des Dardanelles, autrefois appelé l'Hellespont, et s'étend sur ses rives. Nous sommes au trait d'union entre la mer Égée et la mer de Marmara, qui elle-même communique avec la mer Noire par le détroit du Bosphore, là-bas. Çanakkale est longtemps resté l'avant-poste privilégié de Constantinople et des ports de la mer Noire, d'où son rôle primordial au cours de la Première Guerre mondiale.

—Et Troie, c'est où, alors ?

— À une trentaine de kilomètres d'ici, près du village de Hisarlik, fis-je en désignant un point à l'horizon.

—Et au musée où nous nous rendons, précisa notre compagne, sont exposés les objets trouvés sur le site.

—Pas le cheval, j'imagine.

—Non, malheureusement. Pas le cheval.

Au bout de trois quarts d'heure de bus, nous arrivâmes enfin au musée, petit mais admirablement entretenu.

L'un des conservateurs nous informa, après un coup de fil qui dura un bon moment, que le professeur Tool était actuellement en pleine restauration mais qu'il viendrait nous chercher dans une petite heure, lorsqu'il aurait terminé. Nous nous étions présentés comme des universitaires français qui, de passage dans la région, souhaitaient le saluer. Le fait que je sois accompagné d'une femme et d'un tout jeune homme avait probablement rassuré le brave professeur qui, selon Hyacinthe, se méfiait de tout et de tout le monde depuis son « accident ».

Nous tuâmes donc le temps en visitant les galeries, ce qui n'eut rien de déplaisant au demeurant car certaines pièces étaient somptueuses et la climatisation fort agréable après la fournaise de la rue. J'eus également l'agréable surprise de voir Hans poser mille questions à Amina en auscultant les vitrines. Je n'irais pas jusqu'à dire que le virus de l'archéologie commençait à le gagner, il ne fallait rien exagérer, mais il faisait preuve d'une curiosité de bon augure. Il est vrai que peu d'étudiants avaient l'occasion de s'initier au métier comme il l'avait fait depuis quelques jours. Chasse au trésor, filatures, courses-poursuites, bagarres, chocs des civilisations : tous les ingrédients du film d'aventure étaient réunis. Les morts et le danger, il paraissait les avoir oubliés avec cette capacité qu'ont les adolescents d'enterrer au fond de leur mémoire les souvenirs désagréables pour ne vivre que le présent.

—Professeur Lafet ?

Nous pivotâmes pour voir arriver dans la salle où étaient exposés les bijoux antiques un homme d'une soixantaine d'années en fauteuil roulant. Poupin, la peau tannée, les cheveux et la barbe striés de gris, Edward Tool me fit irrésistiblement penser à un nain de jardin. Sa bonhomie et la douceur de sa voix inspiraient confiance de prime abord, mais, lorsqu'il vous regardait, ses petits yeux noirs avaient je ne sais quoi de prédateur. Un peu comme ces chats qui ronronnent sous les caresses et qui, sans prévenir, sortent soudain les griffes pour vous labourer le bras.

— Oui, fis-je en m'avançant pour lui tendre la main, qu'il serra avec franchise.

— Seriez-vous le fils d'Antoine Lafet, professeur ?

— En effet.

Son visage se fendit d'un sourire énigmatique.

— J'ai eu l'occasion de rencontrer votre père.

Rien, dans le ton de sa voix, ne laissait deviner si la rencontre avait été agréable ou non.

— Et voici le professeur Amina Saebjam et Hans Peter, mon assistant.

— Peter ? Pour assister ce jeune homme, vous devez être de la famille de Ludwig, je me trompe ?

— C'est mon grand-père, fit Hans, mal à l'aise.

— Je le savais ! Lui et Antoine s'entendent comme larrons en foire.

Comme précédemment, je n'arrivais pas à savoir s'il s'agissait d'une remarque désobligeante ou d'une simple constatation amusée.

— Ils se connaissent depuis longtemps, fis-je prudemment.

— Êtes-vous venus dans la région en vacances ou en voyage d'études ?

Le moment de vérité était arrivé et j'allumai une cigarette tandis que Hans se raidissait sur sa chaise.

— Nous sommes venus tout exprès pour vous, professeur. (Il se rengorgea.) En fait, nous sommes ici « en mission ».

— Ah ? De nouvelles fouilles ? Ma foi, je suis très occupé en ce moment, mais, si le projet est intéressant, c'est avec plaisir que j'en prendrai la direction.

Amina détourna le regard, atterrée par tant de suffisance.

—Il ne s'agit pas de fouilles, professeur. Disons que j'offre mes services à un particulier fortuné.

—Un collectionneur ?

—On peut le qualifier ainsi.

—Et vous avez besoin d'un expert pour authentifier les acquisitions, dit-il avec un sourire ironique. C'est une chose de gratter la terre et d'écrire des articles, mon garçon, mais, lorsqu'il s'agit de mettre une date et un style sur une antiquité, cela se corse, n'est-ce pas ? (Il agita négligemment la main.) Je vous taquine ! Cela viendra avec le temps, vous verrez. Regardez-moi faire et vous apprendrez déjà le b…

—Le tombeau d'Achille, le coupai-je en me penchant vers lui.

La réaction fut immédiate mais moins spectaculaire que je n'aurais pu m'y attendre. Ses doigts se crispèrent sur les accoudoirs de son fauteuil et un frisson le secoua.

Après un silence qui me parut durer une éternité, il croassa d'une voix tout juste audible :

—Vous êtes fou. Abandonnez. Vous ne savez pas à quoi vous vous exposez, à quoi vous *les* exposez, ajouta-t-il en désignant Hans et Amina.

—Je n'ai pas le choix, professeur. Je dois retrouver le tombeau d'Achille par tous les moy…

—Taisez-vous ! s'écria-t-il, gagné par la panique.

Il rentra la tête dans les épaules et la tourna en tous sens, comme s'il s'attendait à voir une horde de démons sortir des murs et se jeter sur lui.

—Professeur, je sais que vous avez mené les recherches sur le site de Troie où Achi…

—Ne prononcez pas ce nom ici, fou que vous êtes ! (Il paraissait sur le point de céder à l'hystérie.) Qui sait s'ils ne nous écoutent pas en ce moment même ! S'ils n'ont pas truffé cette pièce de micros ! Ils sont capables de tout…

— Qui ? demanda Amina. De qui parlez-vous ? Qui sont ces hommes ?

Il fit reculer son fauteuil jusqu'au mur de la bibliothèque.

— Partez ! Partez et abandonnez ce projet fou ! Vous ne savez pas de quoi ils sont capables ! Partez !

— Professeur Tool, je…

— Partez ! Partez ou j'appelle la sécurité !

— La vie de mon frère est en jeu ! Vous devez nous dire ce que vous savez !

Tool roula jusqu'à son bureau et décrocha le téléphone, mais ses mains tremblaient si fort que le combiné lui échappa. Je voulus me précipiter pour le secouer, mais Amina m'en empêcha.

— Morgan ! Non ! C'est inutile, il est terrifié.

— Professeur, suppliai-je.

Tool composait déjà un numéro. Je bondis et abattis ma main sur le téléphone afin de couper la communication et il poussa un cri étranglé. Devant son visage décomposé, je craignis un instant qu'il ne succombât à une attaque.

— C'est inutile, crachai-je. Nous partons. Mais je reviendrai. Jour après jour je vous harcèlerai et tôt ou tard les hommes que vous craignez tant se douteront de quelque chose. C'est ce que vous voulez ? (Il secoua la tête, mortifié.) Alors aidez-moi ! Dites-moi ce que vous savez !

— Ne faites pas ça… pleurnicha-t-il.

— Parlez ! La vie d'un homme est entre vos mains !

— Vous ne comprenez pas…

— Très bien, grondai-je. À partir d'aujourd'hui, attendez-vous à me voir collé à vos roues comme un chien après le gibier !

Je lui tournai le dos, suivi de mes compagnons désemparés. Je quittai le musée furieux.

— Morgan ! me tança Amina. Tu n'avais pas besoin de le traiter ainsi !

—Nous avons besoin des informations qu'il détient !

—Cet homme est un vieillard en fauteuil roulant !

—Cet homme est un vieillard égoïste et borné, prêt à sacrifier un jeune homme dans la force de l'âge retenu en otage pour vivre encore quelques années sa vie de mensonges ! Voilà ce qu'il est !

Je hélai le premier taxi qui se présenta et nous y prîmes place en silence. Tool parlerait. Il était prêt à tout pour sauver sa misérable peau et, dussé-je lui mettre un pistolet sur la tempe, il lâcherait le morceau.

*

Après un lugubre déjeuner sur le pouce, nous retournâmes à l'hôtel pour la sieste. La température frôlait les trente-six degrés et, bien qu'en bord de mer, nous n'en étions pas moins amorphes. De plus, en dehors d'attendre et de relancer Tool, je ne voyais pas ce que nous pouvions faire pour le moment.

Je m'allongeai nu sur mon lit, essayant vainement de profiter du souffle d'air qui pénétrait par ma fenêtre grande ouverte. Je me tournai et retournai pendant une bonne demi-heure, essayant vainement de trouver le sommeil malgré les coups de klaxon tonitruants. Je me levai donc pour refermer la fenêtre et tirer les rideaux puis me laissai tomber sur le lit en soupirant. Les pales du ventilateur fixé au plafond émettaient en tournant un petit bruit – « frrt frrt » – qui m'en rappela un autre entendu, quatre ans plus tôt, dans un hôtel de Delhi.

*

Il faisait bien plus chaud qu'à Çanakkale et les fenêtres étaient également closes, pour ne pas laisser entrer la brume

dense que la pollution faisait planer sur la ville en permanence. La moiteur n'empêchait pas Etti de dormir profondément. En fermant les yeux, je pouvais encore sentir le
parfum de sa peau châtaigne. Lorsque nous sommes revenus en France, encore adolescents, je m'étais souvent battu
avec de sales gosses qui se pinçaient le nez sur son passage,
disant qu'il sentait mauvais. Moi, j'adorais ce mélange
exotique d'épices, de cèdre et de musc. Ce matin-là à
Delhi, le bruit d'une benne à ordures le fit tressaillir. Ses
yeux dorés s'écarquillèrent et il se mit à trembler de tous
ses membres.

« Etti ? Qu'y a-t-il ? Tu ne te sens pas bien ?

— J'aurais dû t'écouter, avait-il murmuré d'une voix
vibrante, la gorge serrée. Nous n'aurions pas dû venir de ce
côté de la ville… »

Il avait tenu à revoir l'un des quartiers où il avait passé
une partie de son enfance. À une demi-heure de marche de
l'hôtel, des artisans tanneurs travaillaient des centaines de
milliers de peaux de bêtes. Il régnait là-bas une odeur pestilentielle, celle de l'urine utilisée pour le traitement du
cuir, que les *dalits* acheminaient dans des seaux ou des
bidons. Un travail qu'Etti avait fait durant plusieurs mois
avec l'un de ses oncles pour quelques roupies.

Le grincement métallique s'amplifia et mon frère se
blottit contre moi.

« Etti, ce n'est qu'une benne à ordures, chuchotai-je en
lui caressant les cheveux, comme je l'aurais fait avec un
petit garçon effrayé.

— Non… gémit-il. Si tu ne te réveilles pas à temps, ils
te piquent et la blessure s'infecte. Il ne faut pas dormir
trop longtemps, jamais… »

Je le pris par les épaules et essayai de lui relever le menton, mais il serrait farouchement les paupières et secouait
la tête, comme pour chasser un mauvais rêve. Je me

demandai même un instant s'il ne dormait pas encore et ne souffrait pas d'une sorte de somnambulisme.

« Qu'est-ce que tu racontes ? Etti, réveille-toi. (Il ouvrit grand les yeux, humides de larmes.) Etti…

— Ce n'est pas une benne à ordures, Morgan. C'est… c'est le mangeur de viande, finit-il d'une voix inaudible.

— Quoi ? (Je me retins de pouffer.) Etti… le croque-mitaine n'existe pas. Même en Inde. »

Je me levai et me dirigeai vers la fenêtre.

« Morgan ! Non !

— Ça suffit, Etti, ne sois pas ridicule ! (Je tirai les rideaux et ouvris grand les battants.) Regarde ! Ce n'est qu'une… »

Les mots moururent sur mes lèvres. Oui, il s'agissait bien d'une sorte de benne à ordures. Un petit camion à remorque d'un autre âge, en fait, et les immondices que ces curieux employés de la voirie ramassaient n'étaient ni des sacs en plastique remplis de déchets, ni le contenu des poubelles, mais des cadavres humains.

« Morgan ! Ferme la fenêtre », supplia Etti en se couvrant la bouche et le nez avec un pan de la couverture.

J'en étais incapable, tétanisé, la main sur le battant. Dans les quartiers pauvres de Delhi, des milliers de gens dormaient dans la rue, en majorité des mendiants et des *dalits*. J'avais déjà vu des horreurs en Inde, mon père ne m'avait rien épargné, mais jamais il ne m'avait montré une chose pareille et je comprenais aisément pourquoi. Les deux hommes qui conduisaient le petit camion à tour de rôle étaient armés de longs bâtons à l'extrémité desquels étaient fixées des tiges de métal. Ils s'en servaient pour piquer sans douceur les corps des malheureux qui gisaient dans la rue. Si ces derniers ne bougeaient pas, ils les considéraient comme morts et jetaient leurs cadavres en vrac dans la remorque.

« Grands Dieux… », gémis-je.

L'odeur me saisit soudain à la gorge et j'eus un haut-le-cœur.

« Morgan ! Ferme cette fenêtre ! »

J'obéis, l'estomac au bord des lèvres et tirai le rideau. Etti était recroquevillé sur le lit et je me précipitai pour le serrer contre moi. Jamais je n'avais vu mon frère pleurer ainsi. L'espace d'un instant, ses peurs enfantines étaient remontées à la surface, ces innombrables nuits passées à même le sol dans la rue, luttant contre le sommeil pour ne pas se réveiller avec une tige de métal plantée dans la cuisse ou, pire, enseveli sous un monceau de cadavres.

« Morgan…

— C'est fini, Etti… C'est fini…

— Morgan ? »

Je comprenais sa peur, je la ressentais, à présent. On vous secoue mais vous avez tellement sommeil…

— Morgan.

Vous voudriez ouvrir les yeux, mais c'est impossible. Et ils sont là, avec leurs piques, et…

— MORGAN !

— Je ne dors pas ! m'écriai-je en me redressant, le cœur battant.

— Ça se voit !

La silhouette d'Amina se dessina devant moi et je me frottai le visage, nauséeux.

— Je… je me suis endormi, excusez-moi.

— C'est pour vous, chuchota-t-elle en me tendant mon téléphone portable. Comme vous ne répondiez pas, je suis venue décrocher.

Dans un état second, encore dans les brumes de mon cauchemar, je pressai le petit appareil contre mon oreille et Amina s'assit sur mon lit. Elle ne portait qu'un long t-shirt et était nu-pieds.

—Allô?

—Je vous tire de votre sieste, pardonnez-moi.

La même voix qu'en Italie, à la terrasse du Di Rienzo.

—Hélios? fis-je, la gorge serrée. C'est vous, n'est-ce pas?

Amina pâlit.

—Avez-vous pu voir votre contact?

Je secouai la tête pour me remettre les idées en place et la colère monta en moi.

—Vous savez bien que oui!

—Et?

J'aurais juré que son timbre était teinté d'amusement, ce qui fit monter mon irritation d'un cran.

—Edward Tool est un clown!

Un rire velouté résonna dans l'écouteur.

—Ce «clown», comme vous le dites si justement, a eu la chance de se trouver au bon endroit au bon moment. Le hasard a guidé ses pas avec un bonheur indécent. Aux innocents les mains pleines, paraît-il.

—Vous voulez dire qu'il a découvert le tombeau d'Achille par hasard?

—Il a déterré un temple, dans lequel se nichait un tombeau, si vous me permettez cette sommaire mise au point. Il ignorait qu'il s'agissait de celui d'Achille.

—Si le tombeau a été retrouvé, je ne vois pas ce que je…

—Il était vide, me coupa Hélios. Et de longue date. Puis il y a eu cet… «accident». Je pense que le professeur Tool sait de quoi il retourne. Comment a-t-il réagi à votre visite?

—Mal. Je l'ai menacé et l'ai laissé au bord de la crise d'hystérie.

Nouveau rire.

—Si ce n'est qu'«au bord», tout va pour le mieux. Hyacinthe l'aurait sans doute achevé.

—Où est-il ?

—Hyacinthe ? Il vous manque déjà ? Voilà qui devrait le ravir.

—Il m'a assuré qu'il irait voir mon frère, fis-je, essayant de garder mon calme.

—Vraiment ? Voulez-vous lui dire deux mots ?

—Je n'ai rien à lui dire.

—Je parlais d'Etti…

J'eus l'impression de recevoir une douche glacée et ma gorge s'asséch a.

—À quel jeu sordide jouez-vous ?

J'entendis un grésillement, comme si Hélios posait le téléphone près de lui, et je dus tendre l'oreille pour percevoir sa voix, soudain lointaine.

« … ti, c'est… rgan. Tu veux lui… ire… jour ? Tu… eux le télépho… ? »

Nouveau grésillement, puis le bruit de doigts sur le mobile, et une voix.

—Mor… gan ?

L'émotion me prit à la gorge et je craignis un instant de ne plus pouvoir prononcer un mot en reconnaissant les inflexions d'une voix que je pensais ne jamais plus entendre.

—Etti ? bredouillai-je. Etti, tu m'entends ? C'est Morgan !

—Morgan… Morgan…

—Oui, Etti, c'est moi. Tu vas bien ? (Silence.) Etti ! Réponds-moi ! Tu vas bien ?

—Mor… gan.

Il répéta mon nom à plusieurs reprises d'une voix sourde, comme s'il récitait un *mantra*, et mon cœur se serra.

—Etti… je vais venir te chercher. Bientôt. Très bientôt. Etti ? Tu es là ? (J'entendis un petit chuintement qui ressemblait à un rire.) Etti… Tu me crois, n'est-ce pas ? Je vais venir et nous irons à la maison, comme avant. Etti ? Nous ir…

—Oui.

—Oui ? Tu comprends ce que je dis ?

—Oui.

Un sourire involontaire étira mes lèvres.

—Etti… Tu me manques tellement… je ne…

—Oui.

Mon sourire s'effaça.

—Oui, quoi ?

—Oui.

—Tu ne comprends pas un mot de ce que je suis en train de te dire, n'est-ce pas ?

—Morgan… Morgan…

—Oui, Etti, c'est moi, c'est Morgan, murmurai-je, sinistre. Ton frère, ajoutai-je, l'estomac noué.

Il répéta mon nom à plusieurs reprises et Hélios reprit le téléphone.

—Ne soyez pas effrayé, Morgan, les médecins l'abrutissent de médicaments pour qu'il se tienne tranquille. Il sait très bien qui vous êtes.

Je me levai pour tourner en rond dans la chambre. Si je n'avais pas réussi à garder un minimum de réserve, je crois que je me serais arraché les cheveux.

—Vous êtes la pire ordure que j'aie jamais vue !

—Il vous attend, Morgan.

J'allais répliquer vertement, mais il raccrocha et, si Amina n'avait pas retenu mon bras, j'aurais jeté le téléphone à travers la pièce.

—Tu lui as parlé ? C'était vraiment lui ?

Je remarquai qu'elle me tutoyait pour la première fois.

—C'était sa voix en tout cas. (Je me laissai tomber sur le lit et m'aperçus que j'étais nu.) Désolé, fis-je en tirant un pan du drap sur mon ventre.

—Cela ne me choque pas, dit-elle avec malice. Qu'a-t-il dit ? (Je haussai les épaules, désappointé.) Je vois. Je suis

sûre que dès que vous serez à ses côtés son état s'amé-
liorera, vous verrez.

— On se vouvoie de nouveau ?

Elle sourit et s'étira.

— Hélios était bien avec lui, alors ?

— Selon toute vraisemblance. Si seulement je savais
où...

— Tool nous dira ce qu'il sait, Morgan, assura-t-elle.
Même si je dois pour cela lui arracher les cheveux un à un
avec une pince à épiler.

Je forçai un rire à sortir de ma gorge.

— Voilà une forme de torture dont j'ignorais l'existence.

— Si tu devais t'épiler les sourcils, tu en saisirais immédiatement la cruauté. Je vais réveiller Hans, fit-elle en se
levant. Il est temps d'aller rendre une petite visite à domicile à ce cher « professeur ».

Mais elle n'eut pas besoin d'aller tirer du sommeil notre
jeune assistant. Au moment où elle posait la main sur la
poignée de la porte, celui-ci pénétra dans la chambre, déjà
habillé et les cheveux encore humides de la douche qu'il
venait de pendre.

— Morgan ! Je... Ouh... gouailla-t-il en s'apercevant
que j'étais entièrement nu et Amina guère plus habillée. Je
dérange, peut-être ?

Celle-ci le saisit par le col de son t-shirt et le tira dans la
chambre avant de refermer la porte.

— Non, Hans, et à la prochaine allusion de ce genre,
ajouta-t-elle en lui adressant un sourire menaçant, je
t'écorche vif.

Il agita les mains, amusé par sa réaction.

— *Keep cool* ! J'étais juste venu dire à Morg qu'un gosse
avait laissé ça à la réception, pour lui.

Il me tendit une grande enveloppe en kraft.

— Un gosse ?

— Oui, un petit gamin de huit ou neuf ans, pour ce que m'en a dit la réceptionniste.

« À l'attention du professeur Lafet », lus-je sur l'enveloppe. Elle était cachetée par un sceau de cire bleue où l'on distinguait deux initiales emberlificotées : « E.T. ».

— Après de mystérieux poursuivants, des extraterrestres ? essaya de plaisanter Amina.

Je décachetai l'enveloppe et en sortis une lettre manuscrite.

— Presque. Edward Tool.

— Qu'est-ce qu'il dit ? me pressa Hans en s'asseyant sur le lit.

Je lus à haute voix.

Cher jeune confrère,

Je viens de les voir de ma fenêtre, et je sais mes heures comptées. Sans doute sont-ils déjà à votre recherche. Sachez que ceux qui m'ont pris mes jambes n'hésiteront à vous éliminer tous les trois.

Si malgré mes mises en garde vous décidez, ce que je crains, de poursuivre vos recherches, sachez qu'Achille a ses gardiens et que ce sont eux que vous devez redouter. Si, il y a des siècles de cela, ces hommes étaient des prêtres inoffensifs, ce sont aujourd'hui des fous dangereux, des fanatiques. Je ne sais pas grand-chose à leur sujet mais il est un homme qui pourrait vous en dire plus. Son nom est Costas Sikelianos, un ermite orthodoxe qui, avant d'embrasser la religion, était l'un des plus grands spécialistes d'Alexandre le Grand.

— Sikelianos ? me coupa Amina. Je pensais qu'il était mort.

J'acquiesçai. Le professeur Sikelianos était une sommité dans le milieu et ses ouvrages faisaient toujours référence. Une dizaine d'années plus tôt, il avait cessé ses conférences et ses parutions. Nous le croyions tous à la retraite et, en effet, peut-être décédé à l'heure qu'il était.

Je repris ma lecture.

La dernière lettre que j'ai reçue de lui a été postée il y a six mois de la ville de Larnaca, à Chypre. Il m'y assure de ses prières pour ma santé mais ne me donne pas plus de détails.

Voilà tout ce que je puis faire. Vous ne trouverez rien de plus ici.

Le fils du concierge est devant moi. Je vous l'envoie avec cette lettre.

Que Dieu veille sur vous et vos compagnons.

Edward Tool

Je remis la lettre dans l'enveloppe et la glissai dans mon sac avant d'enfiler des vêtements propres.

—Il faut aller chez lui ! Il nous faut plus de précisions sur ces fous !

La gorge serrée, je pris le pistolet que m'avait donné Hyacinthe, le chargeai et le glissai dans ma ceinture, sous mon t-shirt.

—Tool ne sait rien de plus ! s'écria Amina.

—Peut-être quelque chose lui a-t-il échappé. Un détail, pour lui sans importance mais primordial pour nous. (Elle voulut protester, mais je lui mis la main sur la bouche.) Il faut faire nos bagages. Vous deux, filez à l'aéroport d'Istanbul. Je veux que vous réserviez des billets sur le premier avion en partance pour Larnaca. Je vous rejoins à Istanbul ; si je vous rate, je prendrai le vol suivant pour Chypre.

—Je vais avec toi ! intervint Hans.

—Tu restes avec Amina ! tonnai-je. Nous ne pouvons pas la laisser seule, soufflai-je à son oreille en le prenant par les épaules. Tu dois la protéger, ajoutai-je sur le ton de la confidence. Elle a besoin d'un homme à ses côtés.

Mon assistant finit par acquiescer, solennel. Le coup du chevalier courtois avait beau être éculé, il marchait toujours sur les adolescents.

— D'accord. Mais nous ne partirons pas sans toi.

— Dépêchons-nous !

Nous remballâmes nos affaires en moins de cinq minutes et descendîmes dans le hall pour payer la note et faire appeler deux taxis. Le premier, une Mercedes blanche qui n'était plus de première jeunesse, se présenta presque immédiatement.

— *Taxi for*… Euh… Miss Saebjam ! cria le chauffeur au concierge depuis la rue après avoir consulté son bloc-notes.

— Viens avec nous, Morgan, supplia Amina.

— Filez, ordonnai-je.

Amina et Hans s'engouffrèrent dans le premier taxi avec nos sacs de voyage et le second, une Ford gris métallisé, se présenta quelques minutes plus tard.

— Vous êtes monsieur Lafet ? demanda le chauffeur en un anglais impeccable.

— Oui. Merci d'être arrivé aussi vite.

— Où allons-nous ? (Je lui donnai l'adresse du domicile de Tool, qui figurait dans le dossier remis par Hyacinthe.) Ça circule mal, là-bas, ce soir, fit-il avec une moue.

— Ah oui ?

— Beaucoup d'embouteillages.

— Faites au mieux.

Il me proposa une cigarette turque, que j'acceptai, et je répondis à ses banalités par d'autres platitudes. J'étais nerveux et ne cessais de tâter la crosse du petit pistolet, sous mon ample t-shirt.

— C'est bien, l'archéologie. Mon fils, lui, il étudie l'anglais. Il veut être professeur. Ça y est ! ronchonna-t-il. Tenez, regardez ! Ça commence même ici. (Il jura en turc et essaya de faire demi-tour dans un concert de klaxons.) Mais qu'est-ce qui se passe, ce soir ?

Il dut se ranger sur le côté pour laisser passer une ambulance, et un mauvais pressentiment m'assaillit.

— Un accident ? demandai-je.

— Possible. Les gens conduisent comme des fous !

« C'est l'hôpital qui se moque de la charité », pensai-je en le voyant faire une queue de poisson à une camionnette.

— Attention !

— N'ayez pas peur, monsieur, railla-t-il, j'ai l'habitude. On va prendre par la rue de…

Il jura de nouveau et freina brutalement. La rue était barrée. Un pompier s'approcha du véhicule et je le vis échanger quelques mots avec le chauffeur, qui blêmit. Les sirènes des ambulances, les cris beuglés par les services d'ordre et les klaxons étaient assourdissants.

— Qu'y a-t-il ? m'enquis-je en élevant la voix pour me faire entendre.

Le taxi échangea encore quelques mots avec le pompier et me pointa du pouce. Mon cœur fit un bond lorsque l'inconnu me fit signe de baisser ma vitre.

— Oui ? fis-je d'une voix étranglée.

— À quel numéro vouliez-vous aller, monsieur ? demanda-t-il en un anglais hésitant.

J'essayai de discerner dans son regard le moindre signe de méfiance, mais je n'y vis que gêne et commisération.

— Au 47, répondis-je.

— Avez-vous de la famille à cet endroit, monsieur ?

— Non, je… je suis archéologue, je venais dire au revoir à un confrère avant de partir. Il est… il est le conservateur du musée archéologique. Que se passe-t-il ?

Mais avant qu'il ne me réponde, je devinai la raison de son malaise. Une odeur de fumée s'engouffra par les vitres ouvertes et me prit à la gorge.

—Une explosion, monsieur. Sans doute du gaz. (Il sortit de sa poche des feuilles de papier sur lesquelles figurait une liste de noms.) Comment s'appelait votre ami, monsieur ?

—Tool. Edward Tool.

Le regard du pompier courut sur la liste et il secoua tristement la tête.

—Je suis désolé, monsieur. Il ne fait pas partie des rescapés.

—Grands dieux... murmurai-je en m'avachissant sur la banquette.

—Ça va aller, monsieur ?

Je hochai la tête, abasourdi.

—Je... oui, je... Ça va, merci.

—Pardonnez-moi, monsieur, mais il ne faut pas rester ici. Les ambulances doivent...

—Je comprends. Nous allons partir. Y a-t-il eu beaucoup de victimes ?

—Nous ne savons pas encore exactement, monsieur. Vingt. Peut-être plus. Les trois premiers étages de l'immeuble se sont effondrés et il y a eu la fumée, aussi, et le feu.

—Je comprends. Nous allons dégager la rue. Merci de votre amabilité.

—À votre service, monsieur.

Il nous adressa un salut militaire et le chauffeur mit le moteur en route.

—Vous tenez le coup, monsieur ?

—Oui, merci.

Nous quittâmes le chaos des embouteillages et je pressai mon front contre la vitre, hébété.

—Je vous ramène à votre hôtel ?

Je tressaillis.

—Hein ? Non. Non, mes amis m'attendent à l'aéroport. Pouvez-vous m'y conduire ?

—Istanbul ?

—Oui.

—On y va ! (Il tourna brutalement à un carrefour.) Vous n'avez pas de bagages ?

—Ils les ont pris avec eux.

—Juste votre sac à dos ?

—Oui, soupirai-je, lassé par ses questions.

—Vous n'avez rien de métallique dedans au moins ?

Je tiquai et mon cœur se mit à battre la chamade. Nos prétendus « gardiens de tombeaux » ignoraient que je n'étais plus en possession du glaive.

—Pourquoi ?

—Parce que à Istanbul, dès que vous faites sonner un détecteur à cause d'un bouton, ils se précipitent tous comme si vous aviez commis un meurtre, essaya-t-il de plaisanter. Je dis ça au cas où vous transporteriez des objets archéologiques, des outils de fouille ou des choses comme ça.

—Je ne transporte rien de particulier, rassurez-vous, répondis-je en glissant discrètement la main sous mon t-shirt, le pouls affolé. Pourquoi passons-nous par les docks ?

—Pour éviter les embouteillages. Vos amis vous attendent à l'aéroport ? Vous repartez en France ?

—Oui, mentis-je.

—Sur quel vol ? Il ne faudrait pas arriver en retard.

—Arrêtez-vous, ordonnai-je d'une voix sèche.

—Pardon ?

Avant de comprendre ce que je faisais, je sortis le pistolet de ma ceinture et le saisis par les cheveux pour lui poser le canon sur la gorge.

—Stop ! hurlai-je à ses oreilles. (Il freina brutalement.) Laisse les mains sur le volant !

—Je... tout ce que j'ai est dans mon portefeuille ! Je vous le jure !

—Les mains sur le volant ! Et ne me prends pas pour un imbécile. Pour qui travailles-tu ?

—Je suis indépendant, monsieur, je fais le taxi depuis…
(Je lui enfonçai le canon du pistolet dans la pomme
d'Adam et il gémit.) Je ne sais pas de quoi vous parlez.

—Sur le volant, j'ai dit ! (Je fouillai dans sa chemise de
ma main libre et sentis un holster.) Et ça ? C'est quoi ?
m'écriai-je en sortant un pistolet. Dehors !

—Mais, je…

—Tu sors !

L'arme pointée sur lui, je sortis de la voiture, ouvris la
portière et l'extirpai de son siège par la peau du cou pour
le traîner près d'un entrepôt. Les docks étaient déserts.

—Maintenant, tu vas gentiment me dire qui sont tes
petits copains ou je te troue la cervelle ici même.

—D'accord, bredouilla-t-il en français. D'accord, mais
baissez cette arme. (Je lui mis le canon sur la tempe et il
étouffa un juron.) Je travaille pour Hélios ! s'écria-t-il. Je
remplace Hyacinthe ! Je suis là pour veiller à votre sécurité ! Au nom de Dieu, Lafet, baissez cette arme !

Les bras m'en tombèrent et je reculai d'un pas comme
s'il m'avait frappé.

—Abruti… crachai-je avec mépris. Mais pourquoi êtes-
vous passé par les docks ?

—Je vous l'ai dit, à cause des embouteillages. (Je m'assenai une claque sur le front.) Cet imbécile de Hyacinthe
m'a dit qu'il vous avait donné un pistolet, plaida-t-il. Vous
vous rendez compte de ce qui se serait passé si l'on vous
avait coincé à la douane avec ça ? Je voulais juste vous
faire comprendre adroitement que vous ne pouv…

Je le plaquai contre le mur de l'entrepôt sans douceur
et pressai le canon de l'arme sur son nez.

—C'est du carbone, pauvre idiot !

Je le lâchai et il tira nerveusement sur sa chemise. Avec
un humour désespéré, je repensai à la conversation que
j'avais eue avec Hyacinthe.

—Mais qui m'a fichu un abruti pareil! m'emportai-je.

—J'en ai autant à votre endroit. (Je me frottai les tempes, résistant à l'envie de lui déboîter les cervicales.) Puis-je récupérer mon arme?

Il tendit sa main ouverte dans ma direction, mais je glissai les deux pistolets dans ma ceinture.

—Conduisez-moi à l'aéroport. Après, nous verrons Êtes-vous au moins capable de faire ça?

Il monta dans le taxi en maugréant et mon téléphone portable sonna. C'était Amina.

—Très bien. Dans deux heures? J'y serai. Enfin, normalement, ajoutai-je avec un regard méprisant vers le rétroviseur. Je vous expliquerai.

IX

Lorsque nous débarquâmes à Chypre vers 23 heures, une surprise nous attendait à l'aéroport.

—Madame Saebjam est attendue au poste de douane, annoncèrent les haut-parleurs. Je répète, madame Saebjam est attendue au poste de douane.

Nous tressaillîmes.

—Mon Dieu... bredouilla ma compagne, saisie de peur.

—Tu n'as pas perdu de vue tes bagages ? demandai-je, inquiet.

—Non.

—Personne n'aurait pu y glisser quelque chose ? insistai-je.

—Non !

Elle paniquait.

—Madame Saebjam ? demandait un policier chypriote à la cantonade au milieu des passagers du vol. Je cherche madame Saebjam.

—Qu'est-ce que cela signifie ? gémit-elle en me serrant le bras.

—Nous verrons bien. (Je levai la main.) Ici !

Le policier vint vers nous, tout sourire, et j'eus un haut-le-cœur en voyant sa main glisser en direction de son pistolet, mais il fouilla simplement dans sa poche pour en sortir un passeport européen, qu'il ouvrit à la première page. Après avoir dévisagé Amina un instant, il le referma et lui tendit aimablement.

—Nos confrères turcs nous l'ont transmis, madame

Saebjam. Vous l'aviez laissé tomber à Istanbul et un homme l'a remis à un douanier. Faites attention, à l'avenir, vous n'auriez pas pu entrer en territoire européen, sans lui.

—Je... euh... merci.

—À votre service, madame. Bon séjour parmi nous.

—Qu'est-ce que c'est que cette salade ? murmura Amina en ouvrant le passeport lorsque nous nous fûmes éloignés de la cohue. « Amina Saebjam, née le 18 février 1968 au Caire, nationalité française. »

—Un faux passeport ? marmonna Hans, admiratif. Il pense à tout, notre Hélios.

—« Fait à la préfecture de Paris le 25 juin », lus-je à haute voix. Il y a trois jours. Ce n'est pas très sérieux.

—À cheval donné, on ne regarde pas les dents, comme on dit chez vous, rétorqua Amina en rangeant le précieux document. Un peu plus et je me faisais renvoyer en Égypte. Je me demande même comment j'ai été autorisée à monter dans l'avion.

—On a eu chaud, acquiesça Hans en me lançant un regard de reproche.

C'était peu de le dire. J'avais pensé à tout sauf au fait qu'Amina ne pouvait pas circuler librement en territoire européen, contrairement à nous.

Nos bagages sous le bras, nous traversâmes l'aéroport jusqu'à un parking d'autocars. Là, une navette nous conduisit jusqu'à Larnaca, avenue Athinon, sur le front de mer, où nous étions certains de trouver un hôtel. Las et nerveusement à bout, nous laissâmes de côté la paranoïa pour prendre une suite de trois chambres au Sun Hall, l'un des palaces de la zone balnéaire.

Le réceptionniste, un petit homme qui tentait de dissimuler une calvitie avancée sous un artistique entrelacs de mèches de cheveux gris excessivement laqués, me tendit les clés avec un sourire mielleux. Il était mince, presque maigre, et sa peau bronzée contrastait fortement avec son costume beige clair, de la même teinte que le luxueux dallage. Le client inattentif aurait pu croire qu'il faisait partie du décor.

—Je vous souhaite un excellent séjour, professeur.

Je le remerciai et un employé monta nos bagages jusqu'au dernier étage, où se trouvait la suite.

Ce fut avec un plaisir non dissimulé que nous pénétrâmes dans le grand salon, une débauche de luxe et de raffinement aux tons bleus et blancs, climatisé jusque dans les moindres recoins. Amina ouvrit en grand les portes-fenêtres du balcon, par où entra le joyeux tohu-bohu qui montait des dizaines de cafés et de restaurants qui s'étiraient le long de la spacieuse promenade piétonnière.

—C'est magnifique, murmura-t-elle en contemplant la mer et l'avenue, bordée de ses fameux palmiers. Est-il vrai qu'il y en a soixante-cinq? me demanda-t-elle en désignant les longs éventails des feuilles.

—Veux-tu les compter pour le vérifier? plaisantai-je en allumant une cigarette. Oui, soixante-cinq. Pas un de plus, pas un de moins.

—Vous, je ne sais pas, grommela Hans en s'étirant, mais moi, je vais comptabiliser du mouton.

—Ne veux-tu rien manger avant? s'inquiéta Amina, maternelle.

—Non, ça va. J'ai grignoté dans l'avion. À demain.

—Bonne nuit, Hans.

Il fila en direction de l'une des chambres et ma compagne fronça les sourcils.

—Il m'inquiète.

—Hans?

—Il n'a pas décroché un mot durant le vol. Cela ne lui ressemble pas. (Elle soupira et poursuivit à voix basse.) J'espère que tu as raison pour le professeur Tool et que ce n'était qu'un accident.

Je pris une longue bouffée de ma cigarette et désignai du menton le couloir par où le gamin avait disparu.

— J'ai menti.

— Je m'en suis doutée.

— Moi aussi ! claironna Hans. (Je me retournai pour le voir planté devant la terrasse, goguenard.) J'avais oublié ma brosse à dents, fit-il en brandissant son sac. Bonne nuit !

— Mon Dieu, crois-tu vraiment qu'ils ont tué tous ces gens uniquement pour se débarrasser de lui ? murmura Amina lorsqu'un glouglou de bain à remous nous parvint du fond de la suite.

— Regarde le dossier de Hyacinthe. Tool habitait au sixième étage, le dernier de l'immeuble. Et c'est au dernier que ça a sauté.

— Mais qui sont ces fous, bonté divine ? Tu y crois, toi, à cette histoire de secte gardienne de tombeau ?

Je secouai la tête.

— S'il s'agit bien d'une secte, ce n'est qu'un paravent. Les confréries secrètes qui gardent des reliques religieuses durant des millénaires n'existent que dans les romans.

— C'est aussi ce que je pense, mais, dans ce cas, quel est le but de cette mascarade ?

— Une couverture.

— Probablement mais pour cacher quoi ?

— Il y a quelques dizaines d'années, en France, une bande de petits malins s'est mis en tête de ressusciter l'ordre du temple. Leur « grand maître » se disait descendant de Jacques de Molay[XII]. Il présentait ses restes calcinés, ou ce qu'il faisait passer pour tels, à chaque cérémonie. Chacune de ses ouailles aurait été prête à tuer pour les récupérer s'ils avaient été dérobés. Ils étaient leur

---

XII. Le dernier grand maître des Templiers, brûlé sur l'île aux Juifs, à Paris, au XIVᵉ siècle.

238

relique la plus sacrée. Lorsque le gourou fut arrêté, il possédait sept propriétés, un palace, un bateau de plaisance et plusieurs comptes bancaires dans des paradis fiscaux.

—Selon toi, il s'agit ici de quelque chose de similaire ?

—Pourquoi se seraient-ils donné tant de mal pour récupérer le glaive, sinon ? Excepté un fanatisme maladif, des hommes manipulés par une forte tête, je ne vois pas de quoi il pourrait retourner.

—Il ne nous manquait plus que ça…

Elle retint un bâillement.

—Tu ferais bien d'aller te coucher.

—Et toi ?

—J'attends le coup de fil d'Hélios. L'autre imbécile a dû lui faire savoir où nous nous rendions et l'avertir de la mort de Tool.

Elle sourit.

—Je n'arrive pas à croire qu'Hélios ait pu engager un homme aussi maladroit.

—Il doit avoir ses raisons. Regarde Tool. Pour irritant qu'il fût, ce vieil homme était en contact avec l'un des plus grands hellénistes de ce siècle. Je ne cesse de m'interroger à ce sujet, d'ailleurs. C'est curieux. Qu'est-ce que Sikelianos pouvait trouver à un raté tel que lui ?

—Morgan ! Ne dis pas du mal d'un mort, ça porte malheur.

—Superstitieuse ? la taquinai-je. Tu t'entendrais bien avec Etti.

Elle se mit sur la pointe des pieds, appuyée à la rambarde, et avec un soupir, les yeux mi-clos, laissa l'air de la mer s'engouffrer dans ses cheveux. Amina portait une petite robe de coton fleurie qui lui couvrait à peine les cuisses et épousait admirablement ses formes élancées.

Une vive chaleur m'enflamma le bas-ventre. J'allumai une seconde cigarette pour me donner une contenance, collé contre la rambarde pour cacher un émoi que je n'arrivais pas à atténuer.

Elle vint vers moi, taquine.

La cigarette que j'allais porter à ma bouche scintilla en tombant dans le vide. Ses mains se posèrent sur mes épaules, les massant doucement, et je sentis sa langue humide et curieuse courir sur ma nuque, ses lèvres brûlantes pincer la peau de mon cou et ses dents audacieuses mordiller mes épaules. Je retirai mon t-shirt, fis glisser ses vêtements jusqu'au sol, puis mes lèvres impatientes remontèrent le long de ses jambes et de sa poitrine jusqu'à son cou, suivirent le contour d'une oreille et s'aventurèrent sur sa joue, cherchant sa bouche. Sa langue s'insinua dans la mienne et je l'enlaçai brutalement, répondant à son baiser profond par une passion identique. Amina se lova contre moi, frottant son ventre lisse contre mon sexe gonflé à travers mon jean, et mes mains se refermèrent sur ses seins tendus.

Cette femme était un brasier, chaque centimètre carré de sa peau paraissait relié à ses reins et je m'amusai durant quelques minutes à faire vibrer cet étrange instrument, dont chaque gémissement de plaisir faisait monter mon désir d'un cran.

Je me débarrassai du reste de mes vêtements et l'allongeai sur l'immense divan, le corps pris de frissons impatients. Elle me renversa d'un coup de reins, se plaça au-dessus de moi, un genou de chaque côté de mon corps, et fit courir ses mains de mes pectoraux à mon bas-ventre. Je voulus m'emparer de nouveau de ses seins, mais elle me saisit les poignets.

—Non, murmura-t-elle. À ma manière… (Elle arracha le ruban de soie qui ornait un coussin et me lia les mains au-dessus de la tête.) Cette nuit, tu es à moi…

Elle mordilla mes tétons et je me tendis comme un arc,

me tordis entre ses cuisses et mordis mon biceps pour étouffer un gémissement, craignant de réveiller Hans.

—Je veux t'entendre, Morgan… murmura-t-elle en frottant ses fesses sur mon membre dur. Je veux t'entendre crier, supplier et mendier…

Elle referma la main sur mes testicules et les pressa gentiment, accentuant la pression de ses fesses sur mon sexe, me faisant soupirer.

—Essaie toujours…

—C'est ça que tu veux ? demanda-t-elle en plaçant ma verge contre son entrée brûlante.

—Oui…

—Pas tout de suite, susurra-t-elle en se passant la langue sur les lèvres.

Elle me tourna le dos et glissa en arrière sur ma poitrine jusqu'à ce que son sexe atteigne ma bouche tandis que la sienne s'emparait du mien pour l'avaler tout entier. Je voyais les fesses charnues que je ne pouvais saisir et écarter, les deux orifices brûlants où je me languissais de pénétrer et sentais la bouche d'Amina s'affairer sur la peau sensible de mes testicules. Elle m'abandonna au bout de quelques instants et je grondai de frustration.

—Encore ? demanda-t-elle, malicieuse, en tournant la tête vers moi.

La vue de ses lèvres gonflées et de ses joues à présent colorées d'une légère teinte rosée me fit sourire. Elle haletait, consumée par le désir, prise à son propre piège.

Je tirai sur mes liens dérisoires. Le ruban de soie se déchira avec un craquement.

—Pour jouer à ce jeu-là avec moi, il faut moins de prétention ou davantage de perfidie.

Je la renversai sur le dos et lui arrachai un profond baiser en me couchant sur elle. Elle noua ses jambes autour de mes reins et se cambra avec un gémissement.

—Qui supplie, à présent? la taquinai-je gentiment.

—Morgan…

Je plongeai lentement en elle et une brûlure traîtresse m'inonda le ventre. Je sentis ses dents s'enfoncer dans la chair de mon épaule pour étouffer un cri de plaisir et je me répandis en elle avec un soupir rauque avant de me laisser tomber sur le côté, alangui et sans forces. Amina avait fermé à demi les yeux et je sentais son cœur battre violemment contre ma poitrine. Ma bouche chercha la sienne et elle me rendit mon baiser avec un sourire en caressant mon membre assouvi.

—À charge de revanche, murmura-t-elle.

—Je ne demande qu'à voir…

*

—Un thé glacé? proposa Amina en ouvrant le réfrigérateur du bar.

—Une bière, plutôt. Blonde, précisai-je.

—Il est 2 heures du matin, soupira-t-elle en prenant place sur le canapé, à mes côtés. Je crois qu'il n'appellera plus avant demain, enfin, tout à l'heure.

—2 heures ici mais 1 heure en France.

—S'il est en France.

J'avalai une gorgée de bière et hochai la tête.

—Je te l'accorde.

Elle me passa un bras autour des épaules.

—Je suis certaine que l'on s'occupe bien de lui.

—Je n'arrive toujours pas à croire qu'il soit vivant. Il me manque tellement…

—Je sais ce que tu ressens, murmura-t-elle, la gorge serrée. Enfin, je crois.

—Comptes-tu retourner vivre en Égypte, lorsque tout sera terminé?

242

Elle secoua la tête.

—Non. Je pense demander l'asile politique. La machine est en marche et je crois que mon pays est perdu pour le droit des femmes. Et pour le reste aussi d'ailleurs, quoi que certains aient pu tenter. (Elle tira sur les bretelles de sa robe.) La dernière fois que j'ai porté ce genre de choses, je participais à des fouilles en Europe, il y a presque dix ans. Ce que je peux haïr la religion et ses dogmes obscurantistes… Pourtant, j'aime Dieu. Quel paradoxe, n'est-ce pas ?

—Non, je comprends. (Je levai les yeux au plafond avec une moue.) Mon frère est un hors-caste. Un *dalit*. Presque un démon, parmi les Hindous. Pourtant, il vénère et respecte ses dieux.

—La religion hindoue est réputée pour sa tolérance et sa non-violence.

Je faillis m'étrangler avec ma bière.

—Quoi ? grimaçai-je en toussotant.

—C'est ce que l'on m'a toujours dit, bredouilla-t-elle.

Je me pinçai les lèvres, tournant sept fois ma langue dans ma bouche pour ne pas m'emporter.

—Mon père te dirait qu'après avoir fait dix fois le tour du monde il aurait peine à trouver plus ségrégationniste, plus intolérant et plus violent qu'un Hindou de caste. L'un d'eux a un jour roué mon frère de coups de bâton parce qu'il avait eu l'audace de plonger ses sales pattes de *dalit* dans l'eau d'un puits pour boire.

Amina s'assombrit.

—Je croyais que Gandhi avait…

—Oublie l'image d'Épinal d'un Gandhi tout de blanc vêtu prêchant la paix sur le monde. Il était un Hindou de caste et le premier à dire qu'un intouchable n'avait pas plus de cervelle qu'un animal. Un brahmane, un *kshatriya* ou même un *dalit*, parfois, préférerait jeûner plutôt que de manger dans le même plat que toi ou moi parce que, pour eux, un non-Hindou est encore plus impur qu'un intouchable.

—Et ton frère adhère à ces absurdités ?

—Non, répondis-je avec un sourire rassurant. Etti s'est fait sa propre idée de l'hindouisme, sa propre religion. Un peu comme toi, ajoutai-je.

Les lèvres sensuelles d'Amina s'étirèrent en un sourire doux.

—Il n…

La sonnerie de mon téléphone nous fit tressaillir.

—Allô ?

Elle posa son menton sur mon épaule et colla son oreille contre le téléphone.

—Morgan ?

—Hyacinthe ? Je croyais que vous aviez abandonné votre mission.

—C'est le cas. Je viens juste aux nouvelles, Hélios est occupé. Alors ? Il paraît que vous avez rencontré ce cher Michaël ?

—Si c'est le nom de l'imbécile qui est venu me chercher en taxi, je l'ai rencontré, en effet.

—Mmh… six heures avant de se faire repérer, Michaël monte dans mon estime. Il bat tous ses records.

—Pourquoi Hélios m'a-t-il envoyé ce bon à rien ?

—Mauvaise langue ! La filature ne fait pas partie de ses attributions, d'habitude. Il était sur place, c'est tout.

—Et quelles sont-elles, ses attributions ?

—Priez pour ne jamais le savoir. Vous n'avez pas eu de problèmes à la douane ?

—Non, ce faux passeport était une idée de génie, j'en conviens.

—Faux ? Il n'a rien de faux. Amina est officiellement française depuis trois jours. Sa carte d'identité l'attend à la préfecture. (Cette dernière poussa un cri.) Quoi ? N'est-ce pas ce qu'elle voulait ?

— Vous êtes sérieux ? bredouillai-je.

— Bien sûr. Regardez la date. Hélios a encore quelques contacts, vous savez, et non des moindres. (Amina pressa les mains sur son visage, ayant du mal à contenir sa joie.) Alors ? Quelles nouvelles ? (Je lui parlai de notre visite à Tool, de sa lettre et de l'explosion.) Une secte ? Sainte Vierge… voilà autre chose. Costas Sikelianos, vous dites ? L'helléniste ? Je vais demander à nos documentalistes de lancer des recherches. Un e-mail vous sera envoyé vers 10 heures avec ce que nous aurons pu trouver. En parlant d'e-mail, vous en avez deux de votre père, dans votre boîte. Il s'inquiète, vous devriez l'appeler.

— Et à part lire mon courrier, à quoi occupez-vous vos journées, en ce moment ?

Il rit.

— Je vous manque, avouez-le. J'irai voir Etti demain, comme promis, rassurez-vous. Hélios m'a dit qu'il prononçait quelques mots de temps en temps. J'amènerai mon dico hindi-anglais… Je plaisantais, ne vous fâchez pas.

— Je n'ai nulle envie de plaisanter !

— Blague à part, il était très imprudent de vous séparer de vos amis, Morgan. Imaginez un instant que ces fous les aient attaqués et les aient enlevés pour vous faire chanter.

— Choisir entre deux maîtres chanteurs, raillai-je. Subtil arbitrage s'il en est.

— Pour l'instant, vous n'avez pas eu à vous plaindre, que je sache !

— Pour qui aurais-je opté ? poursuivis-je, querelleur. Le gourou fanatique ou le fantôme à la voix de velours ?

— Nous ne nous sommes pas donné tout ce mal pour perdre le glaive, et peut-être même le poignard, par la faute d'un inconscient impulsif ! s'écria Hyacinthe, excédé. Alors réfléchissez un peu avant de faire n'importe quoi !

—Le glaive ? Mais c'est vous qui me l'avez pris... (Je tiquai.) Vous auriez donc été disposés à le rendre si...

—Plus d'initiatives de ce genre ! me coupa-t-il. Vous restez groupés, c'est clair ? (Il toussota.) Nous vous contacterons demain.

—Hyacinthe ?

—Oui ?

—Merci de nous avoir tirés d'affaire à la mosquée.

—À demain, fit-il d'une voix trop sèche pour être honnête.

Il raccrocha et je posai le téléphone sur le canapé avec un sourire.

—Le beau Hyacinthe en pince pour toi, persifla Amina, amusée.

—Il se fera une raison, répondis-je en m'étirant. Les hommes n'ont jamais été ma tasse de thé.

Nous regagnâmes nos chambres respectives et je m'écroulai sur mon lit sans même enlever mon short.

*

—C'est quoi, le pylône, là-bas ?

Nous prenions notre petit déjeuner dans l'un des nombreux restaurants du bord de mer. En dépit de l'heure matinale, de nombreux touristes se pressaient déjà sur la plage.

—Une colonne de marbre au sommet de laquelle se trouve le buste de Kimon l'Athénien, Hans, fis-je en avalant mon café.

—Qui ?

—Kimon. Un général grec qui a assiégé la ville il y a plus de deux mille quatre cents ans. Sur la colonne, tu peux lire « Kitium à Kimon l'Athénien. Quoique mort, il fut victorieux. »

— C'est qui, Kitium ?

— C'est l'ancien nom de la ville de Larnaca.

— Ah ! O.K.

Notre compagne, le nez dans un plan et l'œil sur les horaires de bus, mâchonnait un petit pain qu'elle trempait dans son thé. Elle était vêtue d'un pantalon de survêtement dans lequel on aurait pu glisser deux Amina, d'un t-shirt ample et d'une paire de tennis, vêtements qu'elle avait empruntés à Hans en sus d'une casquette.

— Je doute que tu puisses passer pour un garçon, la taquinai-je en allumant ma première cigarette de la journée.

— Tu fumes trop !

— Ne détourne pas la conversation.

Elle posa sa tasse de thé et tordit le nez.

Dans le mail que Hyacinthe nous avait fait parvenir, il nous annonçait avoir très facilement retrouvé la trace du professeur Sikelianos, enfin du frère Costas, qui ne faisait rien pour se cacher, le brave homme. Il précisait également que les femmes étaient interdites de séjour dans le monastère où il officiait.

— Je n'ai pas quitté l'Égypte pour accepter la discrimination sexuelle ici ! (Elle ne me laissa pas le temps de répliquer et poursuivit.) Le monastère Ayia Varvara se trouve sur un nid d'aigle perché à sept cent cinquante mètres.

— Merveilleux, soupirai-je.

— C'est rien, ça ! lança Hans.

Nous lui jetâmes un regard noir et il ricana.

— Il faudra prendre le bus de Limassol, descendre en cours de route et finir à pied, ajouta Amina, fatiguée d'avance.

Je commandai un second café en grommelant. Une randonnée était la dernière chose dont j'avais envie. L'air de la mer était frais, le soleil agréable, les filles en monokini charmantes et l'eau bleue indécemment tentante. J'aurais volontiers fait une pause d'une journée dans ce petit coin de paradis, allongé sur le sable à me dorer entre deux bains, cerné de jolies filles. Puis je repensai à mon frère, abruti de calmants dans la chambre d'un asile, attendant que je vienne le sortir de là, et mon envie de lézarder s'envola.

Je regardai ma montre : 10 h 37.

— À quelle heure est le prochain bus ? m'enquis-je.

— Il y en a toutes les vingt ou trente minutes. Si nous partons maintenant, et avec un peu de chance, nous arriverons là-haut avant que le soleil ne nous tape trop fort sur la tête.

Résigné, je payai nos consommations, achetai une bouteille d'eau minérale pour chacun de nous ainsi que des sandwichs, que nous glissâmes dans nos sacs à dos, et nous partîmes en direction de la gare de bus après avoir demandé notre chemin au serveur.

— Morg... chuchota Hans après quelques minutes de marche dans les rues de Lanarca. Un type nous suit depuis tout à l'heure.

Mon cœur fit une embardée et je vis Amina se raidir.

— Ne vous arrêtez pas, fis-je en vérifiant que mon pistolet était toujours coincé dans ma ceinture.

Je fis semblant de regarder le nom d'une rue et jetai un discret coup d'œil derrière nous. Un dandy brun, la peau dorée par le soleil, marchait à distance respectueuse, une main dans la poche de son pantalon. Un homme d'Hélios ? Ou l'un des cinglés qui nous couraient après ? Autant le savoir tout de suite.

Je fis mine de refaire mon lacet et l'homme s'arrêta, réajustant une mèche sur son front en considérant son reflet dans la vitrine d'un magasin. Je m'apprêtais à aller à sa rencontre, la main à la ceinture pour sortir rapidement mon arme en cas de besoin, quand je le vis héler quelqu'un en haut d'un immeuble. Une jeune femme sortit la tête par la fenêtre, fit signe qu'elle descendait et notre « poursuivant » lui envoya un baiser, s'adossant à la porte cochère pour l'attendre.

Amina poussa un soupir de soulagement et Hans jura. Si ça continuait comme ça, nous allions tous y laisser nos nerfs.

— Fausse alerte pour cette fois, commenta notre compagne. Je crois que notre carrosse est avancé ! ajouta-t-elle en s'élançant sur la chaussée. Dépêchez-vous !

Elle traversa la rue en faisant de grands signes au chauffeur du bus, qui nous attendit aimablement avant de redémarrer.

Après une demi-heure de route, il nous fallut presque deux heures de marche et de grimpette pour atteindre le nid d'aigle où se trouvait le monastère. Si nous étions venus en touristes, cette promenade aurait mérité le détour rien que pour la vue. De là-haut, nous dominions toute la vallée du Tremithos et, comme nous n'étions encore qu'au début de l'été, le spectacle était éblouissant. Une féerie de couleurs et de parfums flattait nos sens.

Chypre compte plus de mille sept cent cinquante espèces végétales et les sous-bois foisonnaient de narcisses, de renoncules, de jacinthes et de tulipes sauvages. Plus nous montions vers la zone rocheuse, plus le sol et les parois se couvraient de thym, de myrtes et d'anémones des bois de couleur pourpre qui, d'après les anciens, seraient nées du sang d'Adonis. « L'île parfumée » méritait bien son nom.

Nous atteignîmes le sommet lorsque le soleil était au plus haut et je crois que nous n'aurions pas pu faire cent mètres de plus sur le sentier escarpé. Nous étions à bout de souffle.

— Je me demande comment ils se sont débrouillés pour monter les matériaux de construction jusqu'ici, remarqua Hans, essoufflé, en contemplant le petit monastère.

L'aiguille de son minuscule clocher aux formes douces pointait vers le ciel limpide, par-dessus des toits arrondis de briques orangées. Les murs étaient faits de pierres brutes cimentées et un petit balcon courait sur l'une des façades.

Le monastère Ayia Varvara, construit au XIIIe ou au XIVe siècle, était en fait une annexe du monastère Stavro-vouni, qui s'élevait sur la montagne de la Croix. Ce que nous avions devant nous n'était pas le bâtiment d'origine puisque celui-ci avait été incendié à plusieurs reprises, la dernière fois en 1888, et chaque fois restauré. D'après la légende, comme des centaines de lieux de culte et de pèlerinage à travers le monde, il était supposé renfermer lui aussi un morceau de la vraie croix du Christ.

Pour faire enrager l'une des maîtresses de mon père, fervente catholique, Etti s'était un jour amusé à recenser les endroits où un tronçon de cette même croix était conservé. Il en était arrivé à la conclusion que le Christ devait être un titan haut de plus de quatre cents mètres puisque, mis bout à bout, ces morceaux auraient donné une croix grande comme une fois et demie la tour Eiffel ! Mais ce n'est pas le plus étonnant. En additionnant les saintes reliques, il s'était aussi aperçu que saint Jean possédait huit pieds, six crânes et cinq cent quatre-vingt-sept dents. Saint Paul avait vingt-neuf doigts et, scoop mondial, Jésus-Christ, à lui seul, pouvait se vanter de détenir le record de quatorze pénis dont les prépuces dormaient dans des reliquaires disséminés à travers le monde. Les chrétiens du monde peuvent donc se rassurer, leurs dieux n'ont rien à envier aux dieux hindous, bicéphales, trioculaires et multijambistes.

*

—Je suppose que c'est ici qu'il faut sonner? gouailla Amina en désignant une petite cloche, au-dessus d'une porte massive.

Un berger, qui nous avait accostés lors de notre ascension, nous avait appris qu'il ne restait plus qu'un moine dans le monastère et qu'il n'était pas toujours disposé à laisser les touristes visiter les lieux.

—Vous montez pour rien! avait-il ajouté. L'a laissé entrer personne depuis Pâques. L'est même peut-être mort, depuis, qui sait!

Je l'avais remercié pour ses conseils et il avait ricané en sifflant son chien, un gros mâtin mangé par les tiques.

—Vas-y! fit Hans. On ne va pas rester là à griller comme des lardons.

Amina tira sur son t-shirt, réajusta sa casquette et essaya de prendre une pose « virile », jambes fermement campées dans le sol, le buste de guingois, les mains dans les poches et le cou rentré dans ses épaules. Si c'était l'image que les femmes avaient des hommes, pauvres de nous…

Je tirai sur la ficelle et le tintement de la cloche résonna dans toute la vallée, se répercutant de colline en colline. Hans fit mine de se déboucher les oreilles.

—Discret comme sonnette. Difficile de se soustraire à la curiosité de fouinards comme Hyacinthe avec un écho pareil!

Nous attendîmes quelques minutes. Rien. Je m'apprêtai à actionner la cloche une seconde fois lorsqu'une petite meurtrière s'ouvrit au-dessus de la porte massive.

—Que voulez-vous? demanda une voix rocailleuse en grec.

—Professeur Sikelianos? demandai-je à mon tour.

Un silence, puis:

—Il n'y a plus de professeur Sikelianos.

—Professeur, je suis Morgan Lafet et voici mes…

—Le monastère est fermé ! Partez.

—C'est le professeur Tool qui nous envoie à vous, plaidai-je. Nous avons fait un long chemin pour venir vous voir et devons absolument vous parler.

—Il n'y a pas de Sikelianos ici, partez !

La meurtrière se referma avec un bruit sec et je jurai.

—Professeur Sikelianos ! criai-je en tambourinant à la porte de mon poing fermé. Edward Tool est mort ! Ouvrez cette porte !

Amina me posa la main sur l'épaule.

—Morgan, c'est inutile.

Je cognai de plus belle.

—Il a été assassiné, professeur ! Je dois vous parler !

—Morgan, arrête ! Il ne…

Elle s'interrompit en entendant le bruit d'une bâcle que l'on tirait. Nous reculâmes et la lourde porte s'ouvrit pour laisser paraître un vieil homme de taille moyenne vêtu de noir, barbu et la tête rasée.

—Entrez, murmura-t-il.

Nous obéîmes et il referma aussitôt le battant derrière nous. Hans l'aida à replacer l'énorme bâcle dans les anneaux de fer et le professeur Sikelianos – enfin, le frère Costas – se tourna vers nous pour nous détailler. Son visage tanné était ridé comme un vieux pruneau et il paraissait avoir la jambe un peu raide.

—D'ordinaire, les femmes ne sont pas autorisées à pénétrer ici, dit-il en désignant Amina du menton.

Celle-ci détourna le regard et j'intervins.

—Je crois qu'il n'est plus temps de se préoccuper de règle monacale et de doctrine, professeur.

—Frère Costas, me reprit-il. Venez.

Nous le suivîmes à travers une petite cour pour nous engager dans les frais couloirs du monastère. Chaque mur était orné d'icônes religieuses couvertes de poussière, comme la plupart du rare mobilier. Les toiles d'araignées pendaient du plafond et le petit jardin potager aurait eu bien besoin d'un défrichage.

—Plus personne n'habite cette partie du monastère, fit notre guide, comme pour s'excuser de l'état des lieux. Les frères étaient réputés pour leur peinture d'icônes, mais, après leur mort, ils n'ont pas été remplacés. Plus personne ne veut venir ici.

—Vous vivez seul? demanda Amina.

—Oui, cela fait plus de cinq ans, maintenant.

—Je comprends mieux pourquoi le professeur Tool parlait d'ermitage, remarquai-je.

—Cette vie me convient parfaitement. Entrez, je vous en prie.

Nous pénétrâmes dans une petite pièce luisante de propreté qui, selon toute vraisemblance, faisait office de cuisine, de salon et de salle de travail. Sur la table de bois massive s'amoncelaient une multitude de pots de peinture, de pinceaux et un chevalet.

—C'est ravissant, fit Amina en contemplant l'icône presque terminée.

Il s'agissait d'une représentation agreste de l'Éden. Les anges cueillaient des brassées de blé doré au son des trompettes et des tambourins.

—Je les vends à des magasins pour touristes afin d'acheter quelques produits et denrées de première nécessité, expliqua calmement notre hôte en disposant du pain, du fromage et un broc de lait de brebis sur la table. Mangez, vous devez avoir faim après votre ascension. Ce n'est pas très fastueux, mais le lait est frais et je fais le fromage et le pain moi-même.

—On a apporté des sandwichs, ne vous en faites pas, intervint Hans, gêné.

Sikelianos lui adressa un sourire.

— Vous ne me privez de rien, mon garçon, rassurez-vous. Ce n'est là qu'un bien modeste repas. Servez-vous.

Sans attendre sa réponse, le brave homme coupa trois épaisses tranches de pain, sur lesquelles il disposa une bonne part de fromage de chèvre frais, et remplit nos verres.

— C'est fichtrement bon, fit Hans en mordant à pleines dents dans le pain goûteux.

Il n'avait pas tort. Pour modeste qu'il fût, le repas improvisé était délicieux.

— Voilà qui doit vous changer de la cuisine *fast-food*, comme on dit maintenant, le taquina gentiment Sikelianos en lui resservant un verre de lait. (Mon assistant acquiesça énergiquement et Amina éclata de rire.) Edward nous a donc quittés, soupira-t-il en joignant ses mains. Dieu ait son âme.

— Vous le connaissiez bien, apparemment.

— Ce n'est pas très charitable à dire de ma part, mais il m'amusait. Pauvre homme…

Je reposai mon morceau de pain et avalai une gorgée de lait.

— Savez-vous qui étaient ces hommes qu'il craignait tant ? Ceux qu'il appelait les gardiens du tombeau.

L'ancien professeur poussa un profond soupir et hocha la tête avec une moue.

— Je sais qui ils étaient, pas ce qu'ils sont à présent.

— Que voulez-vous dire ?

— Qu'ils ont vécu il y a bien longtemps, dit-il d'une voix douce. Treize ou quatorze siècles avant notre ère…

Il s'assit plus confortablement sur sa chaise, croisa les bras, et son regard se fit lointain. Un nuage voila le soleil et une brise odorante s'insinua entre les volets de cyprès pour soulever les cheveux d'Amina, qui frissonna. La poussière tournoya un instant dans un ultime rayon de lumière qui ne tarda pas à disparaître, plongeant la pièce dans une obscurité feutrée, habitée de souvenirs anciens et de présences d'un autre âge. Hans abandonna son pain sur un coin de table, nicha son menton entre ses bras croisés et nous tendîmes l'oreille au murmure du temps.

— Dix années. Le quart d'une vie, à cette époque-là. La durée d'une guerre mythique qui eut lieu il y a trois mille cinq cents ans et mit à feu et à sang la prospère cité de Troie. Bien des héros perdirent la vie au pied des gigantesques murailles, mais le plus célèbre de tous ces héros fut sans conteste le légendaire Achille. Si notoire était sa renommée, si grand son courage, qu'un temple fut érigé à sa gloire pour accueillir sa dépouille, près de l'Hellespont. Nombre d'hommages furent rendus à la mémoire du grand Achille et plus nombreux encore furent les pèlerins qui traversèrent les mers pour déposer leurs offrandes au pied de ses prêtres, gardiens de son tombeau. Ceux-ci servaient-ils réellement d'intermédiaires entre les fidèles et l'illustre personnage sur lequel ils veillaient ? Le jeune guerrier parlait-il vraiment par leurs bouches lors des cérémonies ? Les anciens assurent que oui et que chaque homme d'État qui visita sa dernière demeure demanda conseil à ses mannes. Sauf un.

— Alexandre… chuchota Hans.

— Alexandre, acquiesça le moine. Oui, mon garçon. Alexandre, à la tête d'une armée comme nul n'en avait vu depuis le roi Xerxès. Alexandre et sa soif de conquêtes. Alexandre, persuadé que l'armure d'Achille, forgée par Héphaïstos lui-même, le rendrait invincible. Et il s'en empara au nez et à la barbe des gardiens du tombeau qui, par crainte des représailles, n'osèrent s'interposer car comment ces pauvres hommes, voués au culte d'un héros, auraient-ils pu tenir tête à des milliers de soldats ? Achille fut donc dépouillé de son bien le plus précieux, mais, malgré tant d'indignité, les prêtres-gardiens poursuivirent leur infatigable veille, année après année, siècle après siècle, et le temple ne désemplit jamais, chacun priant pour que les dieux réparent le sacrilège. Prêtres, hérauts, princes et ambassadeurs se rendirent à Alexandrie pour réclamer l'armure d'Achille, mais leur requête fut chaque fois rejetée, cela lorsqu'elle fut écoutée. Quatre siècles s'écoulèrent ainsi et, alors que personne ne l'attendait plus, le miracle se produisit. Nul ne le vit arriver car il ne prit ni les traits d'un prêtre ni ceux d'un prince, mais ceux d'un ancien esclave.

— Hélicon ? intervint Hans.

— Non, mon garçon. Cet homme, un ancien mignon né en Palestine, de mère phrygienne, se nommait Appelle et il était acteur. Un moins que rien. Un paria dans une cité où les acteurs étaient mis au ban de la société : Rome. En dépit de son statut, Appelle s'était cependant fait une bonne réputation dans la ville éternelle car son talent était grand et son ambition immense. Il comptait même parmi les proches amis de l'empereur Caligula, qui s'entourait d'acteurs, de chanteurs, de poètes et de mimes, faisant fi des commérages. Ce fut d'ailleurs à l'occasion d'une fastueuse mise en scène, d'une sorte de parade militaire, que le Princeps eut l'idée de faire tirer l'armure du tombeau d'Alexandre. Appelle – était-il inspiré par les dieux ? – lui rapporta alors ce que lui avait un jour conté sa mère, qui le tenait elle-même de sa mère, etc. Caligula, fortement ébranlé par ce récit, envoya son homme de confiance, Hélicon, jusqu'à l'Hellespont pour vérifier les dires d'Appelle et s'enquérir de la vérité auprès des gardiens du temple. Ceux-ci, bien sûr, confirmèrent qu'Alexandre avait bien profané la sépulture en volant l'armure divine. On dit que le jeune empereur fut pris d'une rage folle. C'était une chose de prendre les armes d'un Alexandre, cela en était une autre de spolier un demi-dieu. Les gardiens du tombeau supplièrent

Caligula de rendre son bien à Achille, mais les Alexandrins, eux, affirmèrent que César, descendant de Vénus[XIII], et donc d'essence divine, était en droit de le garder. Le jeune homme, n'écoutant que son instinct, trancha. Il rendit l'armure aux prêtres du héros et punit les Alexandrins. « César pardonne parfois aux voleurs, jamais aux flatteurs », leur dit Hélicon avant de les faire mettre à mort. L'armure retourna donc dans le tombeau d'Achille, le glaive excepté, qui disparut. Les siècles s'égrenèrent et le tombeau d'Achille fut peu à peu oublié jusqu'à ce que, il y a quelques dizaines d'années, la guerre déchire la Turquie et la Grèce.

— Que s'est-il passé, alors ? demanda Amina.

Le moine haussa les épaules.

— Certaines vieilles femmes des villages proches de Çanakkale racontent à qui veut encore les écouter qu'enfants elles virent de leurs yeux les gardiens eux-mêmes revenir d'entre les morts pour emporter la dépouille du héros. Dieu seul connaît la vérité, mais ce qui est certain, c'est que le professeur Tool a trouvé un tombeau vide. La dépouille d'Achille avait bel et bien été mise à l'abri.

— Savez-vous où ? m'enquis-je.

— En Grèce, bien sûr. Quant à savoir quelle ville a été digne d'accueillir un guerrier de la trempe d'Achille… (Sikelianos se pencha vers moi, un sourire énigmatique sur les lèvres.) À votre avis, professeur Lafet ?

Je me mordis la joue.

— Athènes serait une option logique, intervint Amina. La patronne de la cité est la déesse guerrière Athéna.

Mon regard croisa celui de Sikelianos et une petite flamme amusée dansa dans ses yeux noisette.

XIII. La famille des Julii, l'une des plus anciennes familles romaines, dont Caligula faisait partie, était supposée porter dans son sang celui de la déesse Vénus en personne.

—Athènes… murmurai-je. Cité des raffinements et des philosophes. Non, Achille était un guerrier qui ne vivait que par et pour la guerre.

Un sourire se dessina sur les lèvres de notre hôte.

—Professeur Lafet… Vous qui avez tant étudié le sujet. Vous devriez avoir honte.

—Sparte ? bredouillai-je.

Le sourire de Sikelianos s'élargit.

—D'après la légende, Achille a pris le parti des Grecs contre Troie parce que le prince Pâris avait volé la femme du roi de Sparte. Oui, c'est à Sparte qu'il faut chercher, professeur Lafet. Sparte la guerrière. La ville sans enceinte.

—« Celle qui n'avait pas de murailles de pierre mais de chair », récitai-je, un hoplite[XIV] pour un moellon.

—Exactement, acquiesça l'ancien professeur en sortant un vieux calepin de son fatras pour y noter quelque chose. Si le sujet vous intéresse, appelez cet homme. Vous devez le connaître, il est très réputé. Lorsqu'il est venu me voir, il y a deux mois, il cherchait justement des informations sur Alexandre, mais je ne serais pas étonné de le voir abandonner son étude pour entreprendre des fouilles dans le Péloponnèse car le sujet semblait le passionner. Tenez. Je vous ai aussi noté les coordonnées de Phâno Varnalis, la directrice des fouilles à Sparte.

Amina avait le plus grand mal à dissimuler sa joie et Hans se trémoussait sur sa chaise, impatient.

—Merci, frère Costas, fis-je en prenant la page arrachée. Je connais bien Phâno. Je ne sais comment vous rem…

Mes remerciements moururent sur mes lèvres. Sur le feuillet, Costas Sikelianos avait inscrit le nom et les coordonnées de Bertrand Lechausseur…

XIV. Fantassin grec. Il tire son nom de l'*hoplon*, un bouclier rond.

*

Assis dans la petite cour du monastère, je fumais cigarette sur cigarette. Le soleil déclinait et le petit jardin à
l'abandon se mouchetait de teintes sanguinolentes.

—Dieu tout-puissant, Dieu tout-puissant… ne cessait
de répéter l'ancien professeur, à qui nous avions raconté
toutes nos péripéties.

Sikelianos se laissa tomber sur le banc de pierre, à mes
côtés, une expression de profonde inquiétude sur son
visage ridé.

—Voilà pourquoi j'ai quitté le monde, fit-il d'une voix
ténue. Violence, cupidité, mensonge et… Dieu miséricordieux, aie pitié de tes enfants.

Je secouai la tête.

—Je savais bien que quelque chose clochait dans les
notes du professeur Lechausseur. Il ne voulait pas mettre
John Jurgen sur la piste d'Achille, voilà pourquoi il a donné
tant de précisions sur le tombeau d'Alexandre et prévu
un nouveau voyage à Alexandrie ! Pourquoi il a bâclé son
travail sur la fin ! Si ce chacal était tombé sur son journal,
il ne se serait douté de rien !

—Morgan… siffla Amina. Tu es dans une enceinte
sacrée, modère tes propos.

—Désolé, fis-je à l'intention du frère Costas.

—Pardonnez-moi, intervint ce dernier, mais, si vous
avez raison, votre théorie se contredit. (Je levai le sourcil.) Vous avez dit il y a quelques minutes que le professeur
Lechausseur aurait été assassiné par ce monsieur Jurgen
parce qu'il ne voulait plus poursuivre ses recherches. Et,
à présent, vous affirmez qu'il faisait tout pour mettre son
mécène sur la piste d'Alexandre.

Hans se frotta le visage avec une grimace.

—Quel bord… quel sac de nœuds ! se reprit-il au dernier moment. Et si ce n'était pas Jurgen qui l'avait tué ?

Sikelianos agita la main comme si quelque chose lui revenait.

—Vous ai-je précisé qu'après m'avoir rendu visite le professeur Lechausseur s'est rendu à Sparte pour interroger Varnalis ?

—Il s'est rendu sur les lieux où repose Achille ? bredouilla Amina.

—Si tant est qu'il repose bien là-bas, ma fille.

—Et s'il s'était montré trop curieux, le prof ? fit Hans. Nos petits copains n'ont pas dû apprécier qu'un fouinard vienne mettre le nez dans leurs affaires…

—Attendez, attendez, fis-je en me levant, le cerveau en ébullition. Voilà qui expliquerait bien des choses.

Hans plissa le front.

—Frère Costas, comment le professeur Lechausseur a-t-il eu l'idée de venir vous voir ? demandai-je en m'accroupissant en face de lui.

—Nous avons souvent travaillé ensemble et il m'avait déjà parlé d'entreprendre des recherches à Alexandrie il y a plusieurs années. C'est en relisant Plutarque qu'il a fait le parallèle entre Achille et Alexandre et comme j'étais, paraît-il, un spécialiste du sujet lorsque j'étais encore dans le monde, il est venu me consulter. Je lui ai confirmé que non, en effet, s'il localisait le tombeau d'Alexandre, il n'y trouverait probablement pas l'armure. Ce qui avait eu l'air de le rassurer et, après votre récit, j'en saisis les raisons.

—Je crois que je comprends ce qui s'est passé, fis-je en secouant la tête.

—Que veux-tu dire ? demanda Amina.

—Jurgen, qui ne sait rien d'Achille et du vol commis il y a deux mille trois cents ans, engage le professeur pour retrouver le reste de l'armure sous couvert de financer les recherches du tombeau d'Alexandre, où il est persuadé de la récupérer. Lechausseur commence son enquête et, alors qu'il a presque localisé le site, réalise que l'armure prise par Caligula n'a peut-être pas été remise à l'endroit qu'il croyait, ce qui donnerait une chance à cette pièce exceptionnelle d'échapper à la convoitise de Jurgen. Pour avoir confirmation de cette théorie, il vient voir le frère Costas puis se rend à Sparte dans l'espoir que Varnalis pourra lui donner quelques informations. Il visite le site, interroge les archéologues, les historiens et, fatalement, sa curiosité vient aux oreilles de nos petits amis cinglés. L'engrenage est enclenché. Avant de pouvoir se rendre à Alexandrie pour donner le change à Jurgen et lui offrir un tombeau qu'il sait vidé de l'armure, il est assassiné.

Amina blêmit.

— Alors tu crois que ce sont ces fous qui ont tué le professeur Lechausseur ?

— Cela me semble plausible, non ? Ils éliminaient un curieux. Mais, en apprenant la mort de Bertrand, Jurgen… Oh ! C'est pas vrai…

— A envoyé ses hommes fouiller la maison, mais ils n'ont trouvé ni le glaive ni le carnet, conclut Amina. Juste les plans.

— Que les gens d'Hélios ont bien retrouvés chez Jurgen, conclus-je.

Sikelianos tiqua.

— Vous voilà donc avec un problème de taille, mon garçon, dit-il d'une voix blanche.

— Lequel ?

— Ils doivent croire que vous avez encore le glaive en votre possession. Ils ont peut-être perdu votre trace pour l'instant, mais, si vous vous rendez à Sparte, vous allez vous jeter dans la gueule du loup.

Nous échangeâmes tous les quatre un regard soucieux.

*

Nous regagnâmes l'hôtel vers 20 heures. Après la descente du monastère, nous avions attendu un bus durant presque une heure, assis sur le bord de la route.

—Je suis crevé ! lança Hans en se laissant tomber sur le divan du salon de la suite.

Il n'était pas le seul. Je ne sentais plus mes pieds et j'avais terriblement envie d'un petit somme. Amina, elle, paraissait trop nerveuse pour arriver à dormir en dépit des bâillements répétés qu'elle ne pouvait contenir.

—Quoi faire ? demanda-t-elle.

Je sortis une cigarette mais me ravisai. Entre la chaleur et la nervosité, j'avais la bouche comme un cendrier.

—Je n'ai pas confiance en Phâno.

—Le professeur Varnalis ? La responsable des fouilles ? Tu la connais bien ?

—Oh ! Oui… Elle me hait.

—J'ai entendu dire qu'elle n'avait pas toute sa tête.

—Elle est maniaco-dépressive. Depuis qu'elle a accouché d'un fils mort-né et que son mari a fichu le camp, il y a six ans, elle se dope aux antidépresseurs et ne vit plus que pour son travail.

Hans se redressa sur un coude.

—Qu'est-ce que tu lui as fait pour qu'elle ne puisse plus te voir en peinture ?

—Moi, rien. Elle était folle amoureuse d'Etti et mon frère ne… enfin, bref. Phâno ne me porte pas dans son cœur, c'est tout. Allons prendre une douche, nous reparlerons de tout cela pendant le dîner.

Nous nous traînâmes jusqu'à nos salles de bains respectives et je poussai un soupir déchirant. Phâno… Il ne manquait plus qu'elle pour compléter le tableau. Je revoyais encore cette hystérique me faire ses scènes de paranoïa durant les fouilles d'Amyclées.

*

« Tu ne peux pas lâcher ton frère cinq minutes ? Il a le droit de vivre sa vie, il ne t'appartient pas !

— Si Etti ne veut pas de toi, je n'y suis pour rien ! Il est libre.

— Crois-tu que je sois sourde et aveugle ? Je sais que tu lui as brossé de moi un tableau horrifique, il n'y a qu'à voir les petits sourires que vous échangez quand je passe devant vous.

— Phâno... Sors d'ici !

— Je sais que c'est toi qui lui interdis de me voir ! »

Je quittai alors la pièce, de crainte de me laisser aller à un geste violent. Comme si je pouvais contraindre mon frère à quoi que ce soit...

« Etti, va lui parler !

— Je refuse d'échanger plus de trois mots avec cette demi-folle.

— Dis-lui une fois pour toutes qu'elle ne t'intéresse pas, qu'on en finisse avec cette histoire stupide !

— Je lui ai dit !

— Non, Etti. Tu lui as envoyé une pelletée de boue en pleine figure.

— C'est pareil.

— Va t'expliquer avec elle. Vous pourrissez l'ambiance !

— Non ! Je ne veux pas qu'elle m'approche, je ne veux pas sentir son haleine au clou de girofle et surtout pas qu'elle me touche avec ses mains graisseuses de crème solaire, pleines de gourmettes et de bagues ! »

Cette comédie avait duré deux mois et s'était soldée par une bagarre. Entre moi et Phâno, bien sûr. Lorsque Etti l'avait vue s'agripper à moi pour me mordre, il lui avait renversé un bidon d'eau froide sur la tête, faisant s'esclaffer tout le chantier. Rien, cependant, n'aurait pu contraindre nos supérieurs à se séparer de la jeune femme ni même lui proposer un arrêt maladie prolongé. Le père de Phâno, Nicos Varnalis, ou plutôt le sénateur Varnalis, finançait aux trois quarts les fouilles de Sparte et d'Amyclées. Sa fille pouvait délirer tranquille, au sens propre du terme. Et c'était cette femme que je devais convaincre de me laisser fouiner sur *son* site. La partie n'était pas gagnée…

*

Hélios m'appela vers 1 heure du matin et je lui racontai notre visite à Costas Sikelianos. Tout ce qu'il trouva à dire fut « Soyez prudents », « Je vais voir ce que je peux trouver » et « Vous aurez vos billets pour Sparte demain matin à la réception de l'hôtel ». Sautez à pieds joints dans la fosse aux serpents, on verra bien ce que cela donnera. C'est ce que cela signifiait. Peu lui importait que nous y laissions notre peau. À présent que nous avions retrouvé la piste de l'armure, plus rien ne comptait. Finis les conseils, les encouragements et une quelconque protection. Tandis que je payais la note et récupérais nos billets d'avion, je me demandai à quel point Hans avait tort en affirmant qu'Hélios nous logerait une balle dans la tête une fois l'armure entre ses mains.

À nouveau, j'essayai de convaincre mes compagnons de rentrer en France, mais rien n'y fit…

X

Nous atterrîmes à Athènes en fin de matinée et, après le grand air des montagnes chypriotes, nous crûmes étouffer dans le champignon de pollution qui couvrait la ville en permanence. Et encore ne nous trouvions-nous pas au cœur même de la cité. Deux heures plus tard, nous sautâmes avec soulagement dans le premier autocar qui partait pour le sud du Péloponnèse. Quatre heures de route sont nécessaires pour atteindre Sparte.

Nous traversâmes la Laconie, l'une des régions les plus fertiles de la Grèce, avec à l'ouest le mont Taygète, qui s'étend sur plus d'une centaine de kilomètres jusqu'au cap Ténare et s'élève par endroits jusqu'à deux mille quatre cents mètres, et à l'est le mont Parnon, un peu moins abrupt. De la route, on distinguait parfaitement les neiges éternelles scintillant sous le soleil, qui contrastaient avec la verdoyante vallée de l'Eurotas, le fleuve qui traversait Sparte.

Le nez collé à la vitre, Hans observait les resplendissantes vallées laconiennes en faisant sauter une pièce de monnaie dans sa main.

— Ce sont des oliviers ? demanda Amina.

— Oui. Et des lauriers-roses. Les rives de l'Eurotas en sont couvertes. Nous arrivons, ajoutai-je en désignant un point à l'horizon. (Hans écarquilla les yeux.) La plaine de Sparte.

— C'est petit !

— Vingt-deux kilomètres de long sur dix de large, à peu près. On distingue déjà les toits plats de la cité.

—C'est minuscule !

—Il ne faut pas exag… Qu'est-ce que c'est que ça ? fis-je en attrapant au vol ce que j'avais pris pour une piécette.

—Eh !

Hans essaya de me la reprendre, mais je fermai le poing.

—Où as-tu pris cela ? grondai-je en observant la petite amulette en or avec laquelle mon stagiaire jouait depuis un moment.

—À ton avis ? Après tout le mal que l'on s'est donné, j'avais bien le droit d'emporter un souvenir, non ?

—Hans !

—Quoi ? Tu veux que je retourne à la mosquée pour la remettre en place ?

Je lui rendis le petit objet à contrecœur et Amina me tapota l'épaule, amusée.

Le car nous déposa en plein centre-ville et mon stagiaire parut terriblement déçu.

—C'est supposé être vieux, tout ça ? remarqua-t-il en détaillant les immeubles bas et les rues rectilignes impeccables ornées de palmiers. Où sont les ruines ?

—À l'extérieur de la ville.

—C'est ravissant, nota Amina.

Nous marchâmes sous le soleil en direction de l'hôtel Maniatis, où j'avais réservé nos chambres avant de quitter Chypre. C'était un endroit que je connaissais bien pour y avoir séjourné nombre de fois et j'en appréciais la qualité du service, même s'il ne s'agissait pas d'un établissement de luxe. À cette époque de l'année, les touristes y affluaient.

Avenue Paleologu, deux ravissantes jeunes femmes m'apostrophèrent en grec depuis le trottoir opposé, sûres que je n'entendrais rien à leurs propos effrontés. Sans doute me prenaient-elles pour un Scandinave en vacances.

—Ta place est là-bas, Homoï! cria la plus petite, tendant le doigt en direction de la ville antique, faisant pouffer sa compagne. Reviens cette nuit, je t'ouvrirai ma porte!

J'éclatai de rire. Les homoïoï, ou semblables, étaient le nom que se donnaient les anciens guerriers spartiates, reconnaissables à leur longue chevelure. Ils vivaient entre eux, à savoir entre hommes, et, s'ils souhaitaient rejoindre une maîtresse, ou leur jeune épouse, les cadets devaient s'esquiver la nuit pour revenir auprès de leurs camarades avant l'aube tout aussi discrètement qu'ils étaient partis.

—J'ai dépassé la trentaine! leur criai-je en grec. Je n'ai plus besoin de me cacher! J'arrive!

Surprises de m'entendre parler leur langue, elles s'esclaffèrent de plus belle.

—Morgan! me tança Amina, le rouge aux joues, faisant redoubler l'hilarité des inconnues.

Je haussai les épaules en direction des jolies Spartiates, qui s'éloignèrent avec un salut amical.

—Ce genre de badinage est chose courante, ici. (Elle leva les yeux au ciel.) Jalouse?

Elle pénétra dans l'hôtel, devant la porte duquel nous nous étions arrêtés, et me claqua cette dernière au nez.

—Jalouse, affirma Hans. (Je lui lançai un regard noir.) Tu as couché avec elle? demanda-t-il en me tapotant le dos. Veinard!

Notre compagne nous attendait à la réception, le visage fermé, et je demandai nos clés à l'hôtesse d'accueil, une appétissante brunette qui, pour ajouter à la déconvenue d'Amina, insista pour nous accompagner.

—La chambre double, c'est pour? demanda-t-elle en un français teinté d'un charmant accent.

—Moi et mon assistant.

—Suivez-moi, monsieur Lafet. Thyia, remplace-moi, s'il te plaît, lança-t-elle à sa consœur.

Elle passa devant moi en me frôlant le bras de sa poitrine et Hans me fit un clin d'œil qu'il pensa discret.

— La bombe... articula-t-il silencieusement.

Vêtue d'un petit tailleur d'été en lin blanc et perchée sur des talons hauts, la « bombe » en question roula ostensiblement des hanches jusqu'à l'ascenseur, où elle se pressa contre moi en s'excusant de l'exiguïté de la cabine.

— Par ici, je vous prie, poursuivit-elle aimablement lorsque les portes s'ouvrirent sur le palier numéro quatre. La climatisation se...

— Où est ma chambre ? la coupa sèchement Amina.

— Là, mademoiselle, répondit l'interpellée en pointant un doigt manucuré vers l'une des portes couleur de merisier.

Notre compagne lui arracha littéralement la clé des mains et partit s'enfermer dans « ses quartiers » sans même un merci.

La jolie brunette glissa la clé dans la serrure de la porte numéro cinquante-deux et nous invita à la précéder d'un geste élégant.

La chambre était spacieuse, claire et immaculée. Son petit balcon, qui surplombait l'avenue, était égayé par des géraniums multicolores.

— C'est parfait, dis-je en m'asseyant sur l'un des confortables lits jumeaux.

Notre hôtesse exécuta une petite courbette et m'adressa un sourire ravageur.

— Si vous avez besoin de quoi que ce soit, monsieur Lafet, mon nom est Delphia.

Je la remerciai, surpris par tant d'attentions, et elle quitta la chambre en se dandinant sur ses hauts talons.

— « Si bous abez bessoin de quoi qué cé soit, môssieur Lafé », singea Hans avec une bouche en cul de poule. Et moi ? Toujours les mêmes qui ont de la chance. (Je haussai les épaules et allai prendre une douche.)

268

Propre comme un sou neuf, je pris mon courage à deux mains pour aller frapper à la porte d'Amina.

— C'est moi, puis-je entrer ?

— C'est ouvert.

Vêtue d'un short et d'un dos nu, elle était sur son lit et prenait des notes dans un carnet.

Je refermai doucement le battant derrière moi et m'assis à ses côtés.

— Où est Hans ?

— En bas, au buffet. Je lui ai dit de ne pas nous attendre pour dîner.

Elle hocha la tête, reboucha son stylo et planta son regard dans le mien.

— Je suis désolée, Morgan, j'ai réagi comme une imbécile.

— Je n'irais pas jusque-là. (Elle détourna le visage, gênée.) Amina... je m'en voudrais de te laisser croire que ce qui s'est passé entre nous pourrait me...

— Arrête, me coupa-t-elle en se levant pour dissimuler la rougeur qui venait de lui monter aux joues. Je t'ai dit que je m'excusais, n'en parlons plus.

Je tendis la main pour prendre la sienne et l'obliger à me faire face.

— Je t'aime beaucoup, Amina, sincèrement, mais ne m'en demande pas plus. (Elle acquiesça énergiquement avec un sourire douloureux, luttant pour retenir ses larmes.) Si j'ai pu te laisser penser qu'il pourrait en être autrement, je...

— Non, Morgan. C'est moi, je... je me suis un instant laissée aller à un romantisme débridé. Ce n'est pourtant pas dans ma nature de réagir ainsi ; j'en suis la première surprise.

— Puisque ce petit malentendu est réglé, si nous allions dîner ?

Elle retira sa main de la mienne et secoua la tête.

—Je tombe de sommeil et je n'ai pas très faim, je crois que ces quatre heures d'autocar m'ont un peu dérangé l'estomac. Nous nous reverrons demain matin.

—Très bien. Au besoin, appelle-moi, fis-je en tapotant mon mobile, fixé à la ceinture de mon jean.

Elle me remercia et je la laissai en lui souhaitant une bonne nuit. Un peu dépité malgré tout, je rejoignis Hans au restaurant de l'hôtel. Mon stagiaire en était déjà au dessert.

—Alors? demanda-t-il en posant sa cuiller. Elle fait toujours la tête?

—Non.

Il croisa les bras et s'adossa à sa chaise avec une moue boudeuse.

—Pourquoi n'est-elle pas descendue dans ce cas?

Je levai les yeux au plafond et commandai une salade composée au serveur.

—Tu connais les femmes, non? persiflai-je, plus sèchement que je ne l'aurais voulu.

—Elle est amoureuse, c'est ça? (Je haussai les épaules.) On avait bien besoin de ça.

Il termina sa tarte aux abricots en maugréant et l'arrosa d'un grand verre de jus d'orange.

—Morg... Tu es déjà tombé amoureux?

—Non, admis-je après un instant de réflexion. Enfin, je ne pense pas.

—Tu n'as pas la moindre idée de ce qu'Amina ressent, donc.

—Elle a juste besoin d'un peu de solitude pour se reprendre. Demain, il n'y paraîtra plus.

—Tu sais quoi, Morg? fit-il en tirant sa chaise pour se lever. Tu es peut-être un helléniste hors pair et un archéologue très compétent, mais le vivant, ça t'échappe!

—Hans, je...

270

—Je vais me coucher, je suis crevé.

Il quitta le restaurant sans même me souhaiter une bonne nuit et je repoussai ma salade, excédé. Mon appétit s'était envolé.

—Monsieur Lafet, tout va bien ?

Je levai les yeux vers l'entreprenante hôtesse qui nous avait accueillis. Elle avait troqué son tailleur blanc contre une jupe courte et un chemisier qui ne cachait guère ses seins ravissants.

—Oui, merci.

—Mon service est terminé, mais si vous avez besoin de quoi que ce soit, je suis à votre disposition.

Nul besoin d'être devin pour comprendre la nature de ce qu'elle me proposait. Si j'avais été de meilleure humeur, sans doute l'aurais-je accepté avec empressement, mais je n'avais vraiment pas le cœur à badiner.

—Non. Ça ira, merci encore. Tout va pour le mieux.

Je la laissai plantée là, ainsi que mon dîner à peine entamé, et je sortis de l'hôtel pour fumer une cigarette. Il était 20 heures et l'avenue commençait à se remplir de promeneurs et de touristes profitant de la fraîcheur.

Il était beaucoup trop tôt pour me coucher et j'étais trop nerveux pour dormir de toute façon. Après une courte hésitation, je m'engageai dans l'avenue en direction du musée archéologique.

Phâno habitait non loin du musée de Sparte, dont elle était la conservatrice en chef, et, si elle n'avait pas changé ses habitudes, devait encore être au travail.

Je passai devant la grande statue de Léonidas, au pied de laquelle un groupe de jeunes gens dégustaient des glaces en plaisantant et frappai à la porte vitrée du musée archéologique. Un gardien s'approcha et me fit de grands signes.

—Le musée est fermé, monsieur, m'informa-t-il en anglais derrière la vitre.

—Je viens voir le professeur Varnalis, lui répondis-je en grec. Je suis Morgan Lafet. Est-elle encore dans son bureau ?

Il ouvrit de grands yeux étonnés et me pria de patienter avant de s'éloigner vers le bureau de l'accueil. Je le vis décrocher le téléphone, hocher la tête et revenir avec un sourire pour déverrouiller l'un des battants.

—Entrez professeur, et soyez le bienvenu. Je suis nouveau, ici, pardonnez-moi.

—Il n'y a pas de mal. Non, laissez, je connais le chemin.

J'empruntai un escalier étroit jusqu'au premier étage et inspirai un grand coup en me dirigeant vers le bureau des conservateurs. La porte était entrouverte et je la poussai pour glisser la tête dans l'entrebâillement. Une ravissante jeune femme rousse s'affairait sur un clavier d'ordinateur, ses longs cheveux noués en un élégant chignon d'où s'échappaient quelques mèches rebelles.

—Puis-je ?

Elle redressa la tête et ôta ses lunettes.

—Morgan !

—Phâno ? m'étranglai-je.

Elle eut un rire pétillant et se leva pour venir me donner chaleureusement l'accolade.

—Tu n'as pas changé ! fit-elle gaiement en s'écartant pour me détailler. Toujours aussi beau !

Je la dévisageais sans oser croire ce que je voyais. La métamorphose était saisissante. Comment la brunette enveloppée, morose et irascible que je connaissais avait-elle pu devenir cette sylve rousse au sourire éclatant ?

—J'ai peine à te reconnaître, Phâno…

Elle agita négligemment la main et prit la mienne pour me guider jusqu'à l'un des fauteuils.

—Il s'est passé beaucoup de choses depuis que tu es parti, fit-elle en se dirigeant vers la cafetière pour me servir un espresso. J'ai su pour Etti, ajouta-t-elle tristement. Je suis désolée. (Je faillis lui dire que mon frère était vivant mais me ravisai. On ne savait jamais.) Amyclées… j'ai l'impression que c'était dans une autre vie, aujourd'hui.

—Qu'est-ce qui t'a redonné une telle joie de vivre ? Tu es méconnaissable.

Elle haussa les épaules.

—Je ne pouvais plus continuer ainsi, à me gaver de médicaments et à rendre la vie impossible à tout le monde. Un beau matin, j'ai pris les choses en main et j'ai fait une cure dans un établissement spécialisé, c'est tout. Et je me suis remariée, ajouta-t-elle avec un clin d'œil.

—Félicitations.

—Merci. Que me vaut la joie de te revoir, Morgan ? Des recherches en cours ? Tu n'es pas ici en touriste, j'imagine.

—Non… (Je posai ma tasse sur son bureau et allumai une cigarette.) Te souviens-tu du professeur Lechausseur ?

—Bien sûr ! Il est passé me voir, il y a… Était-ce en avril ? Non, en mai. Début mai, oui. Le pauvre homme était persuadé que la dépouille d'Achille avait été amenée ici. Comment va-t-il ?

—Il est mort, Phâno.

Elle pâlit.

—Quand ?

—Le mois dernier. Une chute accidentelle du balcon de sa maison, mentis-je.

—Mon Dieu…

—C'est au sujet de ses recherches que je voulais te voir. J'ai repris le dossier.

Ma consœur hocha la tête, dépitée.

—Je ne peux que te répéter ce que je lui ai déjà dit. Nous n'avons trouvé aucun tombeau remué de fraîche date, pas au cours des cinquante dernières années, du moins.

—Pas de galerie, de temple en cours de fouille qui pourrait abriter une sépulture ?

—Non, je ne pense pas. Nous avons repris des excavations autour du temple d'Arthémis Orthia, tu pourras y jeter un œil, si tu veux. (Elle lança un regard par la fenêtre.) Le soleil se couche, nous n'y verrions rien ce soir, mais repasse me voir demain matin sur le chantier, nous chercherons.

—Je suis venu accompagné du fils de Ludwig Peter et du professeur Saebjam, une archéologue égyptienne.

—Aucun problème. Tu as dîné ?

—Je… non, répondis-je en repensant à ma salade abandonnée sur la table du restaurant de l'hôtel.

—Je t'invite au Mitra, comme au bon vieux temps ?

—Va pour le Mitra.

Nous passâmes une soirée agréable et bon enfant, évoquant des souvenirs de chantier et des amis perdus de vue. Vers 23 heures l'époux de Phâno, un homme élégant d'une quarantaine d'années, nous rejoignit pour le café. Magistrat de son état, il se passionnait pour l'antiquité et était d'un contact aussi chaleureux que facile. Ils me raccompagnèrent à l'hôtel en voiture et repartirent lorsque j'eus disparu dans le hall.

Je ne me serais jamais attendu à ce que nos retrouvailles se passent aussi bien et je n'allais certes pas m'en plaindre. Cet agréable intermède m'avait fait oublier l'atmosphère tendue qui s'était installée entre mes compagnons et moi, mais, lorsque je pénétrai dans la chambre que je partageais avec Hans, celui-ci ne put retenir une remarque acide.

—Alors ? C'est un bon coup, la réceptionniste ?

Je préférai ne pas répondre et lui tournai le dos.

*

Le lendemain matin, comme je l'avais escompté, Amina s'était reprise. Je retrouvai avec soulagement la jeune femme enthousiaste et souriante avec qui je m'étais lié d'amitié, ce qui ne manqua pas de déstabiliser Hans.

—Tu en fais, une tête, remarqua notre compagne. Aurais-tu passé une mauvaise nuit ?

—Non, ça va. Qu'espérez-vous trouver dans les ruines, au fait ? Une pancarte avec une flèche « ci-gît Achille » ?

—Quelque chose comme ça, soupirai-je. En route.

Le soleil était encore bas et nous profitâmes de la fraîcheur pour nous dégourdir les jambes en remontant l'avenue Paleologu jusqu'au nord de la ville. Nous dépassâmes le *stadium* puis obliquâmes sur la droite en direction de l'Eurotas.

Les restes de la ville antique étaient protégés par un grillage et nous nous adressâmes à un gardien.

—Oui, le professeur Varnalis m'a prévenu, nous vous attendions. Venez, professeur Lafet.

Nous le suivîmes jusqu'aux restes du temple d'Arthémis Orthia, où les archéologues s'agitaient comme des termites. La plupart d'entre eux avaient l'âge de Hans, ou peu s'en fallait, et je ne reconnus personne.

Le secteur était soigneusement quadrillé en parcelles de fouilles régulières, délimitées par des câbles et des piquets étiquetés. Deux bungalows de chantier s'élevaient non loin de là, mais je doutais que beaucoup de trouvailles y fussent stockées. Sparte était un site d'une pauvreté archéologique désespérante dès lors que l'on dépassait les premières strates et les archéologues avaient entamé les fondations depuis un moment, si j'en jugeais par la profondeur des tranchées.

—C'est ça, ta ville antique ? murmura Hans, maussade.

—Que t'attendais-tu à trouver ? demanda Amina.

—Des colonnes, des temples, je ne sais pas, moi. Il n'y a pas un seul fragment de monument encore debout !

— Tu exagères. Regarde derrière toi

— Des morceaux de muret ? Mais c'est Byzance !

Phâno sortit de l'un des bungalows et nous fit un signe de la main. Après de rapides présentations, elle nous offrit une visite guidée du chantier.

— Nous pensons que l'autel d'Achille, le plus à même de vous intéresser, s'élevait sur l'acropole, là-bas, près du sanctuaire des muses.

— Excusez-moi, mais où voyez-vous une acropole ? intervint Hans.

— Là. Juste devant vous. Au nord-ouest.

Mon stagiaire observa la petite colline hérissée de rares blocs de pierre en quinconce que Phâno lui désignait et ses épaules s'affaissèrent.

— Ah… Je vois…

— Attendez, vous allez comprendre. (Phâno, amusée par le désappointement de notre compagnon, tira de sa ceinture un plan du site qu'elle déplia devant lui.) Voici l'autel d'Achille. Et ici, le temple d'Héraclès.

Plus le regard de Hans faisait l'aller-retour entre les tracés soignés et ce qui l'entourait, plus son visage se décomposait.

— Soit vous avez une imagination débordante, fit-il, soit j'ai besoin de lunettes parce que, moi, je ne vois que des gravats et des monticules de terre. Vous n'avez pas de vraies ruines ?

Ma consœur écarquilla les yeux et j'éclatai de rire.

— Ce plan a été exécuté à partir des fondations et des sources antiques, Hans, intervins-je. Une vue d'avion pourrait te… Qu'est-ce que c'est ? demandai-je en posant le doigt sur un entrelacs de tracés rouges autour du temple d'Arthémis.

— Les sentiers que nous avons dégagés sur le chantier du temple depuis cinq mois. Probablement des ruelles le long desquelles étaient construites des maisons, mais il ne reste malheureusement plus trace de ces dernières.

— J'ai déjà vu ça, assurai-je.

— Impossible, nous n'avons pas communiqué ces tracés et nous ne les publierons pas avant la fin des fouilles.

Je me torturai les méninges.

— Dans le journal ? risqua Amina.

Hans secoua la tête.

— Non, je m'en souviendrais, ça fait comme un labyrinthe avec un rond au milieu, regardez.

— C'est l'autel d'Athémis, spécifia Phâno.

— Un imbroglio de ruelles avec un cercle au milieu… murmurai-je sans m'en rendre compte. Mais oui ! Le journal !

— Je te dis que non, insista mon stagiaire.

Mais je ne l'écoutais plus. Je fouillais dans mon sac à dos comme si ma vie en dépendait.

— Morg ? interrogea Phâno. De quoi parlez-vous ? Quel journal ?

— Voilà ! fis-je en brandissant le morceau de papier bon marché où Bertrand avait noté le numéro de téléphone et le nom de son assistante Alexandrine. Regardez. Ce n'était pas le plan du quartier d'Amina mais bien celui du temple d'Arthémis Orthia.

— Tu as raison, acquiesça ma consœur. Il a dû le reproduire lorsqu'il est venu.

— Ça signifierait que le tombeau d'Achille se trouverait là ? s'enquit Hans.

Je haussai les épaules.

— Achille et Arthémis ? Cela n'aurait aucun sens, assura Phâno, et je ne vois pas où il pourrait se trouver, nous creusons actuellement des strates de deux mille sept cents ans, à peu près, et nous n'avons rien trouvé qui ressemble à un tombeau. Venez voir.

Amina, Hans et moi arpentâmes le site de long en large jusqu'au soir, prenant à peine le temps de nous poser pour déjeuner. En vain.

—Le tronçon, là-bas, n'a pas encore été fouillé, indiqua un jeune homme couvert de taches de rousseur.

—Non, répondis-je en enfonçant la pointe d'une truelle dans le sol meuble, c'est de la vase et des alluvions. Nous sommes trop près de l'Eurotas.

Phâno, qui nous avait rejoints, soupira, aussi déçue que nous.

—Je suis désolée, Morgan. Je ne vois plus où chercher dans cette zone. À mon avis, il faudrait essayer sur l'acropole, ce serait plus logique.

Amina acquiesça.

—Elle a raison, Mor...

Un grondement sourd l'interrompit et le jeune archéologue jura.

—C'est l'heure, fit-il en regardant sa montre. Ils remettent ça !

—Qu'est-ce que c'est ? demandai-je.

—La station d'épuration, répondit Phâno.

—Elle ne faisait pas autant de bruit, il y a trois ans.

—Ils ont remplacé les turbines l'an dernier. Elles se mettent en marche à 17 heures, quand nous avons de la chance, et font un boucan de tous les diables. Bienvenu dans la Sparte moderne, Morgan. C'est fini pour aujourd'hui ! cria-t-elle à l'attention de son équipe en agitant les bras. Il est l'heure de rentrer à la maison !

Hans se laissa tomber sur un bloc de marbre en épongeant son visage avec un pan de son t-shirt.

—Alors ? Nous remettons ça demain ?

—Nous n'avons pas vraiment le choix, Hans. Nous verrons ce que nous pourrons trouver du côté de l'acropole.

Fourbus, nous saluâmes les archéologues et je remerciai chaleureusement Phâno.

—Je vous ramène en voiture ? proposa-t-elle.

Elle nous déposa à l'hôtel et, après une douche, Hans s'écroula sur son lit. Je descendis donc au restaurant avec Amina et nous dînâmes dans un quasi-silence, trop épuisés pour échanger un mot. L'année et demie passée au Louvre m'avait rouillé et je ne tenais plus la distance.

Une fois couché, cependant, impossible de trouver le sommeil. Je me tournai et me retournai dans mon lit tant et si bien que Hans se réveilla.

—Va fumer une cigarette ou va te promener, tu fais grincer ton lit !

—Désolé...

Je m'habillai donc et descendis dans le hall, mais j'avais besoin de marcher. Réfléchissant aux raisons pour lesquelles Bertrand avait reproduit une partie du plan de Phâno, je remontai l'avenue ornée de palmiers et ne tardai pas à me rendre compte que mes pas m'avaient mené jusqu'au lieu de mes réflexions.

Après un regard à droite et à gauche, je me glissai sous le grillage à la barbe du gardien qui somnolait à une vingtaine de mètres et pénétrai dans le chantier.

La nuit était fraîche sans être froide et je m'assis sur l'herbe, adossé à l'un des murets en ruine, derniers restes du temple d'Arthémis.

Je levai les yeux au ciel et comptai les étoiles, bercé par le clapotis de l'Eurotas. Les turbines de la station s'étaient tues et l'air sentait délicieusement bon les pins, les oliviers et les lauriers-roses qui parsemaient les berges. J'essayai d'imaginer les rires et les cris qui devaient résonner sur les lieux plus de deux mille ans auparavant. Des dizaines de galopins avaient dû s'affronter à grands coups de taloches et de ruse. Le mythe des séances de flagellation d'enfants sur l'autel d'Arthémis Orthia avait la peau dure et bien des professeurs en parlaient encore à leurs étudiants en oubliant de préciser que cette pratique n'avait eu cours que durant la période romaine. Lorsque le grand empire annexa la Grèce, Sparte n'était déjà plus que l'ombre d'elle-même. Elle essaya alors par tous les moyens de renouer avec de légendaires traditions de rigueur tyrannique qui n'existaient, en fait, que dans l'imagination d'auteurs athéniens romantiques.

Le temple auquel j'étais adossé n'avait jamais contemplé, du temps de sa splendeur, les larmes d'un enfant battu à mort ou entendu le claquement des verges sur un dos rompu. Tout au plus quelques bagarres enfantines, acharnées, certes, mais guère meurtrières. Pas de quoi en faire un fromage. Quoique… c'était bien de fromages qu'il était question. À l'époque où le célèbre Léonidas s'apprêtait à entrer dans la légende, de petits fromages étaient disposés sur l'autel d'Arthémis, peut-être à l'endroit même où j'étais assis. Par périodes déterminées, un groupe de gamins était chargé de les surveiller et d'empêcher leurs camarades de les subtiliser. Pour arriver à en récupérer un, il fallait être soit très fort, soit très malin et un tel trophée faisait pleuvoir une considération certaine sur la tête du courageux chapardeur. Voilà pour le mythe des flagellations rituelles…

Des mises au point telles que celles-ci m'avaient fréquemment valu l'ire d'universitaires bornés comme Edward Tool. Je n'ai jamais compris pourquoi ces gens s'acharnaient à soutenir les théories les plus cruelles quand la réalité était souvent bien plus cocasse et plus amusante. Si je prenais le cas de Socrate, par exemple. Combien de…

Mes réflexions furent interrompues par un craquement et je tressaillis contre mon muret. Un chat ? Ils étaient nombreux, dans les ruines. Le cœur battant, je me recroquevillai dans un angle, essayant de percer l'obscurité à travers une fissure. Un petit point rouge dansait entre les arbres, à une vingtaine de mètres. Une cigarette. Ce que j'avais entendu était le craquement d'une allumette. J'attendis en retenant mon souffle, une main sur le pistolet qui ne me quittait plus. «Crrkkk», «crrkkk», «crrkkk». Des bruits de pas réguliers et décidés. Qui pouvait venir ici en pleine nuit ? Un garde ? Un policier ? Le site était interdit au public. Et pas plus que d'autres je n'aurais dû me trouver là.

Le ciel était dégagé et, à la faveur de la lune, je vis une silhouette se dessiner entre deux pins. Un homme d'une trentaine d'années, mince et vêtu avec élégance. Il s'appuya contre l'un des troncs pour déguster sa cigarette et, lorsqu'il aspira la fumée, le bout incandescent éclaira un visage aux traits irréguliers. J'avais déjà vu cet individu, mais où ?

Je l'observai avec méfiance, craignant d'être aperçu, mais il changea de position et l'angle du muret le dissimula à ma vue. Au bout d'une minute ou deux, j'entendis de nouveau le bruit de ses pas. Il venait dans ma direction.

Jurant silencieusement, je glissai mes cheveux blonds dans le col de mon t-shirt noir, sur lequel je tirai pour me couvrir la tête, et retins ma respiration. L'homme s'assit sur le muret, pour ainsi dire au-dessus de ma tête. Heureusement, il n'avait pas eu l'idée d'en faire le tour…

Ma main se contractait sur mon pistolet et le sang battait à mes tempes. Que faisait ce type ici ? Je levai un peu la tête et l'observai par l'ouverture de mon col. Je ne voyais que son dos. En étirant un peu le cou, j'aurais pu frôler ses fesses.

«Il ne manquerait plus que mon téléphone se mette à sonner… », pensai-je avec un humour désespéré.

L'inconnu tira une dernière bouffée de sa cigarette et la jeta derrière lui sans même l'éteindre. Elle atterrit à quelques centimètres de mon pied droit, dans un petit bouquet d'herbes sèches. Je serrai les dents et résistai à l'envie de l'écraser.

« Fiche le camp… », priai-je en silence.

Je n'osais esquisser un geste et les brindilles rougissaient les unes après les autres. Elles n'allaient pas tarder à s'enflammer et je me ferais alors immanquablement repérer.

Dame Fortune eut pitié de moi et j'entendis l'homme s'éloigner. Après quelques secondes, qui me parurent durer des heures, j'écrasai le petit feu naissant d'un coup de talon rageur.

Je pris une profonde inspiration pour calmer les battements de mon cœur, sortis la tête de mon t-shirt et risquai un coup d'œil par-dessus le muret. L'inconnu s'enfonçait entre les pins. Il n'y avait pourtant rien là-bas, la ville se trouvait à l'opposé.

J'hésitai un court instant, ma raison m'incitant à détaler et ma curiosité me poussant de l'avant, puis me glissai aussi silencieusement que possible entre les arbres.

Le sol était rocailleux par endroits et il était donc facile de ne pas faire craquer les brindilles, ce dont l'homme que je talonnais semblait se soucier comme d'une guigne. À aucun moment il ne se retourna et il ne lui vint pas une seconde à l'esprit qu'il pouvait être suivi. Mais où comptait-il aller dans cette direction ? Il marchait droit sur le grillage qui ceinturait le site. Derrière celui-ci, il n'y avait que l'Eurotas.

Non sans surprise, je le vis passer sous le treillis et obliquer vers une plantation d'oliviers pour pénétrer dans le cabanon de ciment de la station d'épuration. Je patientai un long moment, caché derrière un olivier plusieurs fois centenaire, mais ne le vis pas ressortir. Las d'attendre, je m'approchai du cabanon et jetai un œil à l'intérieur par l'unique lucarne grillagée dont il était doté. Je distinguai deux grosses canalisations, un grand boîtier métallique d'où s'échappaient fils électriques et tuyaux, probablement le tableau de contrôle de la station, et… ce fut tout. Où était-il donc passé ? Silencieusement, j'essayai d'ouvrir la porte blindée, qui ne bougea pas d'un millimètre. Elle était fermée à clé.

—Voilà autre chose… murmurai-je.

J'attendis encore une bonne heure, accroupi au pied d'un tronc, les yeux fixés sur le cabanon, mais personne n'y entra ou n'en sortit. Je regardai ma montre. Minuit. Sans doute était-il préférable de revenir lorsqu'il ferait jour.

Je repartis donc en direction de l'hôtel, la tête pleine de suppositions et de questions. Je m'arrêtai à une fontaine publique pour boire et le portrait de saint, que l'on avait placé au-dessus de la voûte de pierre comme pour la bénir, me sourit de ce sourire qu'ont toutes les icônes religieuses.

La religion, antique ou non, commençait à me sortir par les oreilles. Bien sûr, je n'oubliais pas ceux qui avaient payé de leur vie l'aide qu'ils nous avaient apportée et si je ne pouvais penser sans un pincement au cœur au *padre* Ilario ou au moll…

—Le Vatican ! réalisai-je soudain en me redressant comme un ressort, manquant de peu de me cogner l'arrière de la tête à la voûte de la fontaine.

Voilà où j'avais vu cet homme et pourquoi je ne l'avais pas reconnu tout de suite. Il avait troqué sa soutane contre un costume italien. Aucun doute, ce bec-de-lièvre, cette expression pincée et ces épaules osseuses, qui m'avaient fait me demander s'il n'abusait pas du jeûne rituel, étaient ceux du secrétaire personnel du *padre* Ilario…

« Le *padre* Ilario nous a quittés, monsieur. Cette nuit, monsieur, que Dieu lui pardonne. C'est moi qui l'ai trouvé. Il s'est pendu dans la bibliothèque. »

—Salopard…

Je repartis au pas de course en direction de l'hôtel pour réveiller Hans et Amina. L'affaire était trop grave pour attendre le lever du soleil. J'avais peut-être enfin mis un semblant d'identité sur l'un des cinglés qui nous traquaient...

*

—Tu en es sûr ? ne cessait de répéter Amina, qui se frottait les yeux pour chasser les restes de sommeil. Il devait faire sombre et...

—Certain ! C'était lui.

Hans, que j'avais tiré du lit pour qu'il m'accompagne chez Amina, tournait en rond dans la pièce. Nous avions failli faire périr notre compagne d'une attaque en faisant irruption dans sa chambre pour la secouer.

—Il y a peut-être une entrée secrète, un tunnel ou un truc dans le genre, fit Hans.

—Il doit au moins y avoir une trappe, ajouta Amina. Un accès au sous-sol est nécessaire en cas de panne. Il faut pouvoir réparer les câblages et les tuyaux qui partent du tableau de contrôle jusqu'au système d'épuration. Tu dis qu'il avait la clé de la porte blindée ?

—Oui, sinon je ne vois pas comment il aurait pu y pénétrer.

Hans s'assit sur le lit et pinça les lèvres.

—Moi, ce que j'aimerais savoir, c'est ce qu'il fichait dans le temple. Est-il sorti de sa petite cabane pour fumer sa clope ? Mais dans ce cas, quel besoin avait-il d'aller sur les ruines ? Le bord du fleuve n'est pas une zone non-fumeur !

—Il venait de l'acropole, précisai-je. De cette direction, en tout cas.

—Ou de la ville, fit Amina.

—C'est possible, oui. Il y loge peut-être, comme nous.

—Et s'il nous avait suivis ? murmura Amina.

—Pas depuis Rome. Je l'ai eu au téléphone avant de partir pour Alexandrie quand j'ai appelé le *padre* Ilario.

—Je ne…

Un bruit assourdissant l'interrompit et, par réflexe, nous plongeâmes au sol. Les vitres de la chambre vibrèrent mais ne cédèrent pas. Après un silence surréaliste de quelques secondes, des cris hystériques retentirent dans tout l'hôtel.

—C'était quoi, ça ? haleta Hans.

—On aurait dit une explosion.

Nous ouvrîmes la porte de la chambre sur un spectacle apocalyptique.

—Dieu tout-puissant, gémit Amina.

Dans une fumée noire suffocante, les gens hurlaient, couraient en tous sens dans le corridor et se marchaient presque dessus pour sortir de l'hôtel. La déflagration avait endommagé une partie du faux plafond et des fils électriques pendaient, crépitants.

—Un attentat ! C'est un attentat contre les touristes ! hurlait une femme qui courait presque nue au milieu des débris et des gens tirés du sommeil.

—Ne vous bousculez pas ! Je vous en prie, ne vous bousculez pas ! criaient désespérément les employés de l'hôtel, armés d'extincteurs. L'immeuble n'est pas en flammes ! Ne vous bousculez pas !

On n'y voyait pas grand-chose dans cette fumée chargée de cendres, mais les flammes que j'apercevais, à l'extrémité du couloir, n'avaient en effet pas l'air particulièrement importantes.

—Il faut sortir ! cria Amina.

—Attends ! la retins-je en la repoussant à l'intérieur de la chambre. Les gens se marchent dessus, nous risquons d'être piétinés. Laissons-les sortir. Il y a beaucoup de fumée, mais les dégâts ne paraissent pas conséquents.

— Ça va, monsieur ? me hurla l'un des employés qui apparut devant moi, un extincteur à la main.

– Oui. Que s'est-il passé ?

– Une explosion, monsieur ! Dans une chambre du fond. Peut-être un aérosol. Les pompiers arrivent. Nous avons maîtrisé le début d'incendie, ce sont les matelas qui dégagent toute cette fumée, vous n'avez rien à craindre.

Mon flux sanguin fit une embardée.

-- Une chambre du fond ? Laquelle ?

-- La 52, monsieur. (Amina poussa un hurlement et je me précipitai dans la fumée, Hans à mes trousses.) Non ! Monsieur, revenez ! Il faut attendre que les pompiers aient tout vérifié. Revenez ! Je vous dis qu'il n'y a personne, là-bas.

Amina enfila rapidement un jean et un t-shirt, prit son sac de voyage et nous rejoignit à la porte. Trois autres employés de l'hôtel, un linge sur le nez, vidaient leurs extincteurs sur ce qui restait des lits, les murs et le sol. Tout était recouvert d'une mousse grise.

— Sortez, monsieur ! me cria l'un d'eux en grec.

— C'est ma chambre !

— Je suis désolé, monsieur.

Hans passa devant nous et se prit la tête dans les mains en voyant l'armoire. Les portes de contre-plaqué avaient littéralement fondu sur le dessus.

— Mon sac est là-dedans, Morg ! Mes papiers !

— Attendez, fit l'un des employés en utilisant un débris du lit pour ouvrir la porte de l'armoire, qui chut à ses pieds. Ne bougez pas, je regarde. Vous pourriez vous blesser.

Il sortit nos sacs de voyage et nous les tendit après avoir vérifié que rien ne brûlait à l'intérieur. La toile synthétique avait admirablement résisté, bien qu'elle ait fondu par endroits.

— Évacuez ! hurla une grosse voix en grec. Évacuez !

Je me sentis tiré en arrière par une patte monstrueuse. Un pompier.

—Ce sont leurs affaires ! fit l'employé en sortant à son tour de la pièce avec nos sacs.

—Prenez-les et sortez de l'hôtel ! ordonna le pompier.

Nous obéîmes et nous dirigeâmes vers le couloir, envahi d'hommes en tenue anti-incendie.

—Par ici, monsieur ! appela un quinquagénaire arborant le logo de l'hôtel. Votre amie est en bas, ne vous en faites pas.

Nous le suivîmes dans l'escalier, où plusieurs pompiers et infirmiers soignaient des touristes malmenés durant la bousculade. Une femme gémissait sur un palier, la jambe brisée totalement retournée, et Hans eut un haut-le-cœur.

Nous sortîmes enfin du bâtiment et respirâmes profondément l'air frais de l'extérieur.

—Morgan !

Amina se précipita vers nous et elle se jeta dans mes bras, en larmes.

—Elle est très choquée, monsieur, intervint un infirmier qui l'avait suivie en me tendant son sac.

—Je m'en occupe, fis-je en serrant notre compagne contre moi.

—Allez vous asseoir là-bas.

Il nous indiqua l'un des pubs-restaurants qui avaient ouvert grand leurs portes pour accueillir les touristes affolés et les blessés. On soignait d'ailleurs ces derniers un peu partout. La rue était un chaos de voitures de police et d'ambulances.

—Pourquoi y a-t-il autant de blessés ? demanda Hans, affolé, tandis que nous nous dirigions vers l'un des restaurants. Le type a dit qu'il n'y avait pas beaucoup de dégâts.

—Ils se sont piétinés dans l'escalier pour sortir du bâtiment.

Un homme arborant un tablier de serveur me fit signe d'aller m'asseoir à une banquette, près du bar.

— Je parle grec, lui dis-je en le voyant faire des efforts désespérés en anglais.

— Venez asseoir votre épouse. Je vais vous apporter de l'eau. Vous êtes blessés ?

— Non, non, merci.

Il repartit et je me vis dans l'un des miroirs qui couvraient les murs. J'arborais l'air d'un coron fraîchement sorti de la mine et la plupart des gens qui s'étaient abrités dans l'établissement n'avaient pas meilleure allure. Nombre d'entre eux étaient presque nus ou en pyjama. Les serveurs, ainsi que les clients en tenue de soirée, essayaient de réconforter ces curieux sinistrés, leur proposant de l'eau fraîche, une serviette, une couverture ou un café.

— Tu es sûre que ça va ? demandai-je à notre compagne.

Elle hocha la tête et sourit.

Le patron posa devant nous un plateau avec trois petits verres, une bouteille d'ouzo, un bol d'olives et des cubes de fromage épicé.

— Ça va vous faire du bien, vous verrez, dit-il. Allez, buvez. Cul sec.

Je traduisis pour Hans et vidai mon verre d'un trait. L'alcool me brûla la gorge, mais sa chaleur m'apaisa un peu. J'encourageai mes compagnons à en faire autant et ils s'exécutèrent avec une grimace qui fit sourire le petit homme.

Lorsqu'il se fut éloigné, Hans toussa comme un perdu.

— Ça arrache, ce truc !

Je lui tendis le bol d'olives et il en piocha une sans grande conviction.

— En tout cas, murmura Amina, nous avons maintenant la réponse à notre question.

— À savoir ?

—On sait maintenant d'où venait le secrétaire d'Ilario lorsque tu l'as vu. Il a dû poser la bombe durant le dîner et se rendre sur le chantier par un chemin détourné.

Un froid glacial cola le long de mon échine et je me resservis un verre d'ouzo. Hans et moi l'avions échappé belle…

Mes compagnons finirent par s'endormir sur la banquette et, à l'aube, la plupart des touristes étaient relogés. Nous nous apprêtions nous-mêmes à emménager dans une nouvelle chambre lorsque le patron de l'hôtel revint nous voir et se pencha discrètement vers moi.

—Vous êtes bien Morgan Lafet ?

—Pourquoi ?

—Venez, murmura-t-il en me faisant signe de le suivre. Vos amis aussi.

Je fronçai les sourcils, méfiant.

—Nous n'irons nulle part tant que vous ne nous aurez pas dit pourquoi, fis-je en glissant mon pouce dans la ceinture de mon jean.

Je sentis la crosse du pistolet, bien en place. Et dire que jusqu'alors j'étais l'un des premiers à déplorer la prolifération des armes à feu et à prôner des contrôles drastiques…

—On m'a dit de vous dire… (Il colla sa bouche contre mon oreille.) Hélios. Que vous comprendriez, ajouta-t-il plus haut.

J'hésitai. Et si c'était un piège ? Nos ennemis, car je ne pouvais plus les appeler autrement, connaissaient-ils ce nom ? Mais avions-nous le choix ? Ils savaient que nous étions à Sparte, probablement aussi qu'ils avaient raté leur attentat. Nous étions des cibles vivantes.

—Très bien, nous vous suivons.

Il se dirigea vers une porte où était peinte la mention «*private*» et nous précéda avant de la refermer derrière nous. Il s'agissait d'un bureau et, assis confortablement dans l'un des fauteuils, se trouvait un homme que j'avais espéré ne plus jamais revoir.

—Je vous présente le roi de la filature de Çanakkale et des environs, fis-je, ironique, à l'intention de mes compagnons en reconnaissant Michaël, le « remplaçant » de Hyacinthe.

Hans grimaça et Amina lui jeta un regard déconcerté.

—Trêve de railleries, professeur Lafet. Tu peux nous laisser, dit-il au patron du pub, qui s'esquiva sans demander son reste.

Le pauvre homme était sans conteste apeuré.

—Que lui avez-vous dit pour l'effrayer de la sorte ?

—Contrairement à vous, tout le monde n'a pas la chance d'avoir Hélios pour bouclier, professeur Lafet. Croyez bien que, quand ce bouclier tombera, je me montrerai à vous sous un jour que vous n'apprécierez guère.

Je soupirai, nullement impressionné par ses fanfaronnades.

—Et hormis me menacer, quelles sont vos intentions ?

—Je vous emmène au sud de la ville, à l'abri. La police ne va pas tarder à vous chercher pour vous interroger au sujet de l'explosion et il faut absolument l'éviter tant qu'Hélios n'a pas fait le nécessaire.

—À savoir ?

—Arrêter l'enquête.

—En me supprimant, peut-être ?

—Ne soyez pas stupide ! Quoi que si cela ne dépendait que de moi… (Il sortit un paquet de cigarettes de sa poche.) Cette nuit, nous avons du travail, professeur.

—Que… de quoi parlez-vous ?

Michaël coinça une cigarette entre ses dents et l'alluma en souriant.

—Mais de votre ami l'épurateur en costume, professeur.

— Vous m'avez suivi ? m'étranglai-je.

Je n'avais absolument rien remarqué. Michaël n'était peut-être pas aussi maladroit que je l'avais cru.

— Il s'agit du frère Giovanni ou, plutôt, d'Anselmo Vitto. Ancien militaire. Un pro du déminage. Nous sommes tombés sur son dossier en enquêtant sur la mort du *padre* Ilario. Il est entré dans les ordres à l'âge de vingt-sept ans et a gravi les échelons à une vitesse effarante grâce à l'appui d'un *monsignore* ami de sa famille. Le frère Giovani a disparu du jour au lendemain de la cité vaticane après la mort récente de son protecteur, poursuivit Michaël.

— Et le voilà parmi nous, fit Amina d'une voix sans timbre.

— Pas pour longtemps, je le crains. (Je blêmis et il haussa les épaules.) Qui vit par le glaive, périra par le gl...

Un bruit de déflagration assourdi se fit entendre et Amina poussa un cri.

— Une autre explosion ? s'étrangla Hans. Ils avaient donc placé plusieurs bombes dans l'hôtel ?

On tambourina nerveusement à la porte du bureau.

— Monsieur Michaël ! Monsieur Michaël !

Ce dernier fronça les sourcils, agacé.

— Qu'y a-t-il, Georgios ? demanda-t-il d'une voix sèche.

— Monsieur Michaël... il y a eu un autre attentat dans la rue ! Une voiture !

— Laisse-nous ! Allez, laisse-nous, la police fera le nécessaire, cesse de trembler ! (La porte se referma et Michaël regarda sa montre à nouveau.) Paix à son âme. Notre moinillon était un lève-tôt. Saviez-vous qu'il avait pris une chambre en face de votre hôtel pour vous surveiller ?

Je serrai les poings.

— Qu'avez-vous fait ? murmurai-je d'une voix atone.

— Mon travail, professeur. Hélios n'aime pas que l'on malmène ses hommes et je suis là pour faire le ménage.

Enfin, quand je ne joue pas les nourrices, ajouta-t-il. En route. Il faut filer.

Nous nous levâmes tous trois comme si nous avions reçu des coups de massue sur le crâne et le suivîmes dans une voiture aux vitres teintées, stationnée derrière le restaurant. Les sirènes résonnaient à nouveau au lointain et Amina se boucha les oreilles.

Comme il l'avait dit, Michaël nous conduisit au sud de la ville, dans un appartement discret, au quatrième étage d'un immeuble d'habitation. Il n'était pas très grand mais largement plus confortable que mon studio, et meublé sobrement dans des tons rouge-orangé. La climatisation ronronnait sans discontinuer, brassant un air aux discrets effluves de citronnelle sans doute destinée à chasser les moustiques.

—L'avion pour Athènes part dans sept heures, dit-il en tendant une bouteille d'eau et une plaquette de cachets à Amina et à Hans.

—C'est quoi, ça ? s'enquit ce dernier.

—Des somnifères. Après la nuit que vous avez passée, vous en aurez besoin pour dormir un peu. (Les voyant hésiter, il les posa sur la table basse.) C'est vous qui voyez. La salle de bains est au fond du couloir et les chambres, à côté.

Il s'assit sur le canapé couleur rouille qui trônait au milieu du salon et alluma une cigarette.

—Puisque personne ne se décide, je file prendre une douche, fis-je en voyant mes compagnons échanger des regards suspicieux.

L'eau tiède me réveilla et ce fut avec plaisir que je me débarrassai de la cendre et de l'odeur de fumée. Après avoir enfilé des vêtements propres, je laissai la place à Amina pour rejoindre Hans, qui discutait avec Michaël. Ce dernier avait étalé une véritable collection d'armes à feu sur la table basse et s'était lancé dans un panégyrique des automatiques.

—Celle-ci a une visée laser, dit-il en la pointant vers moi. Tu vois ? (Un petit point rouge remonta le long de ma jambe et s'arrêta sur mon entrejambe.) Et bang !

Je lançai à notre hôte un regard acerbe.

—Rangez votre artillerie ! le sermonnai-je. Ce garçon a tout juste vingt ans, par tous les dieux ! Ne pensez-vous pas qu'il a vu suffisamment d'horreurs comme ça ?

Mon assistant se renfrogna et Michaël éclata de rire.

—À son âge, j'avais déjà refroidi plus d'une cible.

—Sérieux ? demanda Hans.

—Hans ! m'écriai-je.

—Quoi ? Ce n'est pas tous les jours que j'ai l'occasion de m'entretenir avec un nettoyeur !

—Un… quoi ?

—Un nettoyeur, Morg, répéta-t-il comme s'il parlait à un demeuré. Tu ne sais pas ce que c'est ?

—Je sais très bien ce que c'est !

—Bah c'est ça, son job, en fait.

Je me frottai le visage, désemparé.

—Hans, sois gentil, file te laver.

—Ne me parle pas comme à un gosse !

—File te laver ! aboyai-je, faisant sourire Michaël.

Mon assistant obéit en protestant et je fusillai le roi du ménage du regard.

—Qu'est-ce qui vous a pris ? grondai-je lorsque j'entendis claquer l'une des portes des chambres.

—Ce n'est plus un enfant, professeur.

—Et si un coup était parti ?

—Ils ne sont pas chargés, pour qui me prenez-vous ? Continuez à le surprotéger et vous en ferez une lavette, de ce gamin !

—Le surprotéger ?

Une fatigue soudaine me coupa les jambes et je me laissai tomber dans un fauteuil. Hans avait failli sauter dans ma chambre un peu plus tôt. Par ma faute. Tout comme il avait failli se faire trouer la cervelle par Mae, à la sortie de la mosquée. Et comme il avait failli aussi se faire briser les cervicales à Rome.

— Si seulement je le pouvais… soupirai-je.

Michaël arrêta son époussetage de pistolets et sortit une enveloppe de la poche de sa veste.

— Tenez.

— Qu'est-ce que c'est ?

— Des billets pour vos amis. J'attendais qu'ils se soient reposés pour le leur annoncer. Ça me coûte de l'avouer, mais vous avez raison. La situation devient trop dangereuse pour eux. Je ne suis pas en mesure de vous protéger tous les trois.

— Ils n'accepteront jamais de rentrer en France.

— Ce sont des billets de car. Ils vous attendront dans la résidence athénienne d'Hélios. Elle est surveillée en permanence.

Je posai l'enveloppe sur la table et frottai mes paupières. Pour la première fois depuis que j'avais quitté Paris, j'étais vraiment à bout.

— Puis-je vous prendre une cigarette ? demandai-je. (Il me tendit son paquet et son briquet.) Merci.

Je la fumai en silence et, lorsque je l'écrasai, je m'aperçus que Michaël me dévisageait.

— Les autres disent que c'est toujours comme ça, fit-il.

— Pardon ?

— Qu'ils passent des mois, parfois des années à faire la chasse au trésor et, dans la dernière ligne droite, flof ! C'est le coup de pompe.

— Qui sont ces « ils » ?

— Les autres, comme vous. Les poulains d'Hélios.

— Je ne suis pas le « poulain » d'Hélios.

Il ricana.

—C'est ce qu'ils disent aussi. Au début… (Je préférai ne pas rétorquer et pris une seconde cigarette.) Il n'y en a que pour eux, poursuivit-il, amer. Quand l'un des archéos éternue, c'est tout le staff qui se mouche !

—Combien sont-ils ? (Il fit un ample geste évasif.) Avez-vous déjà vu Hélios ?

—Personne ne l'a jamais vu. Mais il est réglo. Et il paye bien. Très bien, même. Le tout, c'est d'être aussi réglo que lui.

—Et dans le cas contraire ?

—Personne n'est revenu de là-haut pour donner des détails. Vous feriez bien d'aller dormir un peu, professeur.

Je lui lançai un regard de travers.

—Pour quelqu'un qui voulait m'émasculer il y a cinq minutes, vous m'avez l'air bien prévenant.

—Je ne frappe jamais un homme à terre et là, vous me faites l'impression d'un type qui a atteint le fond et qui commence à creuser.

Je souris malgré moi.

—Je vous aurais bien démoli le portrait, en Turquie, pour me payer de la trouille que vous m'avez flanquée.

Il ouvrit de grands yeux.

—La trouille ?

Je hochai la tête.

—Je n'ai rien de l'un de vos « poulains » chasseurs de trésors. Je ne suis pas Indiana Jones, archéologue étrangleur de cobras, le pistolet dans une main et le fouet dans l'autre.

—À d'autres, prof. Vous êtes une tête brûlée, comme eux. Peut-être pas le couteau le plus tranchant du tiroir mais…

—J'ai peur que ça ne suffise pas pour finir la mission, fis-je en me levant.

Il m'attrapa le bras et vissa son regard au mien.

—O.K., prof. On joue cartes sur table. Quand vous vous êtes séparé de vos amis, à Çanakkale, c'était stupide. Prendre une suite dans un palace à Chypre sous votre vrai nom et vous promener dans les sous-bois sans avoir pris une balle dans la tête, c'était un coup de bol comme j'en ai rarement vu. Vous pointer à Sparte comme des fleurs et espérer que ces types n'allaient pas vous tomber dessus, c'était carrément suicidaire. Mais penser que vous ne pourrez pas tenir le coup dans la dernière ligne droite après tout ça… là, c'est la plus énorme connerie que j'aie jamais entendue. On va descendre là-dessous, prof. Vous allez nous sortir cette saleté d'armure et, après ça, on se paye des vacances aux îles entourés de vahinés.

—Vous oubliez ceux qui la gardent.

—Tout au plus une poignée de bras cassés à moitié cinglés. Votre boulot à vous, c'est de récupérer une antiquité de trois mille ans dans les règles de l'art sans rien esquinter. Le mien, c'est d'aplatir le premier moucheron qui osera se poser sur votre pinceau et, ça, je sais le faire mieux que personne, prof. Occupez-vous du macchabée, je me charge des mites. Qu'est-ce que vous en dites ?

—Ai-je le choix ?

Il me tendit la main, comme pour sceller un contrat, et je m'apprêtai à la serrer lorsque son téléphone portable sonna.

– Allô ? Oui, monsieur, ils sont en sécurité. Non, je… (Une voix hurla dans le téléphone, lui coupant la parole.) Mais je… (Il alla s'enfermer dans l'une des chambres et je tendis l'oreille.) Bien sûr que non ! Mais comment aurais-je pu deviner qu'il allait placer une bombe ? Non, je n'ai pas vérifié. J'étais persuadé que… Mais enfin, comment je… Je… Oui, monsieur. J'ai pris des billets sur le car de 13 h 45. Pardon ? Hier. Je ne vois pas pourquoi. Ils ne… Quoi ? Bien, monsieur. Si vous pensez que c'est mieux. Très bien, oui. J'y veillerai, monsieur. Oui, sans faute.

J'en aurais presque ri si la situation n'avait pas été aussi dramatique. Et dire que, l'espace d'un instant, je l'avais presque trouvé sympathique. Cet homme n'était bon qu'à éliminer les cibles qu'on lui désignait, sans réfléchir. Pourquoi Hélios m'avait-il fichu un abruti pareil ?

Épuisé, je m'allongeai sur le lit jumeau de celui de Hans qui dormait déjà comme un bienheureux et je fermai les yeux, mais mon téléphone sonna à son tour et je me dépêchai de décrocher pour ne pas réveiller mon assistant.

— Allô ? fis-je en sortant de la chambre pour m'enfermer dans la salle de bains.

— Morgan ? Vous tenez le choc ?

Hélios… Il avait l'air agacé. C'était donc bien lui qui avait hurlé dans le téléphone de Michaël.

— Difficilement, je l'avoue.

— Je vous comprends. Vous avez toujours votre arme ?

— Oui.

— Gardez-la sur vous, surtout.

— Pourquoi m'imposer cet incapable ? demandai-je à mi-voix.

— Vous ne le supporterez plus très longtemps, Morgan. Il a reçu des instructions, la cavalerie est en route, faites-moi confiance.

— Vous faire confiance… raillai-je. Comment va Etti ?

— Très bien. Il paraît qu'il passe des heures à surveiller les allées et venues de la clinique. Je suis persuadé que c'est vous qu'il attend.

— Si c'est ce que vous avez trouvé de mieux pour soulager mon stress, c'est gagné.

— Non, Morgan. Cela signifie simplement qu'il a compris ce que vous lui avez promis et ce que Hyacinthe lui a dit. Il fait de gros progrès.

— Et si je ne pouvais pas venir ?

— Ne dites pas de sottises. Tout va bien se passer.

— Rien ne nous dit que l'armure est toujours là-dessous, si tant est qu'elle l'ait jamais été.

— Une équipe étudie en ce moment même les relevés topographiques du secteur où vous avez vu Anselmo Vitto, Morgan. Il semblerait que, durant la guerre, des sortes de bunkers de fortune aient été creusés non loin de ce qui est actuellement le chantier de fouilles. Les fondations antiques auraient servi de murs de consolidation pour ces tanières, où les habitants dissimulaient hommes, munitions et vivres. À la fin des hostilités, nombre d'entre elles se sont effondrées et, par sécurité, elles ont été rebouchées. C'est du moins la version officielle. Je suis prêt à parier que, cette fois, vous avez mis le doigt sur le bon site.

— Hélios… si tout ne se passait pas comme prévu, que ferez-vous d'Etti ?

— Il sera soigné comme il se doit, vous avez ma parole.

— Je veux que vous le confiiez à mon père. (Un long silence.) Allô ? Vous êtes toujours là ? Vous m'entendez ? insistai-je.

— Tout se passera bien.

— Je veux votre parole que vous le confierez à mon pè…

— Je dois vous laisser, Morgan. Bonne chance. Je vous contacterai dans la soirée pour vous communiquer les informations que nous aurons pu glaner.

— Attendez !

Il raccrocha et je faillis appeler mon père sur-le-champ pour tout lui raconter, lui dire qu'Etti était vivant, quelque part, qu'il fallait qu'il retrouve sa trace, mais je me ravisai. Et si Hélios lui faisait du mal ?

Je remis le téléphone dans ma poche et retournai m'allonger en espérant que je pourrais tenir la promesse faite à mon frère.

« À la maison… comme avant. »

Paris me semblait si loin, en cet instant.

XI

Il était presque 2 heures du matin et l'air avait perdu de sa moiteur. Les lauriers-roses et les oliviers embaumaient les rives de l'Eurotas, dont le frais clapotis chantait à nos oreilles. Dans le ciel d'un velours profond, les étoiles scintillaient comme jamais et la lune présentait un joli disque de platine presque plein, moucheté çà et là de ciselures bleutées. Une ou deux nymphes auraient complété à merveille ce tableau bucolique. Je dus cependant me contenter d'un Michaël vêtu en para-commando, le visage passé au cirage, et armé jusqu'aux dents.

Quatre heures plus tôt, malgré de vives protestations, nous avions fait monter Hans et Amina dans une voiture avec chauffeur en direction d'Athènes. Hélios avait manifestement fait remarquer à Michaël, de façon assez musclée, qu'acheter des billets de car sous de vrais noms quand une bande de fous furieux vous colle aux semelles n'était pas une bonne idée.

Savoir mes compagnons en sécurité me soulagea à un point qui ne manqua pas de me surprendre. Jusqu'à ce que la voiture démarre, je n'avais pas réalisé combien la peur qu'il leur arrive quelque chose me pesait.

Dès leur départ, Michaël m'avait annoncé qu'Hélios avait confirmé ses instructions et c'était donc l'esprit presque léger que je le suivais entre les arbres, avançant prudemment vers la station d'épuration. Quand je dis prudemment, j'entends d'un pas feutré pour moi et presque en rampant pour lui.

Arrivé au petit cabanon de la station, il me tira par la manche de mon t-shirt pour me plaquer contre la paroi et scruta les alentours, prêt à tirer sur tout ce qui bougeait.

Sans relâcher sa surveillance, il ouvrit le sac à dos que je transportais et en sortit un attirail sophistiqué digne d'un prince de la cambriole. Et il savait s'en servir, je suis bien obligé de le reconnaître. En trois minutes à peine, la porte céda et il me poussa à l'intérieur, lui-même « couvrant mes arrières ».

Une fois à l'abri, non sans avoir jeté un dernier regard alentour, il referma silencieusement la porte. Je sortis une lampe torche du sac et balayai le cabanon du faisceau lumineux. Michaël se saisit brutalement de mon bras et braqua la torche vers le sol.

—Pas en direction de la lucarne ! gronda-t-il. On pourrait nous voir de l'extérieur.

Avec un soupir exaspéré, j'examinai le sol. Du béton. Mais, comme Amina l'avait deviné, une trappe métallique se trouvait sous le boîtier de contrôle fixé au mur. Je tirai sur la poignée.

—Verrouillée, fis-je en me redressant.

—Laissez-moi faire.

Michaël fit sauter le verrou avec plus de facilité encore que la serrure de la porte et souleva la trappe. À nos pieds s'ouvrait une sorte de trou d'égout carré de un mètre de côté dont on ne distinguait pas le fond. Des barres de métal rouillées étaient fixées à intervalles réguliers dans le béton, formant une sorte d'échelle. Je braquai la torche et vis un dallage de béton à quelque huit ou dix mètres de profondeur.

—Après vous, murmurai-je en faisant signe à mon compagnon.

Il s'exécuta avec mille précautions, prenant bien garde de ne pas s'emmêler les pieds dans les câbles électriques et les tuyaux et, lorsqu'il fut en bas, je le vis s'accroupir et me faire signe. Je mis le sac sur mon épaule et entamai la descente, après avoir rabattu la trappe derrière moi...

*

Michaël s'adossa à l'échelle de fortune et braqua la torche dans le petit tunnel qui nous faisait face, le canon du pistolet pointé dans la même direction. C'était un cul-de-sac. Sur les murs étaient fixées diverses installations électriques d'où s'échappaient des dizaines de câbles multicolores.

— Vous entendez ce vacarme ? murmura mon compagnon.

— On dirait un générateur.

J'avançai dans le cul-de-sac au fond duquel je découvris une porte blindée. À hauteur d'homme, au-dessus d'un logo rouge informant des risques possibles d'électrocution, avait été apposé l'avertissement « DANGER ».

— Poussez-vous, prof.

Il entreprit de forcer la serrure, mais cette dernière résista.

— Qu'y a-t-il ? m'enquis-je.

— Trois verrous et pas de la camelote. (Je tapai du pied, impatient.) Vous voulez le faire à ma place ?

Finalement, au bout d'un long moment, la porte céda et s'ouvrit sur un local on ne peut plus banal où grondait un gros générateur électrique. Michaël balaya la pièce de la torche. Ni porte ni trappe au sol et, devant nous, l'écran de contrôle de la machine infernale.

— Quelque chose a dû nous échapper, conclus-je.

— Je ne vois pas quoi. C'est minuscule.

Je ramassai un mégot de cigarette, sur le sol, et grimaçai. Il y en avait une bonne dizaine et pas tous de la même marque. « Minuscule », en effet, pour un lieu de réunion.

Michaël s'impatienta.

—Sortons d'ici. Ce barouf me tape sur le système.

Je fronçai les sourcils et observai les cadrans du panneau de contrôle avec attention. Le générateur fonctionnait à plein régime.

—Michaël... avez-vous entendu quelque chose avant que nous ne descendions ?

—Nous sommes à plusieurs mètres sous le béton, prof. Vous ne pouvez pas entendre ce raffut de l'extérieur.

—Non, je parlais de la station d'épuration. (Il leva un sourcil.) Avez-vous entendu le bruit des turbines, lorsque nous sommes descendus ?

—Non, tout était silencieux.

—Parce que la station est en veille.

—Et alors ?

—Et alors ? fis-je en désignant les cadrans du doigt. Pouvez-vous me dire où part tout ce jus, si elle ne fonctionne pas pour le moment ?

Michaël se gratta le menton, voyant où je voulais en venir.

—Peut-être ce générateur alimente-t-il un ou plusieurs immeubles de la ville.

—L'intérêt d'un générateur comme celui-ci est justement d'éviter un raccordement au réseau électrique de la ville.

Une lumière vive éclaira soudain les lieux et mon sang se glaça. Michaël m'arracha la torche des mains pour l'éteindre et posa un doigt sur sa bouche en me désignant le plafond. Interdit, je vis une grille, par où la lumière filtrait, et quatre pieds. Deux hommes discutaient en grec des films qu'ils avaient revus récemment et de leurs pin-up préférées. S'il s'agissait de nos gardiens, la chasteté ne faisait pas partie de leur doctrine. Pas plus que les cigarettes car, lorsqu'ils eurent fini de discuter, ils laissèrent tomber leurs mégots à travers la grille et ceux-ci rejoignirent la dizaine d'autres que j'avais vus en entrant. Ils finirent par s'éloigner, la lumière s'éteignit et nous entendîmes distinctement une porte claquer.

—Bingo, fit mon compagnon en rallumant la torche.

—Comment accède-t-on là-haut, d'après vous ?

—Combien mesurez-vous, prof ?

Je l'imaginai grimpant sur mes épaules et grimaçai.

—Non, il doit y avoir une autre entrée. Celle qu'a empruntée notre ami poseur de bombes pour rejoindre ses petits camarades. Je l'imagine mal faire de l'escalade avec un costume à deux mille euros.

—Mieux vaut passer par là que par la grande porte. Nous aurons moins de chances de nous faire repérer. Baissez-vous !

Je m'accroupis à contrecœur et il monta à califourchon sur mes épaules. Michaël devait bien peser dans les soixante-dix kilos pour un mètre soixante-quinze et j'eus un peu de mal à me redresser. Lorsque j'y parvins, il faillit se tasser de vingt centimètres.

—Doucement, prof... vous voulez m'assommer ou quoi ?

D'une simple pression, la grille pivota sur les gonds qui la maintenaient fixée par l'un des côtés sans le moindre bruit.

Michaël se hissa à la force des bras.

—Et moi ? Je monte comment ?

—J'ai une corde dans mon sa... nom de Dieu.

—Qu'y a-t-il ?

—Poussez-vous un peu, prof.

—Quoi ?

—Poussez-vous, vous n'allez pas avoir besoin de corde.

J'entendis un doux chuintement et, les yeux écarquillés, je vis un escalier d'aluminium se déplier du plafond jusqu'à

303

mes pieds, où il s'arrêta à quelques centimètres du sol avec le bruit caractéristique d'un vérin hydraulique.

—Nom de Zeus...

—Montez.

J'obéis. Bien qu'un peu instable, l'escalier était solide et, en quelques enjambées, je rejoignis Michaël, qui pressa un autre bouton sur le petit panneau du mur. L'escalier se replia gentiment, presque silencieusement, et la grille se referma seule.

—Je suis soufflé, murmurai-je.

—Je n'en suis pas sûr, mais, d'après le logo, susurra mon compagnon en me désignant un autre bouton, celui-ci semble actionner un système qui dissimule la grille. Ils doivent l'utiliser durant la journée.

Une forte odeur d'humidité flottait dans l'air. Nous étions dans une petite pièce aux murs de béton équipée de deux tables de jardin et de huit chaises. Dans un coin était branché un réfrigérateur sur lequel trônait une machine à espresso neuve, avec des gobelets, des serviettes, des cuillers en plastique et du sucre. Sur une petite étagère étaient empilés des assiettes en carton, des verres et des couverts en plastique ainsi que quelques bouteilles d'alcool, des boîtes de biscuits apéritif et des épices.

—On dirait une salle de repos, murmurai-je. Une buvette à côté d'un tombeau ? C'est d'un goût... (Michaël, aussi décontenancé que moi, examina la porte blindée – une de plus – qui fermait la pièce et grimaça.) Un problème ?

—Plutôt, oui.

—Vous ne pouvez pas la forcer ?

—Vous voulez essayer de poser votre pouce ? railla-t-il en me désignant un petit écran électronique, sur le côté.

—Pardon ?

—C'est un système d'ouverture à reconnaissance d'empreintes digitales. Essayez de la forcer et vous déclencherez toute une batterie d'alarmes.

—Que faire, dans ce cas ?

Il se plaça à côté de la porte, me fit signe de le rejoindre, vissa un silencieux sur le canon de son arme et éteignit la torche.

—Attendre, prof, répondit-il en armant son pistolet.

Nous n'attendîmes pas très longtemps. Un petit quart d'heure plus tard, la porte s'ouvrit pour laisser passer un homme en costume noir. Il actionna l'interrupteur, mais, lorsqu'il nous vit, il était trop tard. À peine avait-il ouvert la bouche pour donner l'alerte qu'une balle se logea au milieu de son front. Il tomba lourdement sur le sol.

J'avais sottement pensé que Michaël allait l'obliger à nous faire une visite guidée ou que... je ne sais pas, mais pas ça. Pas le tuer de sang-froid sans même lui laisser cligner les paupières.

—Donnez-moi mon sac, prof. Vite.

Je lui tendis le sac à dos et il en extirpa un long coutelas de survie. Lorsque je le vis se saisir de la main du cadavre, je détournai le regard.

—Vous êtes cinglé... fis-je entre mes dents.

Michaël se contenta de sourire et traîna le corps dans un coin jusqu'à la trappe.

—Ouvrez-la, m'ordonna-t-il.

—Le jeter en bas ? Vous êtes fou, quelqu'un pourrait le voir.

—Nous avons déjà laissé des traces en bas en forçant toutes les portes. Un peu plus ou un peu moins, quelle importance ?

—Mais...

—On le trouvera moins vite là-dessous. Sauf si vous ne vous remuez pas un peu et qu'il se vide de son sang sur le béton, ajouta-t-il avec un regard meurtrier.

J'obéis et soulevai la trappe, le cœur au bord des lèvres. Mon compagnon jeta le corps dans le local du générateur comme s'il se fut agi d'un vulgaire sac de déchets.

— Et maintenant ?

Il brandit le pouce coupé du cadavre.

— Allons voir ce qui se passe ici.

Le pistolet pointé sur la porte, il posa son macabre trophée sur l'écran digital et le battant se déverrouilla. Après un regard par l'entrebâillement, il me fit signe de le suivre et de fermer la porte derrière moi.

Nous nous trouvions au bout d'un couloir de béton enténébré et sans ouverture qui devait s'allonger sur deux, trois mètres au plus. À l'autre extrémité, une vive lumière de néons filtrait par les vitres d'une porte à double battant, comme celles que l'on voit dans les hôpitaux.

Michaël s'élança sans l'ombre d'une hésitation, pistolet au poing, et je le suivis à grandes enjambées. Il se tapit contre le mur, attendit que j'en fasse autant et, prudemment, risqua un regard à travers la vitre. Je le vis sursauter et il laissa échapper un hoquet de surprise.

— Quoi ? murmurai-je d'une voix à peine audible.

N'y tenant plus, je jetai un coup d'œil à mon tour. Nous nous trouvions au sommet d'une sorte d'arène ultramoderne et la porte derrière laquelle nous nous dissimulions s'ouvrait sur une plate-forme qui en faisait le tour, gardée par des hommes en costume, arme à la ceinture. J'en comptai cinq en tout. Leur regard plongeait au centre de l'arène, où une dizaine d'individus vêtus de blanc, sans nul doute des scientifiques, s'agitaient, dans un laboratoire comme je n'en avais jamais vu. Ordinateurs, scanographes, microscope à balayage, analyseur de spectre, lasers, caisson magnétique, four, rien ne manquait.

Michaël me désigna quelque chose au fond du labo. Dans de gros tubes de verre dont on pouvait imaginer que la pression et l'humidité étaient contrôlées par un système électronique complexe se trouvaient les six raisons du déploiement de ces impressionnants moyens techniques et scientifiques. Les pièces composant l'armure d'Achille : le plastron, le casque, le bouclier, la lance et les deux cnémides. Deux tubes vides attendaient le glaive et le poignard.

Je restai bouche bée. Et moi qui m'étais attendu à tomber sur un tombeau poussiéreux et un délicat corps momifié gardé par des adeptes d'une secte en mal de spiritualité...

— On fiche le camp, chuchota Michaël. Je n'avais pas prévu, ça.

Je sentis quelque chose de froid sur ma nuque.

— Laissez vos mains bien en vue, professeur, lança en grec dans mon dos une voix féminine.

Michaël n'eut pas le temps de réagir : un homme râblé lui avait posé un pistolet sur la tempe et prit son arme.

La femme m'obligea à me tourner vers elle et je reconnus avec un choc la jolie soubrette de l'hôtel.

— Surprise, professeur !

— Koba ! appela son ami en direction de la porte. Nous avons de la visi...

Il n'eut pas le temps de finir sa phrase. Michaël avait sorti un second pistolet de l'une de ses poches et l'avait tué d'un coup de feu qui résonna dans toute la structure.

Profitant de la surprise, je me saisis de l'arme de la jeune femme pour lui faire lâcher prise, mais elle s'effondra dans mes bras. Michaël lui avait tiré une balle entre les omoplates.

Par les vitres, je voyais les hommes en costume courir sur la plate-forme pour se précipiter vers nous. Mais ils n'étaient plus cinq. Ceux qui se trouvaient en bas, et que nous n'avions pas remarqués, montaient quatre à quatre l'escalier qui menait à la passerelle. À travers l'une des vitres qu'il brisa, mon compagnon en toucha trois.

—Tirez, prof ! hurla Michaël en se mettant en joue, face à la porte.

Je me résignai, le cœur battant. Brisant la seconde vitre, je visai le plus proche et pressai la détente. Il tomba en arrière et les autres se mirent à l'abri. À ce moment précis, mon compagnon reçut une balle dans l'épaule et s'écroula.

—Michaël !

Une explosion retentit soudain dans mon dos, déclenchant une alarme qui figea une partie des hommes sur la plate-forme et provoqua un affolement général.

Dans le couloir par lequel nous étions arrivés s'étaient matérialisés dans une fumée épaisse une dizaine d'hommes en pantalon et t-shirt noirs, armés de fusils automatiques.

—Morgan ! hurla l'un d'entre eux. Couchez-vous !

—Hyacinthe…

Les vitres et le haut des portes volèrent en éclats lorsqu'ils mitraillèrent les battants tous en même temps et je plongeai vers le sol pour échapper aux balles et couvrir Michaël, qui gisait à terre.

—Qu'est-ce que c'est que cet endroit ? cria l'un des hommes en noir avant de recharger son arme.

—Nous verrons bien ! rétorqua mon ancien ange gardien en se précipitant sur la plate-forme sans cesser de tirer.

Ils sautèrent par-dessus nous comme si nous n'avions été que de simples chaises renversées, et je me concentrai sur Michaël pour ne pas avoir à regarder le carnage. Il se vidait de son sang.

—Tenez le coup, fis-je en enlevant mon t-shirt pour le presser sur sa plaie.

—Je ne sens plus mon bras, gémit-il entre les coups de feu et les hurlements. Je ne sens plus mon bras droit !

—Ne vous agitez pas !

Son visage tordu de douleur grimaça de plus belle et il me cracha à la figure.

—Tu… les attendais, hein ? C'est pour ça… que tu traînais, fils de pute !

—Quoi ? bredouillai-je en m'essuyant d'un revers de la main.

—Vous aviez peur… que je ne sois pas à la hauteur, bande d'enfoirés ? C'est pour ça que… que vous vouliez me semer ?

—De quoi parlez-vous ? Cessez de crier et de vous agiter ! Vous ne…

L'impact de la balle me coupa le souffle et une brûlure insupportable me vrilla le côté. J'essayai de me lever mais je tombai en arrière, contre le mur. Mon regard allait de mes doigts couverts de mon propre sang au pistolet que Michaël serrait dans sa main gauche. Il m'avait tiré dessus. Ce salopard m'avait tiré dessus…

—Je n'aime pas qu'on me prenne… pour un con, prof !

Il me visa à nouveau et je secouai désespérément la tête, incapable de prononcer un mot.

Mais il n'eut pas le temps de presser la détente. Hyacinthe, qui se dressa soudain au-dessus de lui, le cribla de balles des pieds à la tête.

—Morgan… (Il s'agenouilla à mes côtés et m'obligea à m'allonger.) Morgan ? Respirez. (La douleur m'arracha un cri.) Parlez-moi ! Morgan !

—Il m'a… tiré dessus…

Je pris une inspiration, mais un voile brumeux tomba devant mes yeux.

—Morgan ! Parlez-moi ! Restez avec moi ! Morgan !

Puis ce fut le noir total…

*

Lorsque j'ouvris les yeux, la première chose que je vis fut le néon du plafond. Il éclairait la pièce sans meurtrir les yeux et dispensait une agréable lumière blanche. Une odeur d'éther chatouilla mes narines ; je voulus me frotter le nez, mais quelque chose tira sur mon bras. En baissant les yeux sur le creux de mon coude, je vis un sparadrap d'où sortait un petit tuyau de plastique rempli de liquide. Une perfusion ? Je secouai la tête pour m'arracher à mon engourdissement, mais j'avais le cerveau dans du coton. Puis je sentis la brûlure sur mon flanc, et tout me revint en mémoire.

—Ne bougez pas, monsieur Lafet, fit une douce voix grecque. Vous êtes à l'hôpital, en salle de réveil, ne craignez rien. Vous avez eu un accident.

Un accident... mais de quoi parlait-elle ? Quel accident ? On m'avait tiré dessus.

—Où sont... les autres ?

—Les autres ? Quels autres, monsieur Lafet ? Allons, calmez-vous, essayez de vous reposer. L'effet de l'anesthésie va se dissiper et tout vous reviendra en mémoire.

—Je me souviens... très bien.

—Calmez-vous.

Je luttai pour rester éveillé, mais force était de constater que c'était au-dessus de mes forces et je sombrai.

*

Je me réveillai cette fois-ci dans une chambre spacieuse, peinte dans des tons de bleu très pâle et ornée de fleurs séchées, d'étoiles de mers et de tableaux aquatiques. Le lit était confortable et je ne sentais plus de tiraillement sur mon bras. La douce lumière filtrant par le store couleur sable me caressait agréablement le visage.

—Monsieur Lafet ?

Je tournai la tête pour voir un infirmier d'une vingtaine d'années. Brun, élancé, délicat et beau comme un éphèbe, il n'aurait pas dénoté sur les vases de ses ancêtres.

—Où suis-je ? demandai-je.

—Dans la clinique Lemessos, monsieur Lafet. À Sparte. Vous êtes arrivé il y a deux jours.

—Deux jours ? m'étonnai-je.

—Oui. Souffrez-vous ?

J'essayai de remuer prudemment. Je sentais toujours une douleur aiguë sur le côté, comme si je m'étais brûlé avec une cigarette, mais rien de franchement insupportable.

—Non, je… Ça a l'air d'aller.

—Tant mieux parce qu'on vous a enlevé la perfusion ce matin et les calmants ne doivent plus faire effet.

—Quelle heure est-il ?

—16 heures, monsieur Lafet. Avez-vous faim ou soif ?

J'avais la gorge sèche et envie d'avaler un bœuf entier.

—Oui.

—Je vais vous apporter de quoi manger. Mais ne soyez pas surpris, après quelques bouchées vous aurez l'impression d'être repu, c'est normal.

—Ma blessure était-elle grave ? osai-je enfin demander.

L'éphèbe à la voix de miel s'assit sur mon lit et pressa ma main.

—Non, monsieur Lafet. Rassurez-vous. La balle a glissé sur vos côtes et est restée coincée entre deux d'entre elles. Aucun organe interne n'a été touché, mais vous avez perdu beaucoup de sang et il faut vous reposer. Tenez, buvez un peu d'eau, fit-il en remplissant un verre d'eau. Je vais en rapporter, la carafe est déjà tiède. (Il se leva et se tapota la tête de l'index.) J'allais oublier. Deux hommes sont là et souhaitent vous parler. Des policiers, pour ce que j'ai compris. Je vais leur demander de venir.

Il disparut avant que je n'aie eu le temps d'ouvrir la bouche. Qu'allai-je bien pouvoir leur dire ?

Je n'eus pas le temps d'inventer un semblant de scénario car l'éphèbe revint avec eux quelques minutes plus tard.

—Et ne le fatiguez pas trop, il vient de se réveiller, fit-il, le visage sévère, avant de nous laisser.

Les deux hommes, deux inquisiteurs aux cheveux ras et au costume impeccable, se placèrent chacun d'un côté du lit, la mine peu avenante et les lèvres pincées. Le plus petit me présenta sa carte et mon cœur s'emballa lorsque je vis le logo estampillé sur celle-ci, une main brandissant une torche devant un globe terrestre. Ils n'étaient pas réellement des inspecteurs de police mais des agents du E.Y.P., les services secrets grecs.

—Messieurs ?

L'agent qui m'avait montré sa carte s'assit sur mon lit et essaya de sourire, ce dont il n'avait visiblement pas l'habitude.

—Comment vous portez-vous, monsieur Lafet ?

—Bien, merci.

—Tant mieux, fit son collègue. Parce que, dans trois jours, vous retournerez chez vous. Nous sommes persuadés que vous avez hâte d'oublier tout cela.

Je fronçai les sourcils.

—Que voulez-vous dire ?

Le plus petit se pencha vers moi.

—Vous n'avez rien vu. Il ne s'est rien passé et votre blessure a été un accident, ce dont nous sommes désolés, croyez-le bien.

—Quoi ? m'écriai-je.

—Un surveillant, vous voyant en pleine nuit sur le chantier de fouilles, ne vous a pas reconnu et vous a tiré dessus. Un malencontreux accident.

—Nous en sommes désolés, renchérit son collègue.

La colère me gagna.

—Qui étaient ces gens ?

—Vous devez vous reposer, monsieur Lafet. Vous fabulez encore.

—Sans doute le choc, insista son compagnon. On a parfois du mal à faire le tri en sortant du coma.

—Mais je n'étais pas dans le coma !

—Si, monsieur Lafet. C'est écrit noir sur blanc dans votre dossier médical. Votre cerveau est un peu embrumé.

Je me redressai sur mon lit malgré les tiraillements de ma blessure.

—À quoi jouez-vous ? grondai-je. Qui protégez-vous ?

—Vous, peut-être, fit le plus grand d'une voix suave. Reposez-vous, monsieur Lafet.

—Et partez, ajouta l'autre en posant un billet d'avion classe affaires sur la table de nuit. Plus personne ne vous fera de mal, inutile de vous inquiéter.

—Trois jours. Bon rétablissement, monsieur Lafet.

—Au revoir, monsieur Lafet, et n'oubliez pas : vous n'avez rien vu.

Ils repartirent comme ils étaient venus et je me contrôlai pour ne pas lancer la carafe d'eau contre la porte. Qu'est-ce que c'était que ces histoires ? Qu'est-ce que les services secrets grecs venaient faire là-dedans ?

—Monsieur Lafet ? fit mon infirmier en passant sa tête souriante par l'entrebâillement de la porte. Je vous apporte de quoi vous restaurer. (Il entra et posa le plateau sur une table à roulettes surélevée.) Ils vous ont agacé ? Vous avez l'air énervé.

—Qui m'a amené ici ?

—Une ambulance. Le policier a dit qu'un surveillant du chantier de fouilles de l'acropole vous avait tiré dessus parce qu'il ne vous avait pas reconnu. Vous voulez que je vous dise ? On confie une arme à n'importe qui de nos jours. Vous avez vu les surveillants, au musée archéologique ? Ils sont plus imbibés d'alcool que la mèche d'une lampe ! Qu'ils s'endorment sur leur banc, passe encore, mais s'ils se mettent à tirer sur les archéologues, maintenant…

—Est-ce que… est-ce qu'un certain Hyacinthe est venu ?

—Votre confrère ? Oui, bien sûr. Hier. Un très gentil monsieur. Il a apporté vos affaires. Elles sont dans l'armoire. Vous voulez quelque chose ?

—Si cela ne vous dérange pas, j'aimerais y jeter un œil.

—Personne ne vole, ici, vous savez, fit-il, vexé.

—Non, non, vous n'y êtes pas. Je voudrais juste vérifier que Hyacinthe n'a pas oublié mon journal et un document très important que je dois étudier au plus vite.

Il éclata de rire.

—Vous autres, hommes de science, êtes complètement fous. Vous vous faites tirer dessus et, à peine réveillés, vous revoilà plongés dans vos recherches ! (Il fouilla mon sac à dos et mon sac de voyage.) C'est ça ? demanda-t-il en sortant un bloc.

—Non, c'est un petit carnet très épais et un rouleau de carton.

J'étirai le cou pour scruter l'intérieur de mon bagage, mais je n'y vis que mon matériel et des vêtements neufs. Le rouleau contenant le document du Vatican était trop grand pour passer inaperçu.

—Je ne trouve rien d'autre, monsieur Lafet.

Je ricanai, amer.

—Le contraire m'eût étonné…

—Votre ami a sans doute craint que vous ne vous surmeniez et il a eu raison.

—Attendez, passez-moi ma trousse de toilette, voulez-vous ?

—Vous voulez que je vous aide ? demanda-t-il en me la tendant.

—Non, merci, je vais me débrouiller.

—Ne glissez pas sous la douche, surtout.

J'attendis qu'il sorte et fouillai la trousse à la recherche d'une petite pochette en cuir, que je trouvai coincée entre un tube de dentifrice et un pain de savon. Un sourire involontaire se dessina sur mes lèvres et je fis tomber le petit objet qu'elle contenait dans ma paume. Mon sourire se figea lorsque je vis ce que je tenais dans la main. Hyacinthe avait remplacé la boucle de titane récupérée dans le tombeau d'Alexandre par une copie de monnaie antique en or représentant Apollon, la tête de son amant Hyacinthe, tué par Zéphyr, sur les genoux. Sur l'une des tranches était gravé en grec « Parti en coup de vent… lui aussi ».

*

Je restai deux jours supplémentaires dans la clinique, sans recevoir de messages ou de coups de fil. J'étais follement inquiet, ne sachant ce qu'étaient devenus Hans et Amina et je n'osai appeler mon père, de peur de l'affoler. « Allô ? Papa ? J'ai reçu une balle, tué plusieurs personnes lors d'une fusillade et perdu Hans mais, à part ça, ça va. Ah, au fait, tu vas rire : Etti est vivant. »

Au matin du troisième jour, las de me ronger les sangs, je m'habillai, pris mes affaires et signai mon bon de sortie, au grand désespoir de mon infirmier amoureux, qui commençait aussi à me taper sur les nerfs.

Mon avion décollait à midi, mais je ne pouvais partir sans au moins essayer de savoir ce qui s'était passé. Je pris donc un taxi en direction du chantier de fouilles. Durant le trajet, j'essayai une fois de plus d'appeler Hans sur son portable mais tombai sur la messagerie.

Je payai le chauffeur et me dirigeai vers l'entrée du site. Impossible d'y pénétrer. L'armée quadrillait le secteur. Des filets de camouflage avaient été fixés sur le grillage ceinturant le chantier et des hommes armés jusqu'aux dents décourageaient les curieux qui essayaient de regarder au travers.

—Que se passe-t-il ? demandai-je à un surveillant.

Il haussa les épaules.

—Ils ont trouvé des bombes datant de la guerre, il paraît. Ils ont tout bouclé.

Je voulus m'approcher pour jeter un œil indiscret, mais un soldat s'interposa.

—Interdiction de passer, dit-il en anglais. C'est dangereux, ça peut sauter à tout moment.

—Je suis archéologue. Un ami de la responsable des fouilles, le professeur Varnalis.

—Le site est fermé et le professeur Varnalis est à Prague jusqu'à jeudi prochain. Partez, ordonna-t-il d'une voix sèche.

Voyant qu'il était inutile d'insister, je reculai et partis héler un autre taxi en grommelant. Des bombes datant de la guerre... Comment les autorités avaient-elles été alertées et pourquoi gardaient-elles la fusillade sous silence ? Une vingtaine de cadavres au bas mot ; la presse aurait dû en faire les gros titres. Bon sang ! Hélios ne pouvait avoir des contacts aussi haut placés !

J'avais mal à la tête à force de me poser des questions et mes points de suture me faisaient souffrir. Je sortis mon billet d'avion dans le car pour vérifier l'heure d'arrivée à Paris et le remis dans mon sac.

—Avez-vous passé un bon séjour à Sparte ? me demanda mon voisin de siège en un anglais laborieux.

Il s'agissait de l'un de ces sympathiques petits vieillards vêtus d'un élégant costume écru, canne à la main, que l'on voit encore sur les guides touristiques et les affiches promotionnelles de séjours en Grèce. L'un de ceux dont on se dit qu'il a été habillé et arrangé pour la photo. Ces folkloriques personnages existaient donc bel et bien.

—Merveilleux, répondis-je en grec. Inoubliable.

—Oh ! Comment se fait-il que vous parliez notre langue ?

—Je suis helléniste.

—Avez-vous visité notre musée archéologique ? Il compte de très belles pièces de collection spartiates. Surtout la grande coupe aux chasseurs. On vient du monde entier pour la photographier, vous savez.

—Elle vient du site d'Amyclées, pas de Sparte.

—Ah ! Non, monsieur, dit-il fièrement. Elle a été sortie de l'acropole de Sparte. Regardez la plaque, la prochaine fois.

—Il devait y avoir une erreur dans l'inventaire. Cela arrive.

Il ricana.

—Vous êtes têtu ! Pourquoi ne croyez-vous pas qu'elle soit d'ici ? Les Spartiates étaient trop maladroits pour l'avoir peinte, selon vous ?

—Non.

—Alors pourquoi ? insista-t-il

—C'est moi qui l'ai trouvée.

Cela lui cloua le bec un instant puis il éclata d'un rire communicatif. Je me demandai en un éclair combien d'antidépresseurs Phâno avait ingurgités le jour de l'inventaire des poteries laconiennes.

—Dans ce cas, bravo, jeune homme ! Et qu'est-ce qui vous a amené chez nous à cette époque de l'année, au milieu des touristes ? (Il se pencha en avant.) Feriez-vous partie de l'équipe des conseillers historiques du film ?

—Pardon ?

—Ils vont tourner un film sur Léonidas et la bataille des Thermopyles. Les Américains, précisa-t-il avec humour. Ils ont jeté leur dévolu sur « Léonidas le héros ». Puisse-t-il se faire ronger les pieds par tous les démons de l'au-delà, cet imbécile. « La grande bataille », comme ils disent. Ignorants…

—Non, je n'étais pas au courant.

— Dommage, vous auriez pu leur expliquer ce qu'il en était réellement.

— Vous avez l'air de vous passionner pour l'histoire de votre pays. (Il acquiesça, avide d'engager la conversation sur le sujet.) Comment diable vos ancêtres ont-ils pu croire un instant qu'ils allaient gagner cette bataille ?

— Comment *qu'ils allaient gagner cette bataille*? Quatre-vingt-dix-neuf pour cent d'entre eux la croyaient déjà gagnée ! Par la volonté de Dieu et du Saint-Esprit, sans doute. Vous voulez que je vous dise… Si nous avons encore un nom sur la carte de l'Europe, c'est parce que les dieux, là-haut, ont dû se dire que les Spartiates étaient gens trop casse-cou et amusants pour les laisser disparaître. Être encore de ce monde malgré la somme de pauvres garçons que nous avons envoyés à la mort au cours des siècles tient du miracle !

Je ris de bon cœur, torturant malgré moi mes points de suture, et la compagnie de ce joyeux vieillard érudit me permit d'échapper pour quelques heures à mes idées noires.

Nous nous séparâmes devant un café à Athènes, où mon avion avait plus de deux heures de retard. Je dus patienter dans les allées de l'aéroport en fumant cigarette sur cigarette entre deux coups de fil à Hans. Messagerie, encore et toujours. Mais que leur était-il donc arrivé ?

Mon mal de ventre me reprit sans que je sache à quoi l'attribuer, à l'angoisse, à ma blessure ou à un début d'ulcère.

« Les passagers du vol 548 en direction de Paris sont priés de se présenter à la porte d'embarquement… »

Je bondis de mon siège et pris place dans la file d'attente. Une partie de moi mourait d'envie de retourner en France et l'autre me poussait à m'enfuir à l'autre bout du monde pour ne pas avoir à expliquer à mon père et à Ludwig ce qui s'était passé.

—Monsieur? (Je tressaillis. C'était mon tour.) Puis-je voir votre ticket d'embarquement, monsieur?

Je le lui tendis.

—Excusez-moi, j'étais ailleurs.

—Bon voyage, monsieur Lafet.

Je pénétrai dans l'avion et un steward me désigna mon siège.

—Puis-je vous servir quelque chose en attendant l'embarquement des classes touristes, monsieur? Un rafraîchissement? Une coupe de champagne?

Il s'éloigna avec une expression pincée et je somnolai jusqu'au décollage. Mes nerfs me rongeaient, me sapant le peu d'énergie qui me restait.

—Attachez votre ceinture, fit une voix masculine à mon oreille. Nous allons décoller.

—Mmh? bredouillai-je avec un sursaut. Oui, merci, je… (Je dévisageai le prévenant passager qui avait pris place dans le fauteuil à côté du mien.) Hyacinthe!

Il se mit à rire.

—Si vous voyiez votre tête!

—Monsieur, si vous voulez bien attacher votre ceinture, fit aimablement une hôtesse.

J'obéis et me contins pour ne pas saisir mon voisin par le col de sa chemise lorsqu'elle se fut éloignée.

—Où sont Hans et Amina? grondai-je.

—Du calme, *dottor* Lafet, fit-il en regardant sa montre. Ils vont très bien et devraient se poser à Paris dans moins d'une heure.

—Pourquoi Hans ne répond-il pas au téléphone? J'essaie de le joindre depuis deux jours.

—Les réseaux de téléphonie mobile ne passent pas dans les résidences d'Hélios. Vous l'avez oublié?

—Il aurait dû m'appeler! J'étais fou d'inquiétude.

—Nous leur avons interdit de téléphoner pour des

questions de sécurité. Il ne fallait pas qu'ils risquent de donner des informations sur l'endroit où ils se trouvaient.

L'avion décolla et j'attendis que nous soyons stabilisés pour poursuivre la conversation. Hyacinthe accepta la coupe de champagne que lui proposait l'hôtesse et je lui demandai un thé glacé.

—Que s'est-il passé, là-bas ? murmurai-je.

—Moins fort, *dottor* Lafet.

—Répondez !

—Hélios a récupéré l'armure, elle est en sécurité, à présent.

—Dans les laboratoires de l'armée grecque ?

—Sûrement pas ! Non, c'est Hélios qui l'a, conformément à l'accord passé avec le E.Y.P.

—Comment diable avez-vous mis les services secrets dans votre poche et étouffé l'affaire ?

—Hélios avait des arguments ainsi que les contacts nécessaires. Et ne me demandez pas lesquels, je l'ignore.

—L'armée ceinture le secteur.

—Je le sais. Neuf cadavres de chercheurs fanatiques dans un laboratoire clandestin, ça fait désordre, il faut les comprendre. Non ! fit-il en me voyant ouvrir la bouche. Pas de questions à ce sujet.

—Pourquoi étudiaient-ils l'armure aussi minutieusement ? (Il haussa les épaules.) Suis-je donc condamné, après tous les risques courus, à n'avoir que des fragments de réponse ?

—Dites-vous seulement qu'il ne fallait pas que cette armure tombe entre d'autres mains que celles d'Hélios et que ce risque est à présent éliminé.

—Mais qu'a-t-elle de si extraordinaire, outre l'époque à laquelle est a été fabriquée ?

—La façon dont elle a été fabriquée, finit-il par avouer.

—C'est ce qu'Hélios veut découvrir ?

—C'est ce qu'il veut éviter que l'on découvre.

—Pourquoi ?

—Il a ses raisons.

Je soupirai, excédé.

—Très impressionnante, votre petite opération commando, fis-je après un moment de silence.

—Michaël avait ordre de ne rien tenter et de nous attendre, fit-il en détournant le regard. Hélios ne lui faisait plus confiance. Vous n'auriez jamais dû aller là-bas seuls. Jamais nous n'aurions cru qu'il oserait lui désobéir. C'était de la folie. Vous avez eu de la chance que nous soyons arrivés à temps.

—Je comprends, maintenant…

—Il y a eu une grosse bavure, lors de sa dernière mission au Mexique. Hélios voulait le mettre au vert pendant quelque temps, mais Michaël a préféré continuer, quitte à lever un peu le pied. C'est pour cette raison qu'il a été affecté à votre protection, en Turquie. Je crois qu'il n'a pas supporté d'être évincé. Il a voulu prouver qu'il valait encore quelque chose. Je suis désolé, Morgan. Il n'aurait pas dû passer outre les instructions d'Hélios. Il faut avoir perdu la raison pour s'y résoudre, ajouta-t-il avec un frisson. À propos…

Il me tendit une carte de visite.

—Qu'est-ce que c'est ?

—L'endroit où vous trouverez votre frère. Nous avions passé un accord.

—À Corinthe ? soufflai-je. Depuis tout ce temps, il n'a pas bougé de là-bas…

L'hôtesse nous apporta notre repas, mais je fus incapable d'avaler une seule bouchée

*

—Les voilà !

Le cri de Hans et d'Amina me fit tressaillir. Ils nous attendaient au débarquement des passagers de l'aéroport d'Orly, accompagnés d'une femme en élégant tailleur pantalon que Hyacinthe me présenta sous le prénom d'Akesha..

Mes compagnons, eux, se jetèrent littéralement sur moi, mais je n'eus pas le courage de les repousser en dépit de mes points de suture.

—Akesha nous a dit que tu t'étais pris une balle ? me pressa Hans. Alors ? Raconte ! Allez ! Nous n'avons pas pu t'appeler. Trop risqué, paraît-il.

—Hans, intervint Amina, il est fatigué ! Laisse-lui le temps d'arriver.

Hyacinthe sourit et sa consœur secoua la tête, amusée.

—Alors ? demanda-t-elle. Où allons-nous ?

—Chez Morgan pour le debriefing, tout d'abord. Après nous verrons.

—Akesha nous a déjà informés de ce que nous devions dire ou non, ronchonna Hans.

—Une piqûre de rappel ne fait jamais de mal.

Nous nous dirigeâmes donc vers le parking, Amina et Hans m'abrutissant de questions, et, après avoir récupéré la superbe BMW d'Akesha, nous prîmes la direction de Paris. Les gaz d'échappement, les coups de klaxon et la pollution parisienne… Dieu, quel bonheur !

XII

Le lendemain, à 9 heures, Amina sonna à ma porte. Je sortais à peine de la douche et j'étais plus nerveux qu'un adolescent lors d'un premier rendez-vous.

À 8 heures tapantes, Ludwig était venu chercher son petit-fils, qui avait passé la nuit chez moi, et je crus un instant qu'il allait pleurer de soulagement. À l'heure qu'il était, Hans lui racontait sûrement les salades prémâchées par Hyacinthe et Akesha. Leurs consignes pouvaient se résumer peu ou prou à : « Qui ? Connais pas. Non, vraiment, je ne vois pas. »

— Tu n'es pas encore prêt ?

Je la fis entrer et tournai comme un lion en cage. Je ne savais plus où étaient mes caleçons, mes vêtements, la salle de bains, bref, je ne savais plus où j'étais ni sur quelle planète je vivais.

— Morgan ! Calme-toi. On croirait que tu es dopé aux amphétamines ! C'est toi qu'ils vont enfermer.

— Es-tu certaine de vouloir venir avec moi ?

— Bien entendu. Allez, habille-toi.

Dans moins de deux heures, notre avion s'envolait pour la Grèce et nous aurions déjà dû être en train de faire la queue à l'enregistrement.

— Au fait, tu vas vraiment travailler pour Hélios ? demandai-je pour parler d'autre chose en enfilant un jean.

Akesha avait proposé à Amina de faire un essai au sein d'une des équipes de documentalistes qui nous avaient indirectement aidés dans nos recherches.

—J'adore fouiller dans les archives et les biblio-
thèques, c'est vrai, mais je crains de ne pas être à la hauteur. J'ai visité leur staff parisien hier soir. Tout ce que j'ai
pu faire jusqu'à maintenant me paraît dérisoire à côté des
dossiers qu'ils traitent, de la rapidité avec laquelle ils les
gèrent. Si tu voyais les moyens dont ils disposent... C'est
inconcevable !

—C'est-à-dire ?

Elle pinça les lèvres en un sourire gêné et secoua la tête.

—Je ne peux pas en parler, tu le sais bien.

J'acquiesçai, quelque peu vexé. Pas de doute, Hélios
savait choisir ses collaborateurs et la discrétion paraissait
être la première des qualités exigées.

—Je crois que je suis prêt.

—On dirait que tu vas chez le dentiste !

—Crois-tu qu'il va me reconnaître ? murmurai-je, un
nœud dans l'estomac.

—J'en suis sûre. Allez, viens.

Je pris mon sac et nous descendîmes l'escalier quatre à
quatre. Le taxi qu'avait pris ma compagne nous attendait
au pied de l'immeuble et j'y montai le cœur battant. J'allais
revoir Etti...

À l'aéroport d'Orly, les passagers étaient si nombreux
que l'enregistrement des bagages pour le vol d'Athènes
dura un temps infini. Pour notre part, nous ne transportions
qu'un sac de sport destiné à mon frère car nous espérions
revenir le soir même avec lui. J'y avais glissé ses vêtements préférés, quelques magazines, un lecteur de DVD
portable ainsi que deux *massala movies* pour le faire
patienter durant le trajet de retour. D'après ce que m'avait
dit Hyacinthe, il pouvait piquer inopinément des crises
de colère ou s'agiter sans raison. J'angoissais à la seule
idée qu'il nous fît une scène dans le car ou l'avion car je
ne savais absolument pas comment réagir ou ce qu'il

fallait faire pour le calmer. Et si l'on nous refusait l'embarquement ?

*

—Les médecins te diront quoi faire, essaya de me rassurer Amina dans le car qui nous conduisait à Corinthe, à une petite centaine de kilomètres d'Athènes.

—Oui, tu as sans doute raison.

—Du calme, Morgan. Tout va très bien se passer, il n'a aucune raison de s'agiter, bien au contraire. Pense à quel point il sera heureux de te voir.

Un groupe d'adolescents italiens en vacances entonna une chanson de son cru où il était question de prostituées et de déesses. Ma compagne rit de bon cœur. Il s'agissait selon toute vraisemblance d'étudiants en histoire. Corinthe était réputée dans l'antiquité pour ses prostituées sacrées, officiant au temple d'Aphrodite.

—La relève promet ! plaisanta-t-elle.

J'essayai de partager son amusement mais j'en étais incapable. Le regard perdu dans le golfe Saronique que nous longions, je me rongeai les sangs jusqu'à Mégare. Là monta un groupe folklorique local qui, par ses chants et sa bonne humeur, parvint à me changer un peu les idées jusqu'à Corinthe, que nous atteignîmes en fin d'après-midi.

—Mon Dieu quelle chaleur ! soupira Amina en quittant l'atmosphère climatisée de l'autocar.

Nous récupérâmes notre sac dans le compartiment à bagages du bus et nous dirigeâmes vers la station de taxis toute proche. Corinthe me nouait les tripes. J'y avais trop de mauvais souvenirs pour qu'il en fût autrement.

—Ça va, Morgan ? demanda ma compagne, inquiète de ma soudaine pâleur.

Je hochai la tête sans un mot avec un semblant de sourire et lui entourai les épaules de mon bras libre.

J'étais heureux de l'avoir à mes côtés et reconnaissant qu'elle eût décidé de m'accompagner. Seul, sans personne à qui parler et confier mes angoisses, je crois que je n'aurais jamais tenu le coup.

Dans la file d'attente des taxis, cependant, le courage me manqua.

— Veux-tu que nous allions manger quelque part avant d'y aller ? m'enquis-je en priant pour qu'elle dît oui.

Elle me lança un regard en coin et me pinça le bras.

— Plus tôt nous le verrons, plus tôt tu seras rassuré, dit-elle d'une voix douce. Après toi, fit-elle en m'ouvrant la porte d'une Mercedes.

Je grimpai dans le véhicule et tendis au chauffeur la carte de la clinique, qui se trouvait en périphérie de la ville, dans une propriété du front de mer.

— Joli coin ! commenta le brave homme. Vous avez quelqu'un, là-bas ?

« Non, j'adore visiter les asiles d'aliénés… », pensai-je, amer.

— Oui, répondit Amina à ma place, mais nous ne sommes jamais venus.

— La clinique Christofias est très réputée, vous savez. Et c'est un très bel endroit. J'avais une grand-mère là-bas et ça coûtait un prix fou à mon père ! Vous parlez très bien le grec, vous avez de la famille ici ?

Ils poursuivirent leur conversation bon enfant durant tout le trajet, mais je n'y pris pas part, rongé par une anxiété qui décupla lorsque le taxi se gara sur le parking de la clinique.

— Nous y voilà ! C'est beau, n'est-ce pas ? Je vous l'avais dit.

Je baissai la vitre, pris une cigarette dans mon sac et l'allumai. L'appréhension me paralysait. J'avais peur de voir l'état de mon frère, peur qu'il ne me reconnût pas, peur de ne pas savoir m'occuper de lui, peur de tout.

—Ça va aller, Morgan, m'encouragea Amina. Tu verras.

Le chauffeur nous observait dans le rétroviseur, compatissant. Un grand gaillard comme moi tremblant comme une jeune fille devait être un spectacle pathétique.

—Fumez votre cigarette tranquille, monsieur, dit-il en arrêtant le compteur pour en allumer une lui aussi. Rien ne presse, vous savez. Ici, nous ne sommes pas à Athènes. Nous autres Spartiates savons prendre le temps de vivre.

Je lui adressai un sourire reconnaissant et embrassai du regard le grand parc ombragé en inspirant l'air iodé. Profitant de la fraîcheur toute relative de la fin de l'après-midi, les médecins avaient sorti les pensionnaires. Une vieille femme parlait seule en secouant la tête et une adolescente empilait des cubes sur l'herbe, aidée par une infirmière. D'autres marchaient en faisant de grands gestes, surveillés par des aides-soignants en blouse bleue.

Je détournai le regard, incapable de les regarder une seconde de plus. Mon frère ne pouvait pas ressembler à cela. Pas lui, pas Etti…

Amina me passa un bras autour des épaules.

—Veux-tu que j'aille me renseigner ? Je te dirai dans quel état il est.

—Attendez-nous ici, fis-je au conducteur en sortant de la voiture avant que le courage ne me manque.

—Bien sûr, monsieur.

Ma compagne passa sa main dans le creux de mon bras et le serra.

Nous remontâmes une petite allée de graviers jusqu'à la porte d'entrée de la clinique et je regardai droit devant moi pour ne pas voir les malades.

Nous pénétrâmes dans le hall et nous dirigeâmes vers l'infirmière de l'accueil, qui discutait avec un médecin.

—Monsieur ? me demanda aimablement l'infirmière.

—Je… je viens chercher mon frère, réussis-je à articuler avec difficulté.

—Comment s'appelle-t-il, monsieur ?

—Etti. Lafet, pardon. Enfin, Etti Lafet, bégayai-je en sortant ma carte d'identité.

Le médecin accoudé devant la jeune femme, un homme à la mine poupine et enjouée qui devait avoir plus ou moins mon âge, se retourna.

—Vous êtes Morgan, n'est-ce pas ? demanda-t-il.

—En effet. À qui ai-je l'honneur ?

Son visage se fendit d'un large sourire.

—Pardon. (Il serra chaleureusement ma main tendue.) Je suis le docteur Apostolos Yannitsis. Etti est l'un de mes patients. Votre confrère m'avait informé de votre visite.

—Mon confrère ?

—Hyacinthe Bertinelli.

—Oh…

—Et votre père qui disait que vous ne vouliez pas voir votre frère ! Venez, professeur, je vais vous conduire jusqu'à sa chambre.

—Merci. (Je lui emboîtai le pas, le cœur battant.) Bertrand Lechausseur n'était pas notre père, docteur Yannitsis, il…

—Je parlais d'Antoine Lafet, me coupa-t-il.

Je m'arrêtai au milieu du hall.

—Mon père n'a rien pu vous dire de tel. Il ne sait pas qu'Etti est chez vous. (Le médecin grimaça.) Écoutez, je ne sais pas pourquoi Bertrand s'est fait passer pour mon père, mais je vous assure que ni ce dernier ni moi ne savions qu'Etti était pensionnaire ici. Dans le cas contraire, nous serions déjà venus le chercher, croyez-moi.

Apostolos Yannitsis se passa la langue sur les dents et parut réfléchir.

— Qui vous a informé que votre frère était parmi nous ?

— Mon « confrère » a retrouvé sa trace à la mort de Bertrand, répondis-je sans vraiment mentir. Le professeur Lechausseur payait sa pension.

— Je crois que je commence à comprendre… murmura-t-il. (Il me poussa doucement vers un petit banc en teck, près de la machine à café.) Allons nous asseoir, voulez-vous. (Je pris place aux côtés d'Amina et le médecin s'accroupit devant nous.) Bertrand Lechausseur, puisse-t-il reposer en paix, accompagnait votre père lorsqu'il nous a amené Etti. Il sortait d'un long coma et…

— C'est impossible ! (Il allait protester, mais je le devançai.) Mon père et moi croyions qu'Etti était mort.

Yannitsis secoua la tête, embarrassé.

— Attendez un instant, je vous prie.

Il fila vers l'accueil afin de s'entretenir avec l'infirmière, qui quitta son siège pour fouiller dans une armoire débordante de dossiers. Elle en extirpa un classeur rouge dont le médecin tira un dossier d'admission qu'il me tendit en revenant s'asseoir à mes côtés.

— S'agit-il bien d'Antoine Lafet ? demanda-t-il.

Une photocopie de carte d'identité était agrafée au dossier et, sur la photo, mon père souriait à l'objectif. Sa signature figurait au bas de la fiche d'admission.

Le dossier me tomba des mains. J'avais l'impression d'avoir reçu un coup de fusil en pleine poitrine. Si je n'avais pas été assis, je crois que mes jambes auraient cédé sous moi.

— C'est lui… laissai-je tomber d'une voix blanche.

Le médecin ramassa calmement les pages éparpillées sur le sol pour les remettre dans le classeur avant de retourner le déposer à l'accueil. Il échangea quelques mots avec l'infirmière, dont le visage se décomposa, et il revint vers nous.

— Morgan ? s'enquit-il d'une voix douce. Est-ce que ça va ?

J'acquiesçai, les mâchoires serrées à craquer. La surprise et l'incompréhension faisaient place à une colère sourde. Elle grondait en moi avec la violence d'un raz de marée. Si mon père avait été présent en cet instant, je crois que j'aurais été capable de le tuer de mes mains.

— Quel salopard...

Yannitsis me pressa l'avant-bras, apaisant.

— Professeur Lafet... Pour déconcertante que puisse vous paraître l'attitude de votre père, elle n'a rien d'inhabituel. Bien des gens croient que le décès d'un proche est plus facile à accepter par sa famille qu'une déficience mentale peut-être irréversible.

— Docteur, murmura Amina. Si Antoine Lafet vous a confié son fils, pourquoi était-ce le professeur Lechausseur qui réglait sa pension ?

Le médecin haussa les épaules.

— Il y tenait absolument, mais j'en ignore la raison.

— C'est durant des fouilles sous la direction de Bertrand qu'Etti a eu l'accident qui l'a conduit ici, dis-je entre mes dents.

Apostolos Yannitsis hocha la tête.

— Je vois... Je n'ai pas été informé de ce détail.

— Quand mon père est-il venu voir Etti pour la dernière fois ? m'enquis-je, les poings serrés.

— En mai, pour son anniversaire. C'est à cette occasion qu'il nous a appris qui était le « Morgan » que votre frère ne cesse de réclamer. (Amina se leva d'un bond et nous tourna le dos, ulcérée.) Monsieur Lafet m'a informé de votre refus de voir Etti ainsi diminué. Quand votre confrère est venu m'avertir de votre visite, j'ai simplement pensé que vous aviez reconsidéré la question, comme cela arrive souvent dans ce genre de cas.

—Hyacinthe…

—Il a passé beaucoup de temps avec Etti lorsqu'il a commencé à sortir de son mutisme. Et maintenant que vous êtes là, je suis persuadé que… Ah! Quand on parle du loup!

Je suivis son regard et mon rythme cardiaque s'emballa. La main dans celle de l'infirmière qui nous avait reçus et qui était allée le chercher, Etti s'était figé dans son pyjama blanc, ses beaux yeux écarquillés. Ses cheveux mi-longs retombaient en boucles soyeuses sur sa nuque et ses traits étaient toujours aussi délicats, aussi expressifs, son maintien toujours aussi digne.

Il fit un pas hésitant dans ma direction, mais j'avais l'impression qu'une épaisse couche de glace clouait mes pieds au sol. L'émotion m'avait coupé les jambes.

—Mor… gan…, articula-t-il en silence.

Je bondis alors de mon siège pour me précipiter vers lui et le serrer contre moi.

—Etti…

—Morgan!

—Chut, c'est fini, je suis là, maintenant. C'est fini…

Il s'agrippait à mon torse comme s'il craignait que je ne disparaisse. Le visage contre son cou délicat, je respirai le parfum familier de sa peau châtaigne. Il était toujours Etti. Il était toujours mon frère. Qu'importaient quelques problèmes d'élocution ou des réactions un peu étranges?

—Morgan… emmène-moi à la… maison. Je veux rentrer… à la maison.

*

La porte s'ouvrit et mon père, en kimono noir, apparut.

—Morgan… (Il me fixa quelques secondes, interdit, et son visage s'illumina, le soulagement prenant le pas sur la surprise.) Que tous les dieux soient loués, murmura-t-il, les yeux soudain humides. Ludwig m'a dit que tu étais de retour, mais, lorsque j'ai essayé de te joindre, je… Peu importe, tu es là, à présent. Mon Dieu, mais d'où sors-tu ?

À peine débarqué de l'avion, je m'étais précipité chez lui sans même prendre le temps de me rendre présentable. Sale, mal rasé, les yeux rougis, les joues creuses, les cheveux en bataille et les vêtements souillés de sueur et de poussière, je devais ressembler à un clochard.

Il tendit les bras, fit un pas pour me serrer contre lui et une rage aveugle me submergea. Comme d'elle-même, ma main se leva et retomba sur son visage.

— Salopard !

Les yeux écarquillés, mon père me dévisageait, la main sur la joue, n'osant croire que je l'avais giflé.

— Morgan… qu'est-ce qui te prend ? bredouilla-t-il.

Je le poussai brutalement dans le couloir de son appartement, manquant de le faire trébucher, et claquai bruyamment la porte d'un coup de talon.

— Tu m'as dit qu'il était mort ! hurlai-je en luttant contre l'envie de le frapper à nouveau. Tu m'as dit qu'il était mort et tu l'as laissé pourrir dans un asile d'aliénés en Grèce !

Hébété, il marcha à reculons jusqu'au salon en secouant la tête, sans me quitter des yeux.

— Que… de quoi parles-tu ?

D'un bond, je fus à ses côtés. Je le saisis par le devant de son peignoir et le plaquai contre la bibliothèque, renversant un vase chinois ancien qui s'écrasa sur le parquet.

— Pourquoi ? criai-je à ses oreilles. Pourquoi m'as-tu dit qu'il était mort ?

— Tu m'étouffes, gémit-il, le visage cramoisi.

Je le lâchai, écœuré, et il reprit son souffle en se massant la gorge.

— Et tu osais te dire son père ! Tu ne vaux pas mieux que ceux à qui tu l'as enlevé !

— Morgan, supplia-t-il, d'une voix de vieillard, les yeux larmoyants.

Il tendit une main implorante dans ma direction et je reculai avec une moue de dégoût.

— Ne t'avise plus jamais de me toucher ! (Je tirai l'autorisation de sortie d'Etti de la poche de mon jean et la lui tendis.) Tu vas me signer ça et disparaître de nos vies. Je ne veux plus te voir ou entendre parler de toi et si tu t'approches d'Etti ou que tu essaies à nouveau de l'enfermer… que les dieux me pardonnent, mais je jure que je te tuerai.

Il se traîna jusqu'au divan, où il s'affala, et je l'entendis sangloter.

— Signe ! ordonnai-je en lui tendant l'imprimé.

Il redressa la tête et j'eus un choc en voyant son expression, ses yeux délavés et son visage ridé baigné de larmes. Mon père avait soixante-douze ans. Je réalisai pour la première fois qu'il était un vieil homme. Lorsque je pensais à lui, l'image d'un gaillard vigoureux de haute taille, les cheveux blancs éclatants et la voix tonitruante, se dessinait dans mon esprit ; mais mon père n'était plus cet homme-là, je m'en rendais bien compte. Ses mains étaient noueuses et couvertes de taches brunes, comme son visage. La peau de sa poitrine et de ses bras plissait sur ce qui avait été autrefois une musculature imposante et son cou évoquait un paquet de câbles serré dans un film de Cellophane Vêtu avec élégance, enjoué et dynamique comme un adolescent, il donnait le change, mais, sur ce divan de cuir brun, en kimono mal ajusté et échevelé, l'illusion tombait. Mon père n'était plus celui que j'avais admiré durant des années. Devant moi, c'était un vieillard qui se morfondait.

— Signe, répétai-je, un goût de bile dans la gorge.

—Non, Morgan.

—Signe ou je ne réponds plus de rien !

Lentement il se redressa, dépliant sa grande carcasse jusqu'à ce que ses yeux soient à la hauteur des miens. En quelques instants, il redevint l'homme qui avait été mon père, fier, décidé, et, si je n'avais pas été si furieux, je crois que j'aurais reculé d'un pas.

—Je ne te signerai pas ce papier ! À l'époque, j'ai accepté de porter seul ce fardeau parce que je refusais de te voir gâcher ta carrière pour t'occuper d'un infirme et je ne changerai pas d'avis, dusses-tu me briser les os un à un.

S'il m'avait giflé, je n'aurais pas été davantage déstabilisé.

—Etti est mon frère…

—Etti est mon fils. Et toi aussi. J'ai des devoirs envers vous et ne m'y soustrairai pas aujourd'hui plus qu'hier. (J'ouvris la bouche pour protester, mais il m'interrompit.) Je refuse de briser la vie de l'un pour faciliter celle de l'autre, Morgan. Et si tu avais été à sa place, j'aurais fait exactement la même chose.

—Tu as brisé les deux en nous séparant ! Ne le comprends-tu pas ?

Il secoua tristement la tête.

—Etti n'est plus le jeune homme avec qui tu as partagé ton adolescence et fait les cent coups, Morgan. Il a besoin de soins et d'une attention de tous les instants.

—Il a fait d'énormes progrès, depuis la dernière fois que tu l'as vu. Et en aurait sans doute fait davantage si tu étais allé le voir un peu plus souvent, ne pus-je m'empêcher d'ajouter.

—Crois-tu qu'il soit facile pour un père de voir son fils dans cet état ? Me penses-tu insensible au point de pouvoir rester des heures en sa compagnie sans fondre en larmes ou damner la terre entière ? Peut-être serai-je maudit pour cela, car je le mérite sûrement, mais c'est au-dessus de mes forces.

— Moi je le peux, alors signe-moi cette décharge !

Il fit quelques pas dans la pièce, le dos brisé, comme si la bouffée d'énergie qui l'avait porté quelques instants s'était dissoute avec sa révolte.

— Morgan... comment veux-tu t'occuper de lui ? Tu n'es ni psychiatre ni infirmière. Il te faudra le surveiller, le nourrir, rester avec lui en permanence, le...

— Papa, le coupai-je en agrippant ses avant-bras pour l'obliger à me faire face. Etti a beaucoup progressé, je te l'ai dit. J'ai passé toute la soirée d'hier et la matinée en sa compagnie. Il se lave seul, mange seul, range sa chambre, se coiffe, parle, rit et est aussi expressif que toi et moi. Il a juste besoin de soutien et de temps pour se remettre de neuf longs mois de coma.

— Du temps ? Combien de temps, Morgan ? Six mois ? Dix ans ? Tu as une carrière prometteuse et tu es jeune ! Si tu abandonnes maintenant pour t'occuper d'Etti, cela en sera fini de toi parce que tu ne pourras pas le laisser seul un instant. Tu espérais sérieusement pouvoir l'emmener au Louvre ou sur un chantier ? Non, mon garçon. Alors quoi ? De quoi allez-vous vivre ?

— Le prix que te coûte la clinique couvrirait largement nos dépenses.

— J'ai soixante-douze ans, Morgan. Je peux mourir demain. Bien sûr, j'ai de l'argent et il te reviendra de droit, mais imagine qu'Etti ne guérisse pas. Même en vendant jusqu'au dernier bibelot de ton héritage, vous ne pourrez vivre jusqu'à la fin de vos jours ! (Je le lâchai et me traînai lourdement jusqu'à la fenêtre comme si le ciel tout entier venait de me tomber sur les épaules.) Morgan... crois-tu que je n'ai pas tourné le problème en tous sens avant de prendre ma décision ? Il ne se passe pas une nuit sans que je ne me demande si je n'ai rien oublié, s'il n'y a pas une possibilité, même infime, que j'aurais omise.

Je collai mon front contre la vitre. Dehors, le soleil commençait à décliner et les gens rentraient tranquillement chez eux retrouver leur famille après leur journée de travail. Quelques touristes flânaient et deux jeunes filles piaillaient devant la vitrine d'une pâtisserie en caressant la tête d'un gros chien débonnaire, qui attendait patiemment sa maîtresse en veillant sur un Caddie débordant de provisions.

—Je lui ai promis, papa… murmurai-je. Je lui ai promis que je le sortirais de là.

Mon père poussa un profond soupir et me posa la main sur la nuque pour me masser le cou, comme il le faisait toujours lorsque j'étais abattu.

—S'il ne guérit pas, Morgan, tu lui reprocheras d'avoir gâché ta vie. Ne proteste pas, c'est humain. Vous vous déchirerez et en souffrirez tous les deux. (Je ne répondis pas, le regard perdu dans le vide et la gorge serrée.) Très bien… Faisons un essai, dans ce cas. (Je me tournai vers lui, le cœur battant.) Cinq ou six mois, dit-il avec un sourire d'encouragement. Ça te va ? Nous verrons bien si cela donne quelque chose.

Je hochai la tête, plus ému que je ne l'aurais voulu.
—Merci…
—Mais si nous constatons qu'il ne fait aucun progrès, je veux te voir abandonner ce travail ridicule au Louvre et reprendre sérieusement tes recherches et tes cours, tu m'as compris ?
—Marché conclu, fis-je en le laissant me serrer contre lui.
—Rien ne t'empêchera de sortir ton frère de la clinique de temps en temps, murmura-t-il en lissant mes cheveux emmêlés. Peut-être même de l'emmener en vacances, pourquoi pas ?

Je souris malgré moi.

—Toujours le dernier mot, n'est-ce pas ? Tu ne changeras jamais, papa...

Mais, pour difficile qu'il fût de le reconnaître, je savais qu'il avait raison.

*

Fouillant dans les armoires à la recherche de vêtements pour Etti, j'entendais mon père rouspéter dans la cuisine.

—Morgan ! Depuis quand n'as-tu pas fait le ménage dans ce taudis ?

—Pas le temps.

—Les placards sont vides ! Quand as-tu fait les courses pour la dernière fois ?

—Je n'en sais rien.

Il fit irruption dans le couloir, une boîte de biscuits à la main. Malgré son âge, il réussissait encore à être élégant en jean et en chemise saharienne.

—Périmés depuis huit mois, fit-il avec un rictus écœuré.

Je levai les yeux au plafond, irrité, et choisis un pantalon de toile ample qu'Etti adorait porter.

—Je rangerai ce soir, lorsque nous rentrerons.

—Non, mon garçon. Nous allons ranger tout de suite. Et faire les courses.

—Papa ! Il est déjà 9 h 30 et l'avion décolle à 13 heures.

—Parce que tu voudrais installer Etti dans ce chaos, tatillon comme il est depuis qu'il a quitté l'Inde ? Et que comptes-tu lui donner à manger ? Des gaufrettes périmées et... qu'est-ce que c'était ? demanda-t-il en se saisissant du panier de fruits, où une banane avait pourri. (Je fis la moue.) Je vais décaler mon rendez-vous à la banque et prépare-toi à retrousser tes manches. Tant que j'y suis, ajouta-t-il en décrochant le téléphone, as-tu suffisamment d'argent?

— Je pense, oui.

— Eh! bien, vérifie, que diable! On voit bien que c'était ton frère qui s'occupait de tout, ici!

Je me mordis la langue pour ne pas répliquer vertement et me rappelais pourquoi Etti et moi avions décidé de quitter la maison après avoir décroché notre premier diplôme universitaire.

Pendant que papa appelait son gestionnaire de compte, je composai le numéro de ma banque sur mon mobile.

«Appuyez sur la touche étoile… tapez votre numéro de compte et appuyez sur dièse… tapez votre code confidentiel… À ce jour, votre compte chèques présente un solde créditeur de 301 259 euros et 82 centimes…»

Je m'étranglai avec la fumée de ma cigarette et mon père fronça les sourcils.

— Ton découvert est si important que ça? chuchota-t-il, la main sur le combiné.

J'agitai la main et secouai la tête, demandant confirmation du solde.

«… présente un solde créditeur de 301 259 euros et 82 centimes. Pour connaître le détail des dernières opérations, appuyez sur 1.»

Je m'exécutai, le cœur battant, et la voix synthétique monocorde et saccadée annonça:

«Le… 28 juin, au… débit, prélèvement… "EDF 125487 B." de… 124 euros, 52. Le… 2 juillet, au… débit, prélèvement… "Mutuelle UGT la mutuelle où l'on est bien." de… 87 euros, 50. Le… 6 juillet, au… crédit, virement… "Félicitations, Hélios." de… 300 000 euros. Le… 7 juillet, au…»

Je raccrochai, estomaqué, et remarquai que mon père me faisait de grands signes.

—Attendez un instant, madame Chassieux, le voilà. (Il couvrit le micro du téléphone de la paume.) Combien dois-je te virer ?

—Rien, fis-je bêtement. Il y a largement assez.

Je me laissai tomber sur le canapé et mon père raccrocha avant d'appeler la clinique. 300 000 euros… Je comprenais mieux pourquoi les hommes d'Hélios étaient heureux de travailler pour lui.

—Alors ? demanda mon père, me faisant tressaillir. On va les faire, ces courses ?

Je le suivis jusqu'au petit supermarché qui se trouvait non loin de la maison et nous en revînmes chargés comme des mules. Papa n'en revenait toujours pas.

—Deux millions de francs… Mon Dieu… Si les autres sont aussi bien payés, cet homme doit être à la tête d'une fortune incalculable !

—Je ne suis pas supposé t'en avoir parlé, insistai-je.

—Je sais, je sais. Je me demande qui il est.

—J'aimerais le savoir aussi.

—Remarque que deux millions de francs pour une balle dans le ventre, ce n'est pas cher payé !

Nous allions monter l'escalier quand la gardienne nous appela.

—Monsieur Lafet, votre courrier ! Oh ! Monsieur Lafet père, quelle joie de vous revoir. Comment allez-vous ?

Je grimaçai. Les sacs étaient lourds et mes points de suture tiraient.

—Madame Risoti… nous sommes un peu chargés.

—Oui, oui, voilà, dit-elle en coinçant mon courrier sous mon bras. Au fait, j'ai toujours votre petit masque ! cria-t-elle depuis le bas de la cage d'escalier. Il est vraiment ravissant. Et tellement réaliste. Tout le monde me demande d'où il vient.

Mon père pouffa et se pencha par-dessus la rampe.

—D'un village amazonien, chère madame. J'ai même failli me faire attaquer par un tigre, dans cette satanée jungle.

—Ah oui ?

—Oui. Il n'y a guère que là-bas que l'on trouve encore des tribus cannibales capables de faire des têtes réduites dignes de ce nom.

J'entendis la gardienne pousser un cri horrifié et ne pus contenir mon rire plus longtemps.

—C'était malin, ça, fis-je en glissant la clé dans la serrure. On voit bien que tu ne la croises pas tous les jours. Des tigres en Amazonie…

—Sais-tu que je l'ai payée une petite fortune, cette saleté ? Je l'ai trouvée chez un brocanteur, au Canada.

Je posai les sacs dans la cuisine et entrepris de ranger nos achats dans les placards pendant que mon père dépouillait mon courrier.

—Une carte postale de… Bénédicte ? Tiens, tu ne m'en as jamais parlé, de celle-là.

—Une hôtesse d'accueil.

—L'abonnement téléphonique a encore augmenté. Bientôt, il sera plus cher que les communications. Ah ! Un rendez-vous pour l'entretien de la chaudière. Elle est en panne ?

—Non, elle déraille un peu. Accroche-le sur le frigo.

—Bon sang, ils n'ont pas perdu de temps…

—Qui donc ? (Je levai la tête et vis mon père s'asseoir sur une chaise, le visage défait.) Qu'y a-t-il ?

—Les biens de Bertrand ont été vendus aux enchères, avant-hier, fit-il d'une voix éteinte en me tendant le contenu d'une enveloppe A4.

—La Cour des comptes a mis son nez dans ceux du Louvre, il y a peu, fis-je en parcourant le document des Domaines. Ils doivent gratter jusqu'au dernier centime pour boucher les trous, ces chacals. Si le pauvre Bertrand savait à quoi va servir son patrimoine… (Je fis la moue.) Cela dit, je ne vois pas en quoi cette vente me concerne. C'est le Louvre qui m'a envoyé ça?

Mon père retourna l'enveloppe en tous sens et haussa les épaules.

— Je ne vois que ton nom sur l'enveloppe. Pas de timbre ni d'adresse.

Je feuilletai le catalogue et, à la page où figurait un descriptif de la maison de Bertrand avec plusieurs photos, je trouvai une petite liasse de documents agrafés. Lorsque je compris ce que c'était, je dus m'asseoir pour ne pas vaciller.

— Quoi? s'inquiéta mon père.

Incapable de prononcer un mot, je lui tendis les documents. Un acte de vente validé par les Domaines où figurait le nom du nouveau propriétaire de la maison de Bertrand: moi.

ÉPILOGUE

— Ils sont là ! cria Hans en se précipitant pour nous aider à vider le coffre de mon 4 x 4 flambant neuf, qu'Amina avait ouvert.

Nous étions en plein mois de juillet et les parfums de la forêt de Fontainebleau embaumaient tout Barbizon.

— La balustrade est enfin réparée, remarqua mon père en sortant de la maison. Ils en auront mis du temps, pour poser quelques cailloux.

Un petit bruit agacé nous fit nous retourner et j'éclatai de rire. Etti tapotait rageusement la vitre arrière de la voiture avec une moue de garçonnet. Je déverrouillai la sécurité enfant et ouvris la portière.

— Désolé.

Il haussa les épaules et s'extirpa du véhicule pour me toiser.

— Je n'allais pas… sauter en route !

— Le voilà !

Madeleine, un tablier noué autour des reins, sortit à son tour de la maison pour venir à notre rencontre. Mon frère se pressa contre moi, craintif. Je passai un bras rassurant autour de ses épaules.

— Etti, voici Madeleine. C'est elle qui va s'occuper de toi. Enfin, de nous.

— Bon… jour, fit-il timidement en lui tendant la main.

Madeleine déploya des trésors d'habileté pour l'amadouer sous le regard sceptique de mon père, mais, au bout d'un quart d'heure, Etti était conquis et avait retrouvé son beau sourire.

—Viens, Hans va te montrer ta chambre et tu me diras comment tu souhaites l'arranger.

Elle le prit par la main pour le conduire au premier étage et mon frère observa ce qui l'entourait, émerveillé. Le soleil filtrant à travers les vitraux couvrait son corps de taches multicolores.

—Là, c'est la chambre de Morgan, et là... regarde, fit Hans en le poussant doucement à l'intérieur de ce qui avait été la chambre d'amis. C'est ton coin à toi. J'ai même refait le truc hindou que tu avais dans le studio, ajouta-t-il en lui désignant le petit autel votif qu'il avait pris grand soin de déménager.

Etti le remercia d'un sourire et s'assit prudemment sur le lit.

—Petit, dit-il en s'y allongeant.

—Petit ? intervint mon père. Il est plus grand que celui que tu avais à la clinique.

—Oui...

—Ça te plaît ? demanda Hans.

Mon frère se leva brutalement et quitta sa chambre pour traverser le couloir et se planter au sommet du grand escalier, où il avait une vue d'ensemble sur l'intérieur de la demeure. Je le rejoignis et posai la main sur son épaule.

—Bienvenu à la maison, Etti.

—C'est... à toi ?

—C'est à nous. Une vraie maison comme celle dont tu rêvais, avec un grenier et un jardin.

—Notre... maison...

Une fois nos affaires rangées, Madeleine nous servit un dîner qui laissa mon père repu, ce qui, en bon vivant qu'il était, ne l'empêcha pas de reprendre deux fois du gâteau. Amina, Hans et lui repartirent peu avant minuit avec des boîtes de biscuits, et Madeleine s'assura qu'Etti ne manquait de rien avant de regagner sa propre demeure, à cinquante mètres de la nôtre. La nôtre… je n'arrivais pas encore à réaliser ce qui nous arrivait.

Je sortis fumer une cigarette dans le jardin. En levant la tête, je vis Etti en ombre chinoise à travers les rideaux. Il rangeait les vêtements dans les armoires.

« Toujours aussi maniaque… »

Mais cela avait quelque chose de rassurant, prouvait que le traumatisme qu'il avait subi ne l'avait pas transformé. Il retrouverait toutes ses facultés, j'en étais persuadé. C'était juste une question de temps.

Mon téléphone sonna au moment où j'allais le rejoindre pour me coucher.

—Morgan ?

—Hélios…

—Je me suis laissé dire qu'Etti avait déménagé ses pénates dans sa nouvelle maison ?

Je sentis un sourire m'étirer les lèvres.

—Je ne sais pas si je dois vous remercier pour ce présent ou vous maudire pour ce que j'ai enduré.

—Ne vous avais-je pas assuré que vous ne regretteriez pas de travailler pour moi ?

—Le docteur Yannitsis m'a juré ses grands dieux qu'aucun étranger n'était venu voir Etti en dehors de Hyacinthe. Comment avez-vous pu passer inaperçu avec un surveillant dans chaque couloir ?

—La discrétion n'est pas la moindre de mes qualités, vous le savez.

—Qui êtes-vous ? Et pourquoi cherchez-vous tous ces objets ?

—Hyacinthe a raison, professeur. Vous posez trop de questions.

—Qui restent toujours sans réponse.

—Avec le temps, lorsque je vous connaîtrai mieux… En attendant, reposez-vous et occupez-vous de votre frère.

La suppression de votre poste au Louvre arrive à point nommé.

—C'était vous?

—Non. Mais vous méritiez mieux que cela de toute façon. Vous êtes un homme de terrain, professeur, et j'ai besoin d'hommes tels que vous.

—Serait-ce une proposition?

—Le test a été concluant. Avez-vous des projets pour le printemps prochain?

—Que proposez-vous?

—Une chasse au trésor. Un masque ancien que j'ai égaré.

—De quel genre?

—Égyptien.

—Soyez plus précis.

Un rire velouté résonna dans l'écouteur.

—Certainement pas. Pas encore, du moins. Un peu de patience, Morgan.

Je soupirai.

—Hélios… Pourquoi Hyacinthe a-t-il dit que l'armure vous appartenait?

—Parce que c'est le cas.

—Je ne…

—Profitez de ces quelques mois pour vous reposer, Morgan. Je vous contacterai en temps voulu. Et faites mes amitiés à votre frère.

—Attendez!

Mais il avait déjà raccroché et je jetai le téléphone dans l'herbe, rageur.

—Il est… en panne?

Je me tournai vers Etti, qui avait enfilé un pyjama short et se tenait nu-pieds sur le gazon.

—Non, je… la communication a été coupée et je me suis emporté.

Mon frère ramassa le mobile et me le tendit.

346

—Il est tard.

—Oui, nous allons aller dormir. Etti… (Il ouvrit grand ses yeux dorés.) À la clinique, tu as vu un homme, n'est-ce pas ?

Son visage s'illumina.

—Hyacinthe. Il est… gentil. Il a apporté des… magazines.

—Oui, il est très gentil. Mais tu as vu quelqu'un d'autre aussi. Quand je t'ai parlé au téléphone, tu te rappelles ? (Il acquiesça.) Viens t'asseoir, fis-je en prenant place sur une chaise de jardin. (Il s'installa en face de moi et je sortis une autre cigarette de mon paquet.) Ce que je vais te demander est très important, alors je veux que tu réfléchisses bien avant de répondre. (Il hocha la tête et fronça les sourcils.) À quoi ressemblait cet homme ?

—Grand… Fort…

—Était-il jeune ? Vieux ? Brun ? Blond ?

Mon frère parut faire des efforts désespérés pour se rappeler.

—Je ne sais plus, fit-il piteusement. Il était… charmant.

—Est-il venu seul dans ta chambre ? Personne ne l'a vu ?

—Non. C'était… il était tard.

—S'appelait-il Hélios ?

—Non.

—Il ne t'a même pas dit son nom ?

—Si. Il s'appelle Héphaïstos. (Mon briquet m'échappa des mains et je jurai.) Tu es fatigué. J'ai sommeil… aussi

—Oui, Etti, bredouillai-je. On y va.

Je le pris par le bras pour rentrer dans la maison et, en refermant la porte, je m'aperçus que mes mains tremblaient.

—Qui c'était… au téléphone ?

—Je ne sais pas, Etti, fis-je d'une voix éteinte. En tout cas, pas pour l'instant…

REMERCIEMENTS

Merci à Maureen, Stéphanie, Virginie et Sandie pour leur patience, leur soutien et leur incroyable énergie.

Merci aussi et surtout à Cristina Rodriguez, mon écrivain d'épouse, qui a su glisser son petit nez de fouine dans ce roman chaque fois que j'ai eu besoin d'elle, c'est-à-dire au moins trois fois par jour…

À suivre dans le tome II : *Le Tombeau d'Anubis*.

Cet ouvrage a été imprimé par la
SOCIÉTÉ NOUVELLE FIRMIN-DIDOT
Mesnil-sur-l'Estrée
pour le compte des Éditions Flammarion
en avril 2004

Imprimé en France
Dépôt légal : avril 2004
N° d'édition : FF 835701 - N° d'impression : 67789